衝撃の複合検証

能登半島地震は
6.11人工地震だった?!

The Noto Peninsula earthquake was an artificial earthquake.

[著] 泉パウロ

はじめに

震災被害者の皆様には心より御見舞い申し上げます。被災された皆様の感情を悪戯に傷付けたくはないです。部外者が被災者の痛みも知らずして大口叩いてほしくないと思われるかもしれません。しかし、私も被災者の心の痛みが分かる遺族です。

1993年、私の父方のおばあさんは北海道奥尻島の南西沖地震で倒壊した旅館で亡くなりました。その後、3・11東日本大震災の人工地震を起こしたDS連中が内部暴露した機密文書を入手した時、そこに本丸の3・11への事前テストであったと書かれていました。つまり私のおばあさんは人工地震でDS連中に殺されたのです。

2004年、新潟県中越地震が起きた時、私の別荘が震源の新潟県長岡市にありましたが、赤い紙が貼られた大規模半壊の診断を受けて使用不能の廃墟になりました。新潟県中越地震も多数の証拠から検証すると、DSによる人工地震です。

２００４年から２００８年までキリスト教月刊誌「ハーザー」に依頼されて連載記事を書きましたが、そのタイトルは最後まで「大地震は必ず来る」でした。

２００８年、「大地震」という本で震災予告しましたが、あまり売れませんでした。

２０１１年、東日本大震災が起きた時、私の書いた『本当かデマか 3・11［人工地震説の根拠］衝撃検証』がヒットして、２０１１年に刊行された数多くの書物の内でもっともトンデモない本として、勝手にノミネートされ、2位の2倍以上の得票で日本トンデモ本大賞に選ばれました。その後、人工地震を知らない牧師たちから言葉の袋叩きに遭いました。

２０２０年、家族3人がアメリカ旅行に招待され、すべての費用が招待者もちでビザも取得完了。いざ渡航直前という時にコロナ禍で米国ロックダウンでキャンセル。２０２０年から２０２２年、反ワクチン本を5冊書いて理解できない人たちからボコボコに。

２０２２年、新型コロナウイルス感染症により、母方のおばあさんが享年１０７歳で亡くなられました。これもＤＳによる人口削減計画に基づいた人為的な犯行です。ですから、被災者の皆様、愛する者を失った身内の悲しみは、分かります。だからといって大きなことを言うつもりはありません。ただ、真実を知ってほしいのです。今回起こされた能登半島地震も人工地震です。これら一連の災害は神様による罰や祟りではなく、日本を憎む悪魔による攻撃なのです。

私は、教会の牧師を本業としていますが、東日本大震災の時は、レンタルバスの座席を全部外して教会の1階に置き、広くなった空間に救援物資を詰め込んで現地配布の活動を繰り返し行いました。経済的支援だけでなく、人材も多数滞在派遣して現地ボランティアに参加しました。

私たちの教会のゴスペルバンド演奏者10人の中に、アメリカ人の夫と日本人の妻の夫婦がいます。その女性は被災地の教会の牧師の娘さんですが、アメリカから救済活動に来られたボランティア男性と支援活動中に知り合い、恋愛結婚。その後、転勤で上京して私たちの教会で活躍しています。神様のなさることは災害の苦難の中でもいつも美しいのです。

１９７５年、関西、中部、北陸の電力３社が石川県珠洲市の高屋と寺家に１００万キロ

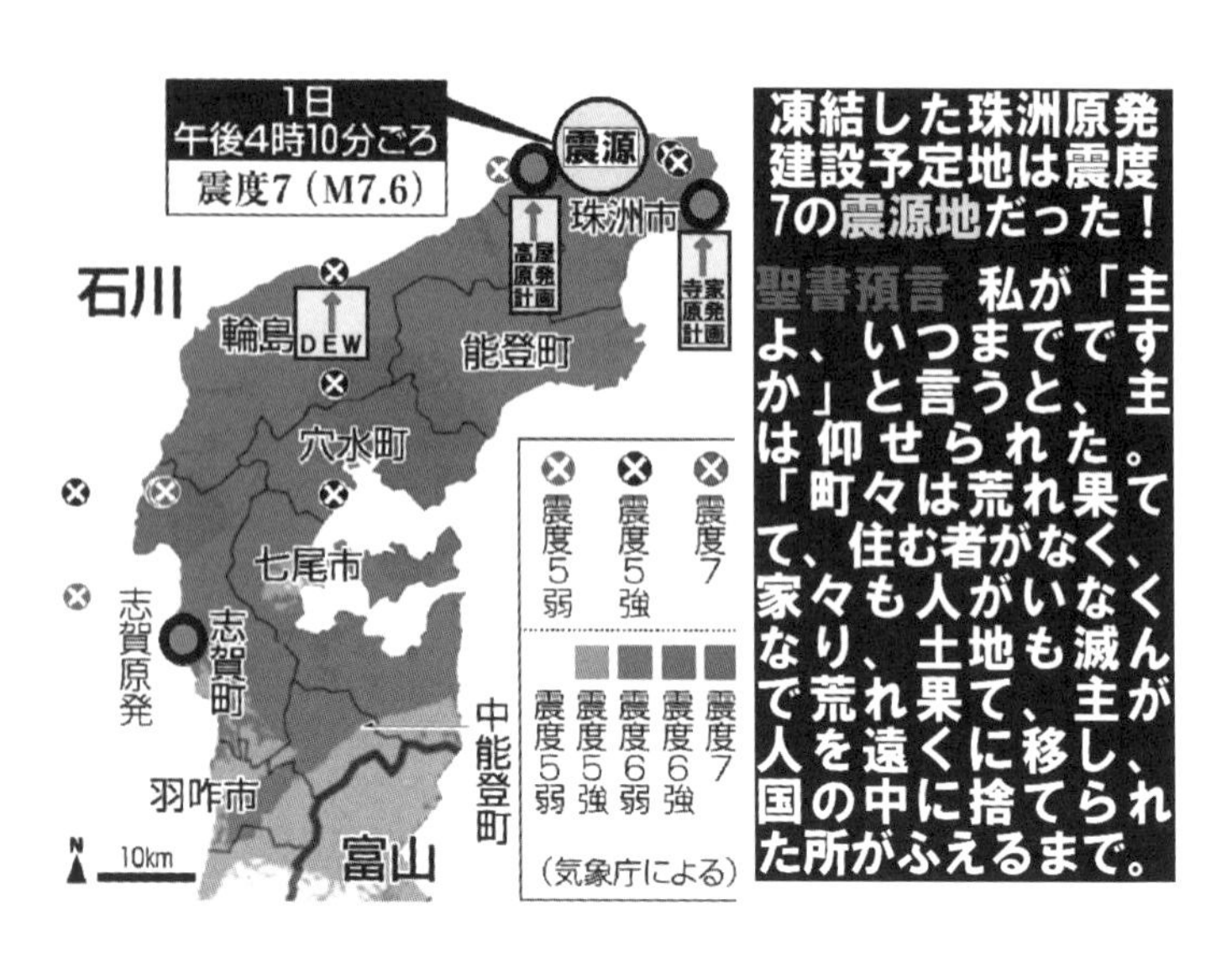

ワットの日本最大級原発2基を建てる構想を公表。電力会社が「人口流出に歯止めがかかり豊かで明るい町になります。福島は原発誘致で皆が豊かで幸せになりました。」と宣伝、推進派著名人、竹村健一氏の講演会も開催し、2024年稼働予定でしたが、バブル経済崩壊と過疎化で採算見合わず、地元住民の反対運動で2003年に凍結。

　今年の能登半島地震の震源は、なんと原発2基予定地のど真ん中で、地盤が数メートルも隆起した家屋大崩壊の現場です！　もし、珠洲原発が実現していたなら、震度7隆起の段差で配管破損、冷却不可のメルトダウン！崖崩れで道路寸断の陸の孤島内で被災者は逃げ道なく福島原発以上に被曝、風下の北関東圏も甚大被害でした。

1921年　原敬首相暗殺	1、安倍元首相暗殺
1923年　関東大震災	2、能登地震　首都直下
1925年　治安維持法　成立	3、改正憲法　成立
1929年　世界恐慌（米国）	4、金融恐慌（米国）
1930年　昭和恐慌（日本）	5、令和恐慌（日本）
1937年　日中戦争（中国）	6、台湾有事（中国）
1941年　第二次世界大戦	7、第三次世界大戦

伝1:9 - 10 昔あったものは、これからもあり、昔起こったことは、これからも起こる。日の下には新しいものは一つもない。「これを見よ。これは新しい」と言われるものがあっても、それは、私達よりはるか先の時代に、すでにあったものだ。

1964年に軍産複合体がケネディ大統領を暗殺、次のジョンソン大統領で冷戦再燃・ベトナム戦争激化。

2022年に軍産複合体が自民党の実質支配者・安倍元総理を暗殺、次の岸田総理で冷戦再燃・ロシア戦争激化。

３１１以降、米作りの田園地帯、福島県双葉町は今、放射性廃棄物の中間貯蔵施設が立ち並び、13年経っても85％が帰還困難地域のままです。石川県６１１は間一髪でしたが、本当に末恐ろしい計画がそこにあったのです。

原敬首相暗殺が１９２１年11月４日。その６６６日後が１９２３年９月１日の関東大震災！　このパターンを繰り返すなら、安倍晋三首相暗殺が２０２２年７月８日。その６６６日後が２０２４年５月４日！　人出の多いゴールデンウィーク期間中に首都直下地震？そうならないよう祈ります。４日！人出の多いゴールデンウィーク期間中に首都直下地震？　そうならないよう祈ります。

目次

能登半島を襲った6・11人工地震を検証する!!

第1章　人工地震は、1987年にアメリカ特許商標庁に登録された公認の特許技術です!

第6章 まるで人口削減ワクチンそのもの！　なぜ彼らは聖書を書き換えてまで不浄のコオロギをわれわれに食べさせるのか⁉

人体チップ内蔵計画!! ワクチンの酸化グラフェン磁性ナノ粒子で5GとAIにつながれているのは、日本人のみ!?

第7章 オープンカントリー(城壁のない国) イスラエルの第三次世界大戦は預言されている!?

大手製薬会社に殺される時代の必須サバイバル知識

第8章 人工地震の犯人たちは、天体の動きと聖書を参考に犯行を繰り返す！

第9章

日本で脳細胞が未発達の乳幼児激増の理由は、抗ガン剤（マスタードガス）である！

Part 5 巨大レバノン杉と巨人ネフィリムの証拠写真と富士山人工製造説!?

第10章 身長1・335㎞のネフィリム巨人の画像!?

カバーデザイン　森　瑞（4Tune Box）
校正　麦秋アートセンター
本文仮名書体　文麗仮名（キャップス）

Part

能登半島を襲った6・11人工地震を検証する!!

第1章

人工地震は、1987年にアメリカ特許商標庁に登録された公認の特許技術です！

人工地震の技術と発想は聖書から得たものだった⁉

まず、人工地震が実在することは、カルトや空想ではないことを知っていただきたいです。この画像は、1973年（昭和48年）に刊行された小松左京によるSF小説『日本沈没』からの抜粋ですが、188ページには3月11日午後2時という日時が示されています。この小説の他の箇所には、それは日本が人口減少傾向に入る翌年と書かれています。つまり2011年3月11日、午後2時。東日本大震災は、この犯行予告がされた2011－1973＝38。38年後です。

2011年3月11日、午後2時46分、東日本大震災が計画通り起こされました。何で小松左京は38年後に実現した災害日時を事前に知っていたのですか？　ありえない。悪いこ

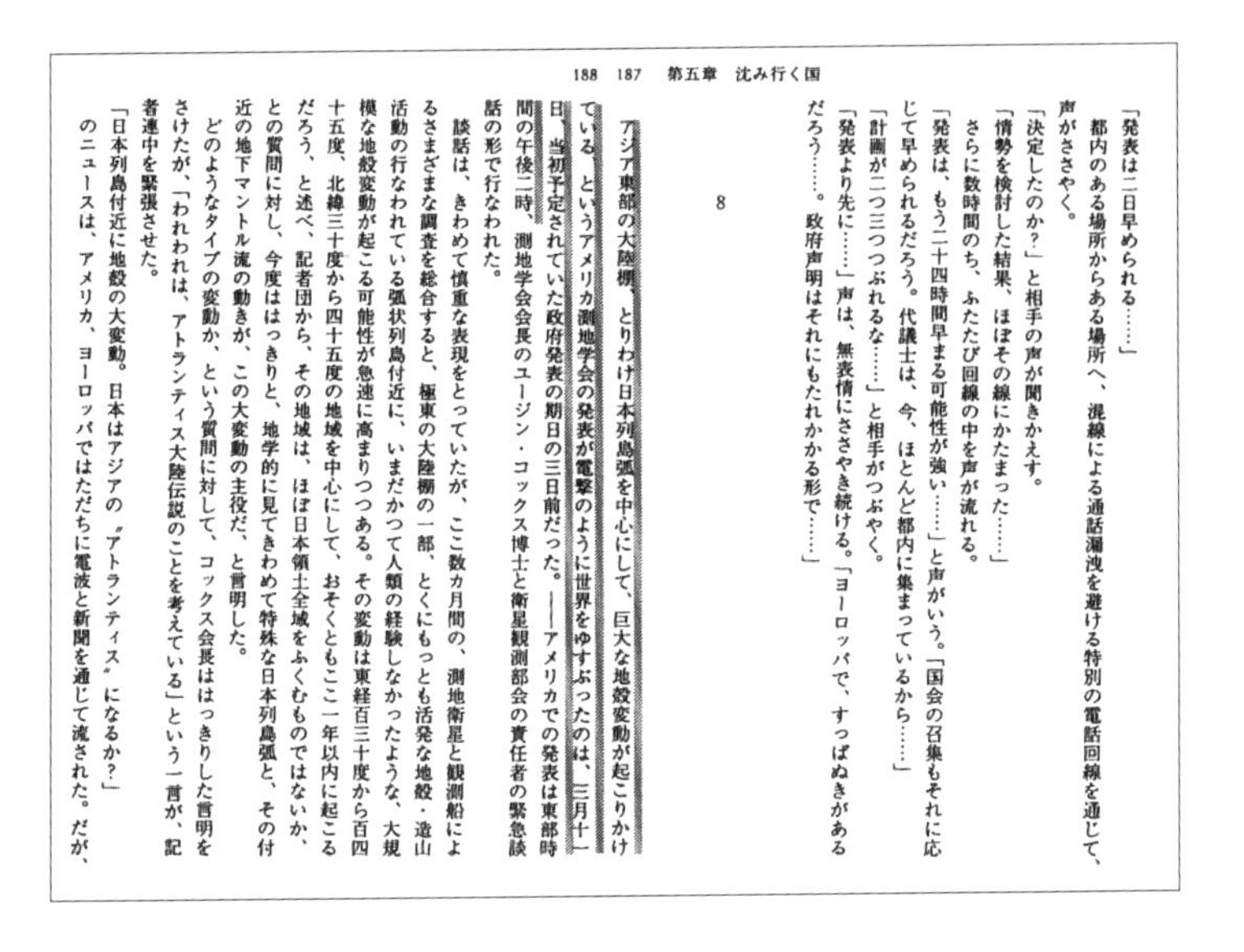

188　187　第五章　沈み行く国

「発表は二日早められる……」

都内のある場所からある場所へ、混線による通話漏洩を避ける特別の電話回線を通じて、声がささやく。

「決定したのか？」と相手の声が聞きかえす。

「情勢を検討した結果、ほぼその線にかたまった……」

さらに数時間のち、ふたたび回線の中を声が流れる。

「発表は、もう二十四時間早まる可能性が強い……」と声がいう。「国会の召集もそれに応じて早められるだろう。代議士は、今、ほとんど都内に集まっているから……」

「計画が二つ三つつぶれるな……」と相手がつぶやく。

「発表より先に……」声は、無表情にささやき続ける。「ヨーロッパで、すっぱぬきがあるだろう……。政府声明はそれにもたれかかる形で……」

8

アジア東部の大陸棚、とりわけ日本列島弧を中心にして、巨大な地殻変動が起こりかけている、というアメリカ測地学会の発表が電撃のように世界をゆすぶったのは、三月十一日、当初予定されていた政府発表の期日の三日前だった。――アメリカでの発表は東部時間の午後二時、測地学会会長のユージン・コックス博士と衛星観測部会の責任者の緊急談話の形で行なわれた。

談話は、きわめて慎重な表現をとっていたが、ここ数カ月間の、測地衛星と観測船によるさまざまな調査を総合すると、極東の大陸棚の一部、とくにもっとも活発な地殻・造山活動の行なわれている弧状列島付近に、いまだかつて人類の経験しなかったような、大規模な地殻変動が起こる可能性が急速に高まりつつある。その変動は東経百三十度から百四十五度、北緯三十度から四十五度の地域を中心にして、おそくともここ一年以内に起こるだろう、と述べ、記者団から、その地域は、ほぼ日本領土全域をふくむものではないか、との質問に対し、今度ははっきりと、地学的に見てきわめて特殊な日本列島弧と、その付近の地下マントル流の動きが、この大変動の主役だ、と言明した。

どのようなタイプの変動か、という質問に対して、コックス会長ははっきりした言明をさけたが、「われわれは、アトランティス大陸伝説のことを考えている」という一言が、記者連中を緊張させた。

「日本列島付近に地殻の大変動。日本はアジアの〝アトランティス〟になるか？」

のニュースは、アメリカ、ヨーロッパではただちに電波と新聞を通じて流された。だが、

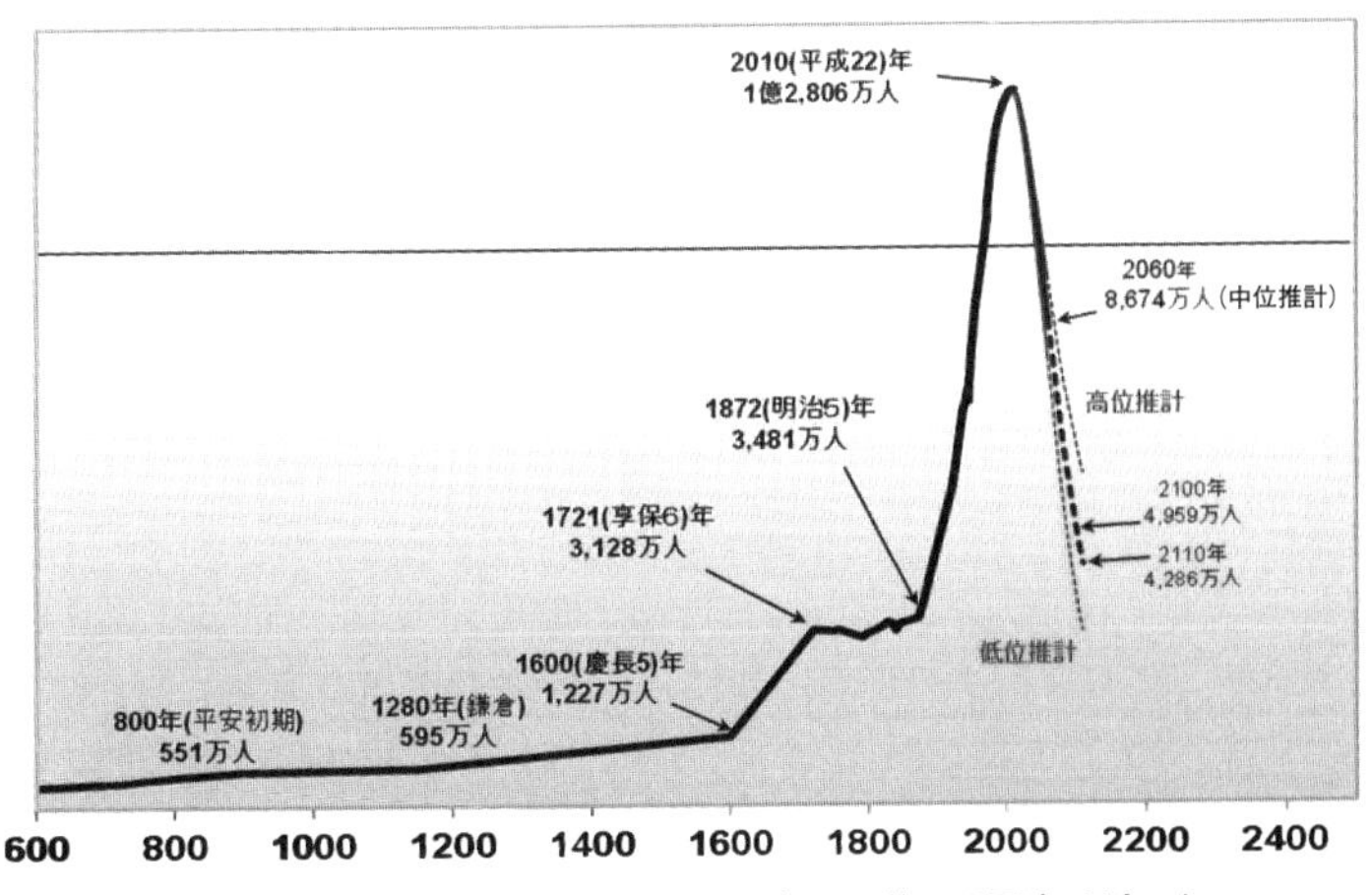

５年ごとに実施される国勢調査　2010年に１億2806万人でピーク

とに加担するからそれが実現した、3・11の年に隠蔽目的で粛清されました。

彼は、1948年、旧制三高時代に本名の小松実で初作漫画「怪人スケレトン博士」を出版しています。B6サイズ、64ページの2色刷りで、人工地震を起こす装置で日本を海に沈めようとするスケレトン博士の陰謀を探偵スピイドが阻止する物語で、スピイドが「やはり科学は悪用するものぢゃありませんね」と話す場面で終わります。本は現在、メリーランド大・プランゲ文庫に所蔵されていますが、高校生時代から人工地震を知っていた彼は親が組織の人物だったのではないでしょうか。

聖書には、人工的な地震が現実にあると2700年も前から書いてあり、その犯人がやがて捕まることも書いていています。

イザヤ書14：12－17（BC700年頃記載）

「暁の子、明けの明星よ。どうしてあなたは天から落ちたのか。国々を打ち破った者よ。どうしてあなたは地に切り倒されたのか。あなたは心の中で言った。『私は天に上ろう。神の星々のはるか上に私の王座を上げ、北の果てにある会合の山にすわろう。密雲の頂に上り、いと高き方のようになろう。』

しかし、あなたはよみに落とされ、穴の底に落とされる。あなたを見る者は、あなたを

- **911 NY同時多発テロ、311東日本地震、阪神淡路大震災の共通点46分。**
- **マタイ26:46**
- **「立ちなさい。さあ、行くのです。見なさい。わたしを裏切る者が近づきました。」**

- **マタイ27:46**
- **「三時ごろ、イエスは大声で、「エリ、エリ、レマ、サバクタニ。」と叫ばれた。これは、**
- **「わが神、わが神。どうしてわたしをお見捨てになったのですか。」という意味である。」**

- **マルコ14:46**
- **「すると人々は、イエスに手をかけて捕えた。」**

- **マルコ15:46**
- **「そこで、ヨセフは亜麻布を買い、イエスを取り布を買い、イエスを取り降ろしてその亜麻布に包み、岩を掘って造った墓に納めた。墓の入口には石をころがしかけておいた。」**

- **ルカ23:46**
- **「イエスは大声で叫んで、言われた。「父よ。わが霊を御手にゆだねます。」こう言って、息を引き取られた。」**

見つめ、あなたを見きわめる。『この者が、地を震わせ、王国を震え上がらせ、世界を荒野のようにし、町々を絶滅し、捕虜たちを家に帰さなかった者なのか。』」

「暁の子、明けの明星」とは、悪魔の本名、ルシファーです。悪魔が指示を出し、その従者である悪魔崇拝者（サタニスト）たちが犯行に及んでいるのです。ちょうど、本物の神様が指示を出し、クリスチャンたちがその命令を実行するのと正反対です。神様の命令とは、互いに熱く愛し合い、聖書の教えを実行することです。

大地震が46分に多いです。

・1995／01／17　5：46→阪神・淡路大

震災　M7・3
・2011／03／11　14：46→東日本大震災　M9・0
・2001／09／11　8：46→米国同時多発テロ

それは聖書を真似た発想で、詩篇の46篇は地震に関する箇所です。
詩篇46：2「われらは恐れない。たとい、地は変わり山々が海のまなかに移ろうとも（地殻変動）。46：3　たとい、その水が立ち騒ぎ、あわだっても、その水かさが増して（津波）山々が揺れ動いても（大地震）。」
詩篇46：6「国々は立ち騒ぎ、諸方の王国は揺らいだ（経済混乱）。神が御声を発せられると、地は溶けた（液状化現象）。」

46は地震と災いの数です。イエス様が私たちの身代わりに苦難を受けた十字架の記録も、46節が多いのをDS連中は知って、神様の反対、悪魔崇拝者だから聖書の46を逆に悪用しています。

封印された人工地震の研究とその新聞記事

地球深部探査船「ちきゅう」は、人類史上初めてマントルや巨大地震発生域への大深度掘削を目標としていますが、東日本大震災の直前、「ちきゅう」が震源となった真上に長期停泊してボーリング調査をしていました。事前にそこで何をしていたのでしょうか？

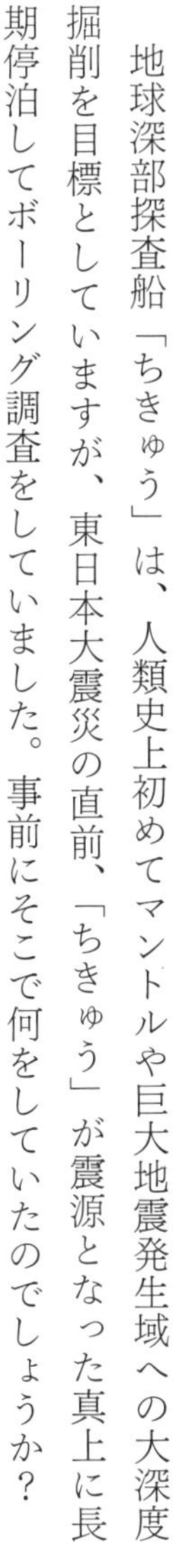

能登半島で、２０２０年12月頃から２０２２年9月までに２００回以上も起きた地震活動活発化の原因追及を名目に、この地球深部探査船「ちきゅう」が再び海底調査をしていたようです。本当はそこで長期間、何をしていたのでしょうか？　聖書には、神様が通られた跡には、祝福があると書いていますが、悪魔が通過した後には、いつも災いが起きます。

詩篇65：11－13「あなた（神様）は、その年に、御恵みの冠をかぶらせ、あなたの通られた跡にはあぶらがしたたっています。荒野の牧場はしたたり、もろもろの丘も喜びをまとっています。

能登半島沖の海底調査を開始　地震のメカニズム解明へ

2022/09/13

石川県の能登半島沖で、海底調査のため電磁波を観測する装置を下ろす関係者ら＝12日（兵庫県立大・石須慶一助教提供）

兵庫県立大と金沢大、京都大、海洋研究開発機構のチームは13日、石川県の能登半島で活発化している地震活動のメカニズム解明に向け、半島沖の海底調査を始めたと発表した。10月下旬までデータを収集し、地下構造を解析する。

チームによると、半島の沖4～6キロ、水深50～100メートルの海底3カ所に観測装置を設置した。海底で電磁波を捉え、地下深部の構造を解明して地震発生との関連を調べる。既に陸上で収集した観測データも活用する。

能登半島の先端部では2020年12月ごろから地震活動が活発化。22年9月ごろまでに発生した震度1以上の地震は200回以上に上る。

関連記事

KYODO ハンドボール新リーグ運営を批判

藤田氏が強化責任者に、J1 田

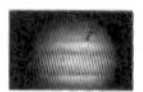

木星で「火球」を観測

浅間山で火山性地震増加

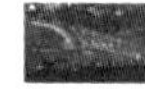

南海トラフ史最大の津波確

Tweets by 共同通信

プライバシー

利用規約

この記事へのフィードバック

powered by nordot

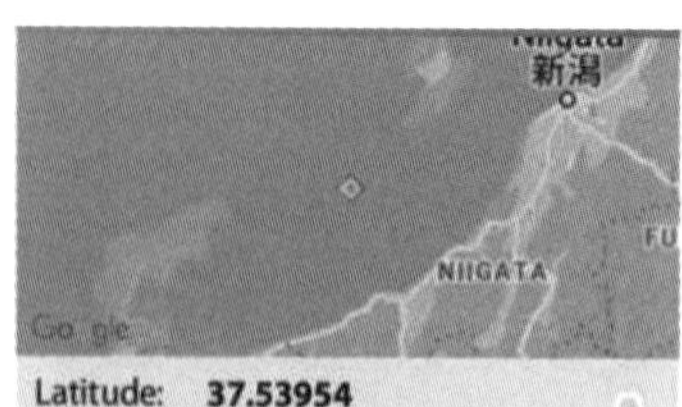

Latitude: **37.53954**
Longitude: **137.9434**

Area:	**Japan Coast**
Info received	**24 Aug 06:32 UTC**

NEARBY VESSELS

Status:	**Restricted Manoeuvrability**
Speed/Course:	**0 kn / 36°**
Heading:	**315°**
AIS Source:	**Terrestrial AIS**

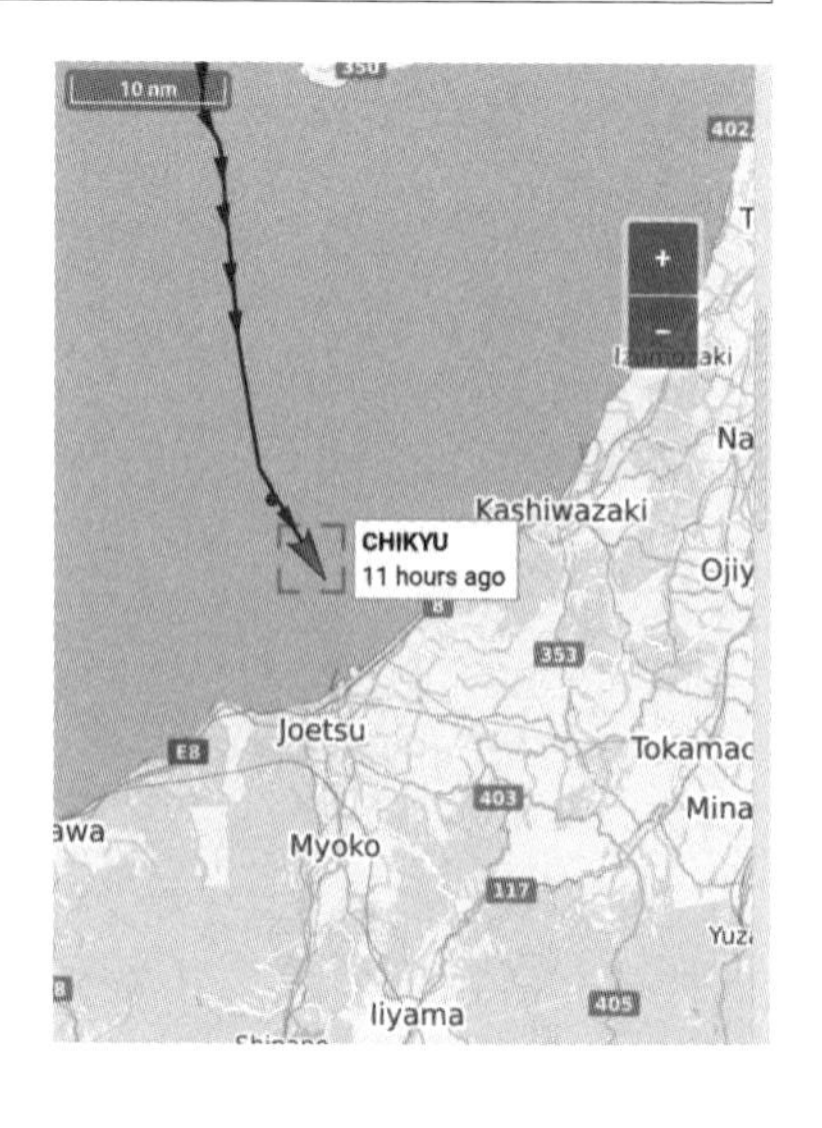

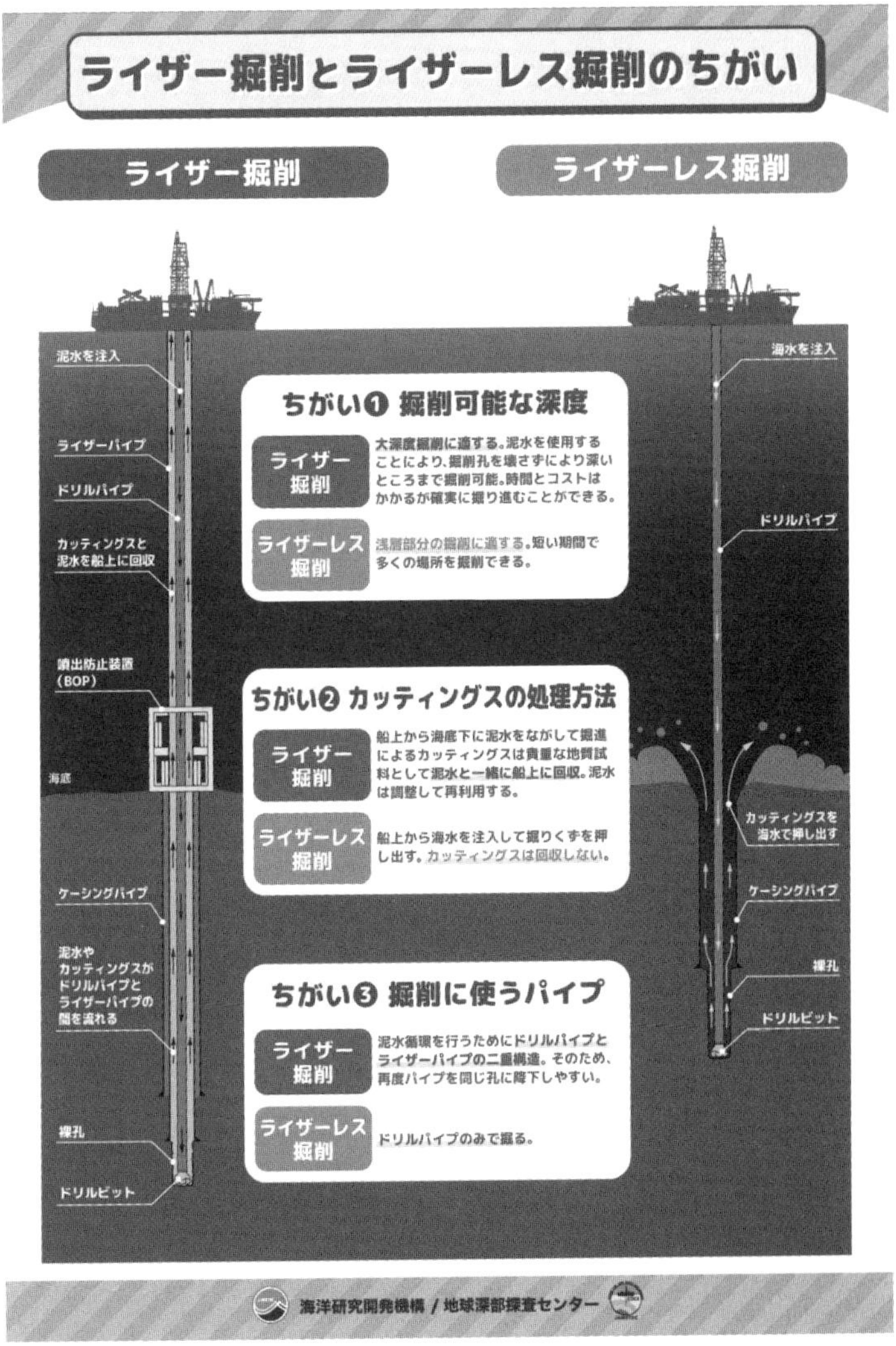

ライザー掘削とライザーレス掘削のちがい

ライザー掘削

泥水を注入

ライザーパイプ

ドリルパイプ

カッティングスと
泥水を船上に回収

噴出防止装置
(BOP)

海底

ケーシングパイプ

泥水や
カッティングスが
ドリルパイプと
ライザーパイプの
間を流れる

裸孔

ドリルビット

ライザーレス掘削

海水を注入

ドリルパイプ

カッティングスを
海水で押し出す

ケーシングパイプ

裸孔

ドリルビット

ちがい❶ 掘削可能な深度

ライザー掘削	大深度掘削に適する。泥水を使用することにより、掘削孔を壊さずにより深いところまで掘削可能。時間とコストはかかるが確実に掘り進むことができる。
ライザーレス掘削	浅層部分の掘削に適する。短い期間で多くの場所を掘削できる。

ちがい❷ カッティングスの処理方法

ライザー掘削	船上から海底下に泥水をながして掘進によるカッティングスは貴重な地質試料として泥水と一緒に船上に回収。泥水は調整して再利用する。
ライザーレス掘削	船上から海水を注入して掘りくずを押し出す。カッティングスは回収しない。

ちがい❸ 掘削に使うパイプ

ライザー掘削	泥水循環を行うためにドリルパイプとライザーパイプの二重構造。そのため、再度パイプを同じ孔に降下しやすい。
ライザーレス掘削	ドリルパイプのみで掘る。

海洋研究開発機構 / 地球深部探査センター

牧草地は羊の群れを着、もろもろの谷は穀物をおおいとしています。まことに喜び叫び、歌っています。」

能登地震の前年、2023年8月24日に地球深部探査船「ちきゅう」はまだそこにいます。

人工地震は、アメリカ特許商標庁に1987年、合衆国特許：第4686605号で登録済の公認技術です。技術管理は、米海軍と空軍の合同委員会。開発予算は米国の国防費。人工地震の特許保有者（製造企業）は、CIAが経営するE-Systems社の子会社APTI社で、B・J・イーストランド博士が盗聴機能と地震を誘発する兵器HAARPの発明者とされています。

2013年には、世界120カ国以上がサイン批准した環境改変技術敵対的使用禁止条約が締結。人工地震・津波・台風を軍事兵器として利用禁止するルールで、1982年には、日本の国会も地震兵器禁止条約が国会で承認されています。

APTI社が「電離層内に形成させる人工鏡」合衆国特許：第5041834号を登録した翌年1992年から、日本での人工地震に関する情報は報道禁止になりました。新聞報道は、それ以前の記事です。

制御研究
人工地震で発散
たまったエネルギー
予知だけで被害防げぬ

人工地震につ…
blog.goo.ne.jp

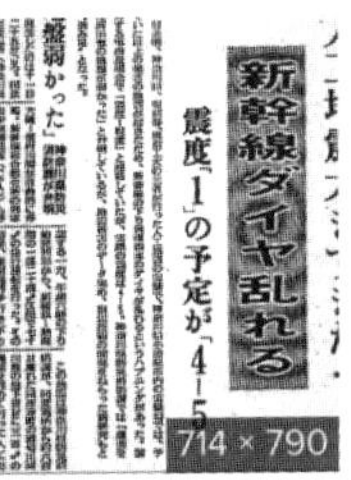
新幹線ダイヤ乱れる
震度「1」の予定が「4－5」

【速報】地震：…
newschrettouno…

四カ所で原爆実験計画

人工地震について書…
blog.goo.ne.jp

気象兵器で米ソ交渉

人工地震…
blog.goo.n…

各地で震動

人工地震に…
truejourney…

恐るべき環境・気象破壊兵器
米ソで研究着々

人工地震の変 | …
ameblo.jp

揺れるぞ大震災以上
あす珍しい人工地震の実験

人工地震…
blog.goo.n…

人工地震

人工地震について書かれ…
blog.goo.ne.jp

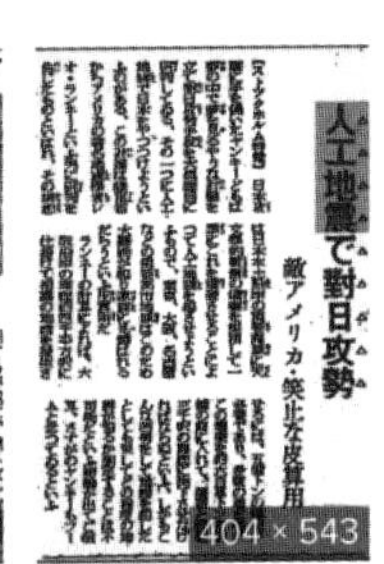
人工地震で對日攻勢
敵アメリカ・笑止な皮算用

人工地震につい…
blog.goo.ne.jp

原爆による人工地震計画
安全の保障が前提
地球観測年に実験

人工地震…
blog.goo.n…

原爆で人工地震
ネバダで14日に初実験

パラグアイに移住調査団

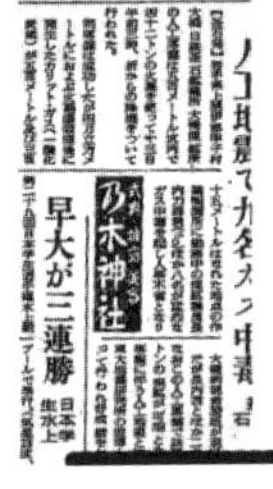
早大が三連勝
乃木神社

陣殺大の本日學科
揺ぐ〳〵大地は揺ぐ
もの凄い人工地震

人工地震の計
原爆で地球を診断
四カ所から爆破振動

人工地震の特徴は震源が浅く、いきなりS波がズドンと来る⁉

人工地震の特徴は、震源が「ごく浅い」です。

4万230フィート（12・262㎞）。この掘削の深さは、1989年に旧ソビエト連邦によって行われた公式の世界最高記録です。35年経った現在は技術の進歩著しく、さらに深いですが、ドリルパイプを連結した掘削には限界点があるため、人工地震は震源が極端に浅くなります。


東日本大震災は、深さ約24㎞を震源。

阪神・淡路大震災は、深さ16㎞を震源。

新潟県中越地震は、深さ13㎞を震源。

熊本地震は、深さ12㎞を震源。

令和6年能登半島地震は、深さ16㎞を震源。

令和6年1月1日に気象庁は、発生直後震源の深さ16㎞を当初は「ごく浅い」と発表していました。人工地震の震源がすべて浅いのは、他の自然地震との比較で歴然です。

深さ60㎞までの地震を浅発地震（英：shallow-focus earthquake）といい、60㎞から２００㎞までの地震を、やや深発地震（英：intermediate-depth earthquake）、２００㎞以深で発生する地震を深発地震といいますが、自然界では、深さ５００～６７０㎞で深発地震が発生することは多いです。観測史上震源が最も深い自然地震はフィジーで観測した深さ７００㎞を超える地震です。人工地震は、それらに比較して震源が圧倒的に「ごく浅い」いつも60㎞以内の浅発地震で、今回の令和６年能登半島地震もそこに位置します。

例えば、東日本大震災は、震源の深さ24㎞。その掘削費用は日米合作の「ちきゅう」号、つまり日本の税金負担ですから高額でもＤＳには無関係です。そもそも発表数値も改ざんが多い気象庁で、「ちきゅう」号の掘削活動は海中深くに花崗岩の地層を見つけることと、崩れると被害甚大な活断層の位置を特定することです。花崗岩の地層を見つければ、そこに地震兵器ＨＡＡＲＰ照射で地震は簡単に起こせます。人工地震を起こすのに、地中に埋めた核爆弾を爆発させる方法もありますが、ＨＡＡＲＰを使用して電磁波で地震原因となる危険な活断層を花崗岩連動で落とせばいいのです。３・11以前はネット上でＨＡＡＲＰ実験の動画がありました。動画では花崗岩、別名、御影石の白い固まりの石を卓上で電磁波照射します。すると御影石の中には透明でキラキラ光る水晶クオーツの粒子が多く含まれていますが、その部分が収縮して石全体がひとりでにカタカタ揺れ動きます。これは科学的に普通の共振現象ですが、今では動画が削除対象になったのかどこでも観られません。東北など地震多発地帯の地中は花崗岩が多くある御影石の産地です。そこを狙えば地表では大地震になります。何も大金掛けて記録破りの24㎞の深さまですべて掘削する必要はないのです。地震を起こすこと自体が目的だから震源は浅くて十分です。「ちきゅう」号が掘削で見つけた花崗岩の層にＨＡＡＲＰ兵器で上空から照射すれば、浅くても十分地震が起きるので、人工地震はすべて震源が浅くなります。

マイクロ・ウェーブは電磁波の一種で周波数３００MHz〜３００GHz帯の電波で、岩石に照射することで熱粉砕できます。電磁波による岩石粉砕の発熱原理は出力８００Ｗの電子レンジを出力80ＫＷに大型化したようなものです。外部から焼く一般の加熱法とは異なり、非加熱物（人工地震の場合、断層）自体が発熱体となり、誘電加熱作用によって岩石が内側から加熱粉砕します。花崗岩の場合は更に強烈に構成成分の組織的、化学的変化の熱衝撃で粉砕します。

電子レンジはマイクロ波照射で食品の水分子を振動・回転させて、その共振現象の超高速振動の摩擦熱で加熱します。悪くいえば、熱調理された食品の分子・原子レベルで深刻な破壊活動が起きた細胞破壊食品です。旧ソビエトでは、電子レンジのマイクロ波の人体への影響が研究され、１９７６年、電子レンジの使用を国家レベルで禁止しました。その後、安全性が検証されないまま、１９９０年代初頭、ペレストロイカにより使用が再び認められました。電子レンジ加熱水と、普通の水を並べると、動物は本能的に電子レンジの水を飲まないのです。

電子レンジの内側照射の電磁波を巨大化・強化して外側の空に発射すると、上空50～１０００㎞に位置する電離層に反射され、極低周波の電磁波３～30㎐なら海底や地盤にまで達して戻ってきます。当然、反射鏡の電離層は分子が数千度にまで加熱されて乱れ、観測次第では大地震前の重要な予兆となります。近年のすべての人工地震前に電離層の異常が確認されています。地上に戻ってきた極低周波の照射先に花崗岩があれば、その中のクオーツが共振現象で大いに揺れ、地表は大地震となります。神様が創造された電離層とオゾン層は、極めて有害な宇宙線から地球を保護しているのですが、悪魔の兵器ＨＡＡＲＰ照射の電磁気砲で電離層とオゾン層は破壊され、猛暑や極寒、ゲリラ豪雨などの異常気象の原因になっています。二酸化炭素とフロンガスが原因ではなく、ＨＡＡＲＰの使いすぎで電離層がほころびているのです。加えて1945年以来、全世界で2000回以上の核実験が行われ、放射能も電離層を破壊しています。そこで、近年は国際社会の非難を避けた核兵器の地下実験が盛んです。

https://newscollect.jp › article › ?id=1114070204...
「3回爆発音」変電所でトラブルか 石川・能登町で160世帯停電 ...
1日前 · 31日午後2時10分ごろ、石川県能登町宇出津山分にある北陸電力送配電の変電所で「3回、爆発のような大... 続きを読む JNN 地域 石川 総合 MRO北陸...

https://topics.smt.docomo.ne.jp › article › mro › ...
「3回爆発音」変電所でトラブルか 石川・能登町で160世帯停電 ...
1日前 · 31日午後2時10分ごろ、石川県能登町宇出津山分にある北陸電力送配電の変電所で「3回、爆発のような大きな音がした」と近くに住む人から消防に通...

https://news.yahoo.co.jp › articles › 08efd5f6d0...
「未明に『ボンッ』という爆発音」民家全焼 70代男性が死亡 ...
1日前 · 家には他にも家族3人がいたが、無事だったという。 現場は国道329号近くの住宅街。付近住民の40代男性は「未明に『ボンッ』という爆発音が...

https://newspicks.com › news › 9395137
「3回爆発音」変電所でトラブルか 石川・能登町で160世帯停電
31日午後2時10分ごろ、石川県能登町宇出津山分にある北陸電力送配電の変電所で「3回、爆発のような大... 大雪から2日も影響続く石川・能登地方 59世帯...

https://news.livedoor.com › article › image_deta...

2024年1月1日の大地震の1日前、12月31日の異変に関するニュースにご注目ください。

「石川県能登の変電所で3回の爆発音」関連の記事が、現在検索すると大手メディアからすべて削除されています。報道撤回しないと不都合な情報があったのでしょうか。さらに今では、削除された痕跡の「指定されたページは存在しません」というページ自体も表示さず、何事もなかったかのようになっています。メディアの横つながり、言論統制は、日

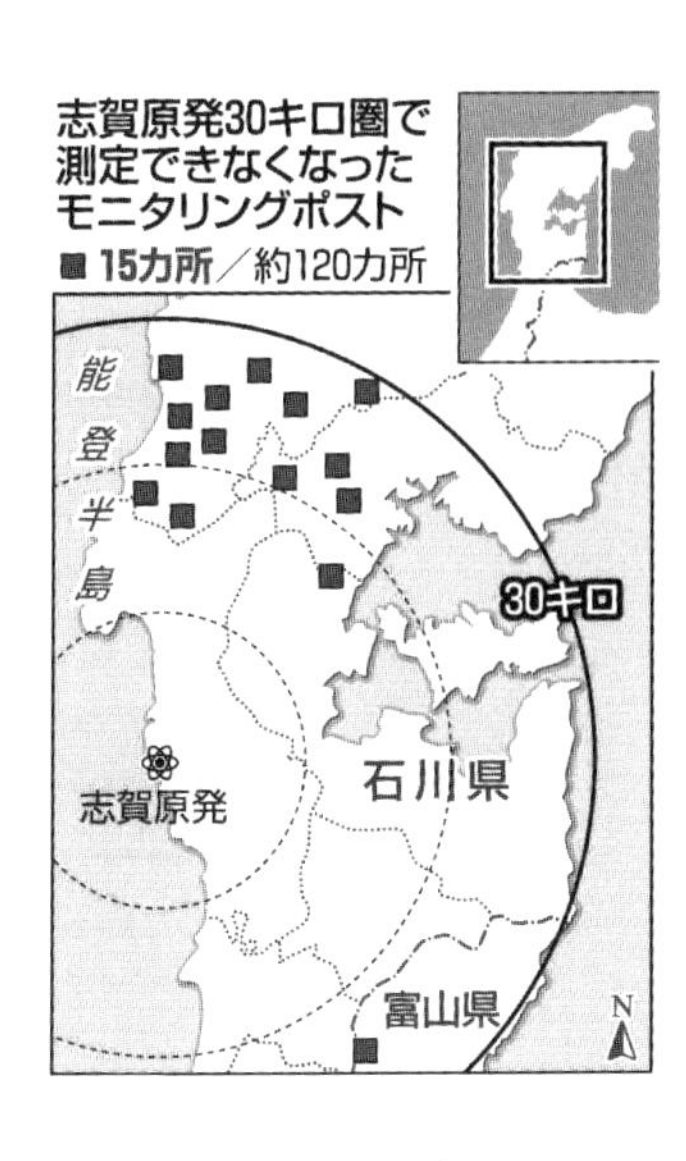

本では、ほぼ完全ですね。

隠蔽する理由は、以下の３爆発の異常な特徴です。人工地震の特徴として、爆破によって地震を引き起こすため、震動波形グラフを見ると、自然地震にあるはずの初期微動のＰ波がなく、いきなり本震のＳ波が起きています。地震によって震源から放射される地震波にはＰ波とＳ波が必ずあります。震源から離れた位置で地震波を観測すると最初に観測されるのがＰ波（Primary Wave＝最初の波）で、Ｐ波が継続しつつある中で続いて観測されるのがＳ波（Secondary Wave＝第二の波）です。Ｐ波とＳ波は頭文字をとって名づけられ、Ｐ波とＳ波という名称は地震波の伝播速度の違いに由来しています。地震動を感じたとき、最初にカタカタ揺れる震動あるいは突き上げるような震動がＰ波であり、Ｐ波を感じてからしばらくの後にゆさゆさと大きく横方向に揺れるのがＳ波です。

２０１３年の報道をご覧ください。北朝鮮が核実験した際の日テレの報道です。２００

北核実験、過去２回と同様の規模か～気象庁

日テレ　2013年2月12日 18:14

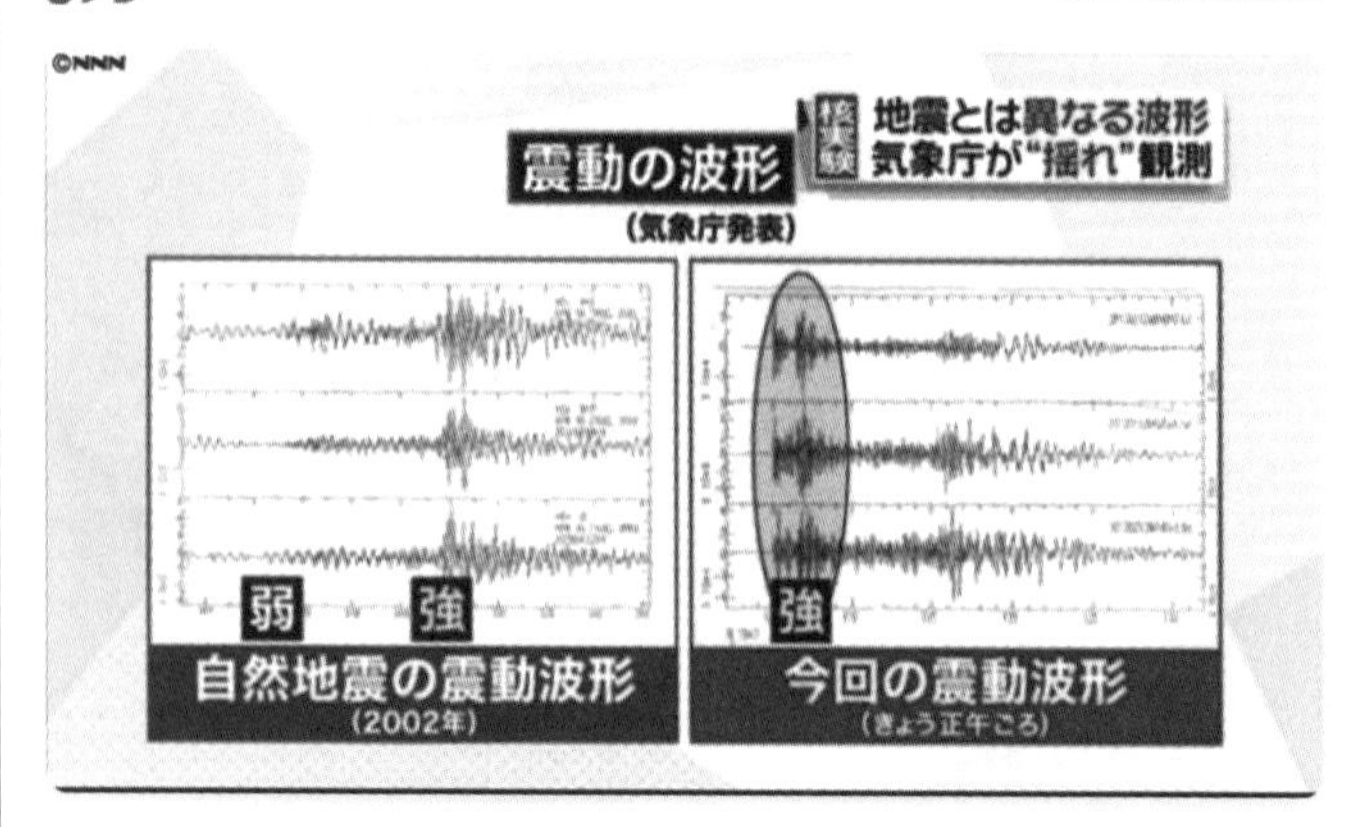

気象庁は１２日、北朝鮮が３回目の核実験を行ったことにより観測された揺れの波形を公表し、過去２回の核実験と同様の規模ではないかとの見方を示した。

北朝鮮でＭ５の地震　震源は核実験場の近く

日テレ　2016年9月9日 9:55

ヨーロッパ地中海地震センターによると、日本時間９日午前９時半、北朝鮮でマグニチュード５．０の地震が発生したという。

震源は北朝鮮の核実験場がある豊渓里近くで、震源の深さは２キロとしている。韓国の気象庁は人工的な地震かどうか分析を進めているが、韓国国防省関係者は「核実験の可能性がある」との見方を示した。

北朝鮮は９日が６８回目の建国記念日で、このタイミングに合わせて、５回目の核実験に踏みきった可能性もある。

２年の北朝鮮で起きた自然地震との比較で、明らかに核実験の結果起きる地震は振動波形が違うとテレビで説明されています。核実験の人工地震は前兆なく最初から強い本震です。

３年後の２０１６年の報道をご覧ください。北朝鮮で核実験直後にＭ５の地震が起きています。核実験とＭ５クラスの大地震の関連性が明らかです。隠された地下実験場の核爆発で地表に人工的な大地震が起こせるということです。

さらに１年後、２０１７年の記事。そこには気象庁が、「6分後には、自然地震とは異なる波形と分析し官邸に報告」とあります。気象庁も自然地震と異なる人工地震の振動波形を認めています。２００２年の北朝鮮の自然地震の波形と、２０１７年の核実験の結果生じた人工地震の波形の比較ですが、特徴として人工的な地震は初期微動のＰ波がなく、いきなりドカンと来ます。しかし、神様がなさる自然界の地震は優しくＰ波の初期微動から始まり、心と避難の備えができます。天然物はいつも違和感がない優しさがあり、地震でさえなめらかです。

35ページは場所が変わって中国牡丹江市での観測です。時事通信社の記事でも、気象庁

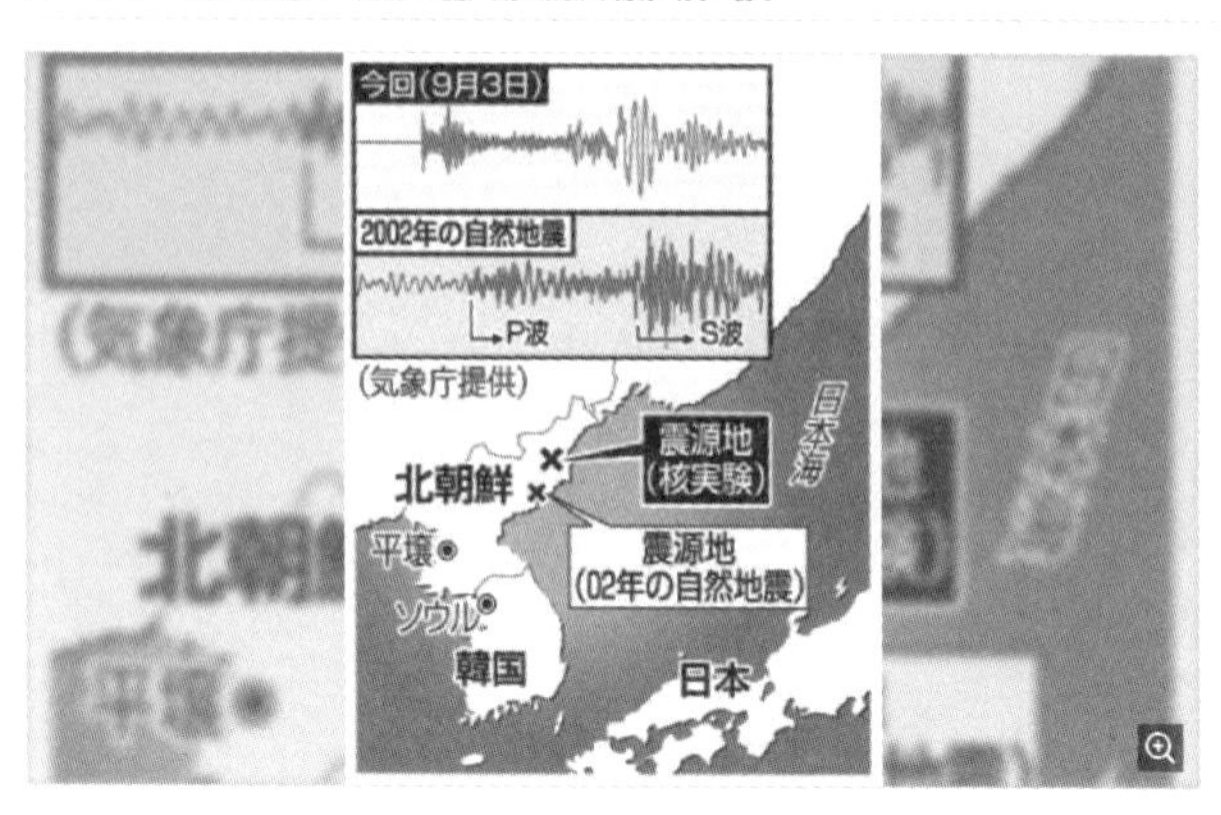

沖縄タイムス　ニュース　ウェブ特集　電子新聞・書籍・チラシ　社説・連載　ランキング　ショップ　会社情報

トップ > 沖縄タイムス紙面掲載記事 > 核実験の地震　6分で解析／気象庁　有事に備え

核実験の地震　6分で解析／気象庁　有事に備え

2017年9月5日 0:00

6回目の核実験を強行した北朝鮮の挑発行為がさらに続く恐れがあり、国際社会の緊張が高まっている。核実験とみられる地震波を検知した気象庁は6分後には、自然地震とは異なる波形と分析し官邸に報告。24時間体制で有事に備えている。

のデータを基に北朝鮮の自然地震と、北朝鮮の核実験後の人工地震の震動波形の比較をしています。

中国牡丹江市は、北朝鮮の真上でそれなりに都会です。人工地震は、自然地震同様、これくらいの距離が離れていても、揺れが普通に伝わるということです。

36ページは英語ですが、翻訳すると、

「図2．インドの核実験（上段）の震動波形と代表的な近

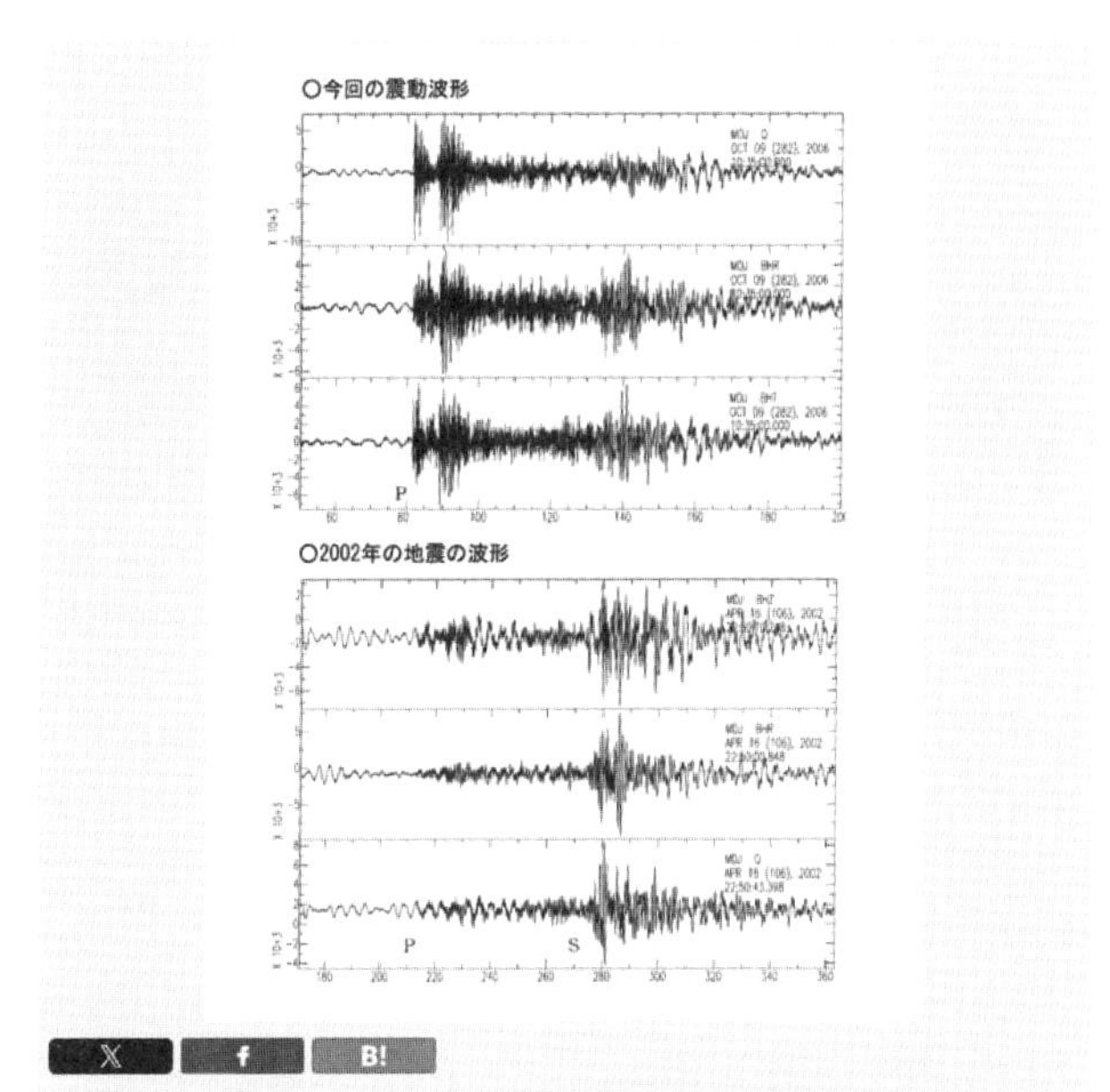

中国牡丹江で観測された２００６年１０月９日の北朝鮮の地下核実験によるとみられる地震波の波形（上段）と、０２年４月１７日に北朝鮮で発生した自然地震の波形（下段）。それぞれ一番上は上下方向の揺れ、下２つは水平方向の揺れ。［気象庁提供］（2006年10月11日）【時事通信社】

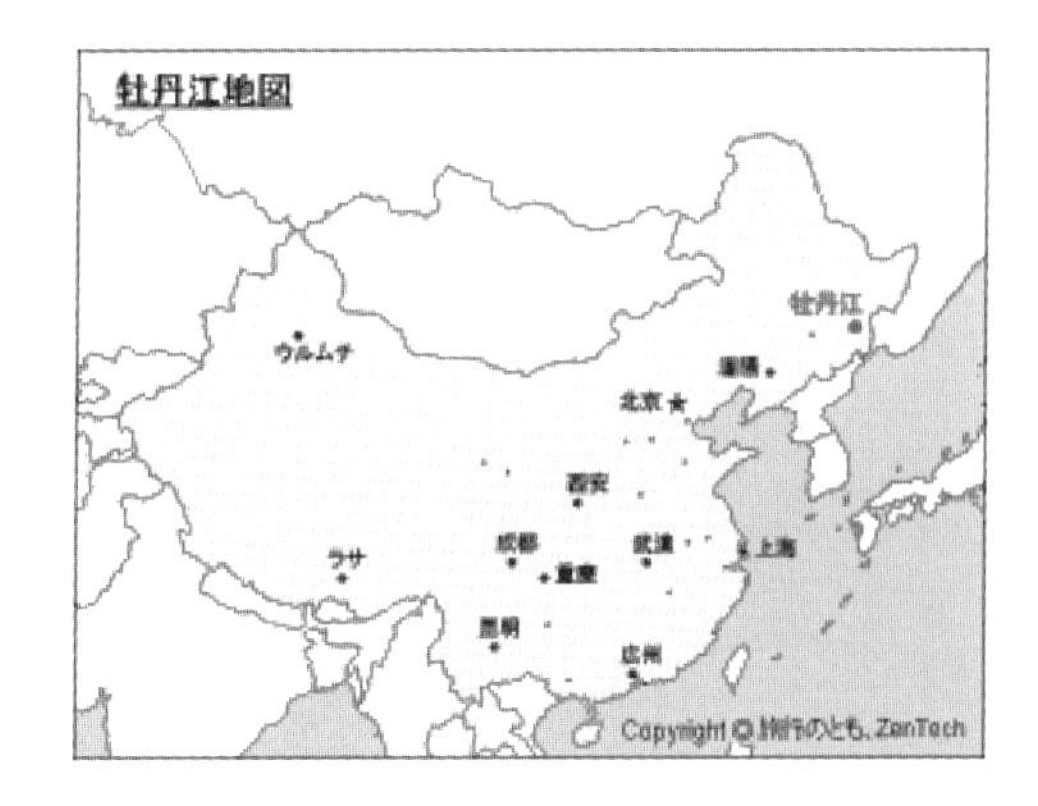

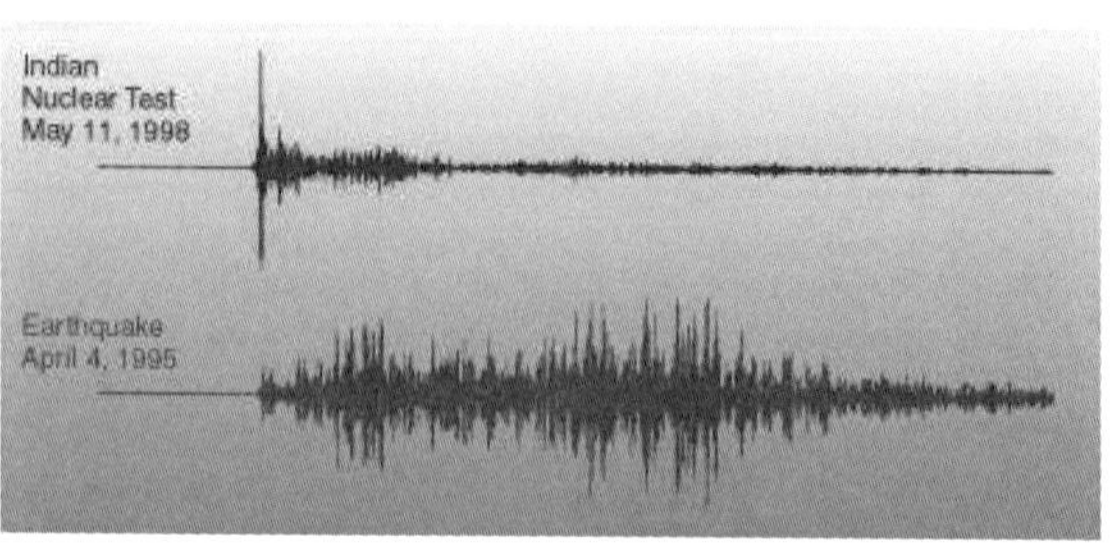

Figure 2. Seismograms of the Indian nuclear test (top) and a representative nearby earthquake (bottom) recorded at the seismic station at Nilore, Pakistan. These seismic signatures for an explosion and earthquake are typical and clearly distinguish one from the other.

くの地震（下段）パキスタン・ニロレの地震観測所で記録されたもの。これらの地震の痕跡は、爆破と地震が典型的にはっきりとした違いがあります」

上段は1998年5月のインド核実験。下段は1995年4月のパキスタンの自然地震。

自然地震と人工地震の震動波形の違いを明確にしましたが、能登半島地震の際に起きた3連発の地震による振動波形は、上段のインドの核実験による振動波形とよく似ています。

気象庁は臆面もなく記録を改竄する!?

2024年1月1日　P波がない異常な大地震！　グラフ底辺に秒速も書いていますが、このグラフを右に長

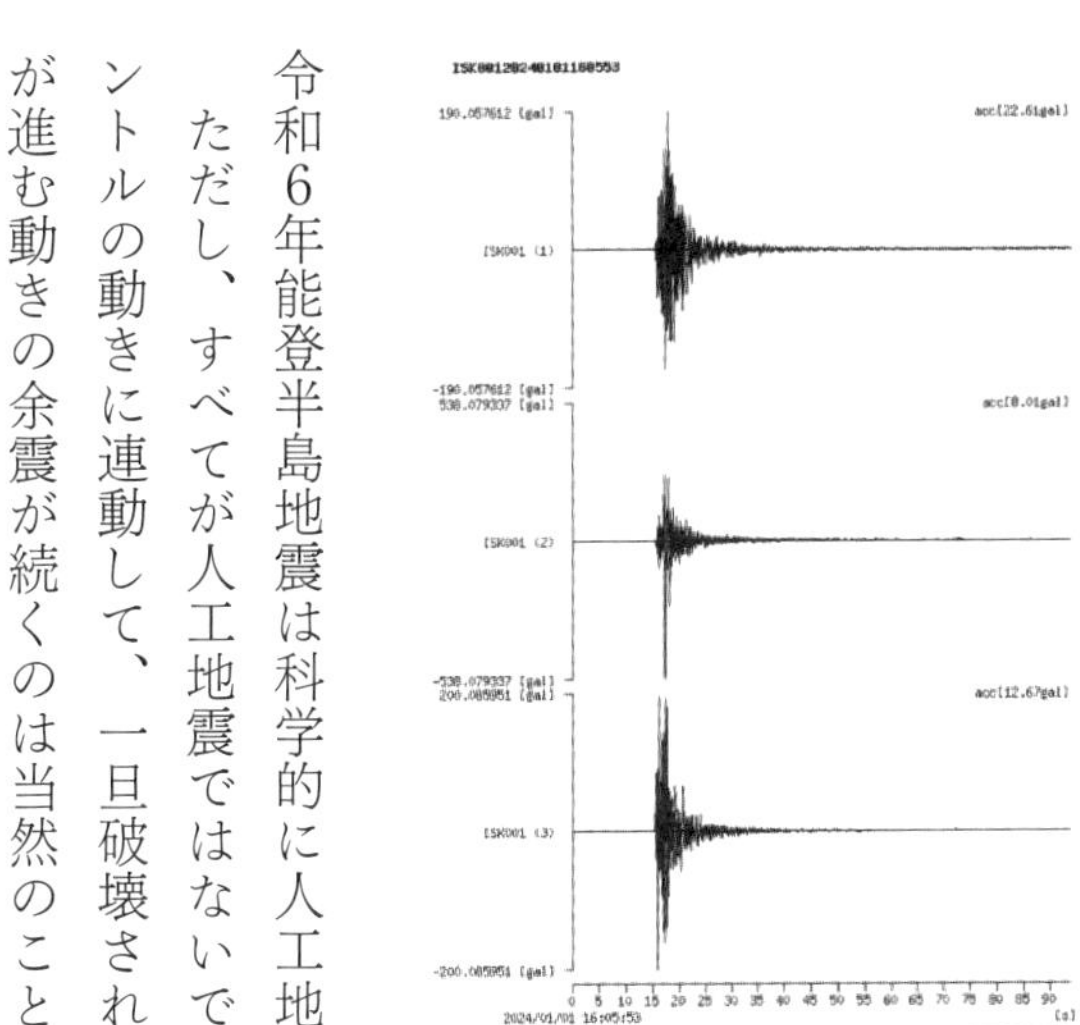

2024年１月１日16：05 53秒　能登半島地震

く引き延ばして初期微動のＰ波原点を探すのはおかしいです。確実に、この時間内でＰ波はないのです。いきなり来る人工地震の特徴そのものです。

１月１日の能登半島地震の３連発自体珍しく、人工地震の特徴点、初期微動のＰ波なく、いきなり本震Ｓ波が起きているわけで、悲しくも恐ろしいことですが、

令和６年能登半島地震は科学的に人工地震だと結論付けます。

ただし、すべてが人工地震ではないです。本震の人工地震以降は、自然界のマグマとマントルの動きに連動して、一旦破壊された巨大プレートが自然に動く連発地震として破壊が進む動きの余震が続くのは当然のことです。それらの余震は爆破や地震兵器ＨＡＡＲＰによるものではない、ある意味、自然地震です。大事なのは最初の本震のデータだけを見ることです。

気象庁の公表した地震波形を後日、見たら改竄された自然地震の波形と入れ替わっています。しかし、このP波のないデータが当初発表の本物です。気象庁は3・11の時も同様に、20秒ごとに3連発で起きた地震を、間隔が正確に20秒おきは津波を最大限に大きくする機械的なパターンで不自然なため、修正した新データを再度発表して記録の改竄していました。

敵はわざと最強破壊を狙った！ 2023年12月31日に北陸電力変電所付近での3回の爆発音と停電の理由!!

恐らく、この大地震前日の3爆発は地中深く断層の隙間まで大量の地下水を人工的に注入して割れ目を作るため、岩盤炸裂の大地震誘発準備だったと思われます。地下水か、川の流れなどたまっていた大水を一気に地下深く流入させるために強烈な爆破を3回起こしたのです。停電はその衝撃波で連動した二次災害です。

東京大地震研究所の加藤愛太郎教授によると、水が地震発生につながるメカニズムには大きく三つ。一つは、断層の隙間に入り込んで強度を下げ、断層を滑りやすくする。二つ

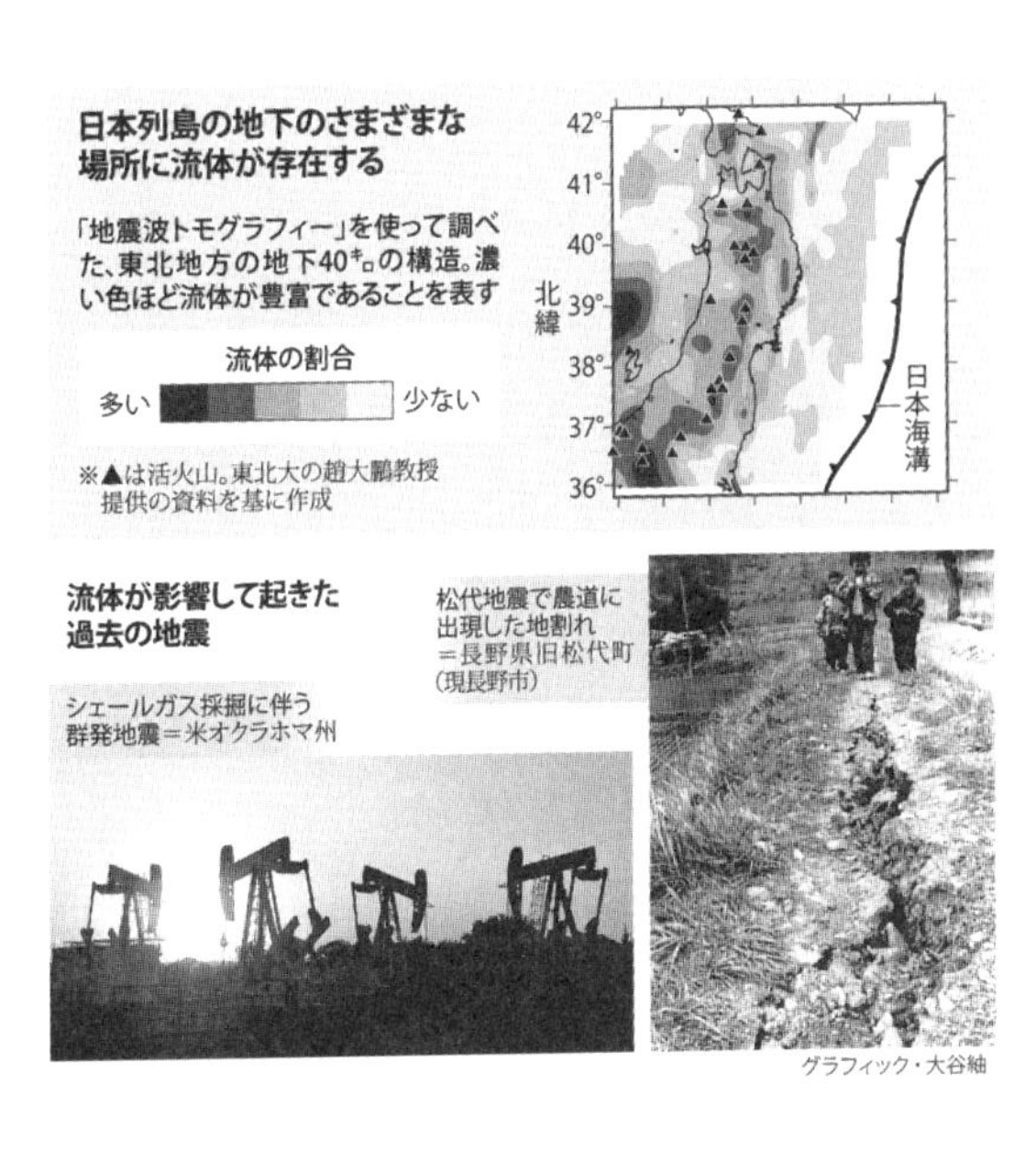
日本列島の地下のさまざまな
場所に流体が存在する
「地震波トモグラフィー」を使って調べた、東北地方の地下40キロの構造。濃い色ほど流体が豊富であることを表す
流体の割合
多い
少ない
※▲は活火山。東北大の趙大鵬教授提供の資料を基に作成
42°
41°
40°
北緯
39°
38°
37°
36°
日本海溝
流体が影響して起きた
過去の地震
松代地震で農道に出現した地割れ＝長野県旧松代町（現長野市）
シェールガス採掘に伴う群発地震＝米オクラホマ州
グラフィック・大谷紬

目は、体感できないほど断層がゆっくり滑る「スロースリップ」をもたらす。三つ目は、地下深くで長時間かけて岩石を変形させ、それがひずみとなって蓄えられ、地震を起こしやすくするとのことです。

長野県旧松代町で1965年から数年続いた松代群発地震や、マグニチュード5程度以下の地震が定常的に起きる和歌山北部などは、こうした地下の水の関与が指摘されています。米南部オクラホマ州では年に1回ほどしかM3を超す地震はなかったのですが、2010年以降に急増した原因は、地下資源シェールガスの採掘です。採掘時、地下に大量の水を注入して人工的に割れ目を作る。その廃液を地下深くに戻したため、地震活動が活発化したのです。韓国・浦項市の地熱発電所でも17年、地下注水の影響でM5・4の地震が起きています。

人工地震である阪神・淡路大震災や東日本大震災、熊本地震、新潟県中越地震の震源域の地下にも流体が確認されています。震源直下深さ15㎞付近の流体が地盤を変形させ、断層にひずみを集中させ、地震を起こすと分かっています。ですから、能登半島地震前日に多くの地元住民が聞いた3爆発は流体を注ぎ込むための犯行現場の足音です。2024年1月1日は年始のご挨拶を兼ねて、新年を占うかのようにドカンと3爆発で活断層を破壊して人工的に地表に大地震を起こしたのです。

京都大学防災研究所の後藤浩之教授が能登半島地震の地震波形を分析した結果、熊本地震や阪神・淡路大震災と同様に「キラーパルス」地震波が観測されました。

この地震の揺れ方は特徴的で、計算された阪神・淡路大震災同様、木造住宅の揺れ幅が最も大きくなる周期1~2秒の地震波で、人口削減が目的の3・11と異なる攻撃で、壊れかけた古い木造家屋などにとどめをさす破壊を最大限に大きくする最悪の揺れ方であり、家屋倒壊による圧死が最も多い死因となりました。また、短周期の地震波も強かったことから建物以外にも道路や斜面の被害が大きくなったと考えられ、古い木造住宅の多い過疎地域で正月の帰省と重なったことなども被害を大きくしています。敵は、わざと狙ってそうしたのです。

能登半島地震で緊急事態条項加憲！　ワクチン強制接種に誘導か⁉

世の中がすさむと選挙に勝ちやすいようですが、現政権にとって、今度の災害で世論操作で憲法改正の緊急事態条項加憲への動きが容易になります。改憲論者にとって、新型コロナの流行を早期に抑えられなかったのは、日本国憲法に緊急事態条項がないせいで有効な感染拡大防止策が取れなかったのが原因として、国民に憲法改正を訴えるのに有効な口実になりました。日本の憲法では、緊急事態を宣言しても、欧米のような罰則を伴う強制的な外出規制や収監、武力行使などできません。そこで、日本国憲法に緊急事態条項を盛り込んで、より強制力がある法令を求める憲法改正を当時、安倍自公政権が東日本大震災や２０１５年のフランスのパリ同時多発テロを例に、必要性を強調していました。

戦争、内乱、テロ、大規模自然災害などの有事に、国民の生命を守るために一時的に憲

吹田市消防本部
南ST1分隊撮影

法を停止できるのが緊急事態条項です。草案では総理大臣が緊急事態宣言すれば内閣が法律と同じ効力を持つ政令を定め、国会の承認は事後的に得るとしています。緊急事態条項は、戦争や災害などの危機に際して、独裁的な権限を政府に与えるもので、時間的な余裕はないから、政府の独断で人権制限する政令も出せるようになります。過去の新型コロナで出された、強制力を伴わない緊急事態宣言とはまったく比較にならない強大な権限です。

こちらの車両の画像をご覧ください。現行の法律では、自衛隊車両は緊急車両として規定されていないから、一般車両と同様に消防車が来たら路肩に寄せて停止する義務があります。ただし、災害対策基本法その他の法令で事前に届け出をして標章の交付を受け、それをつけて書類も持っていれば「緊急車両」扱いになるという面倒な状態です。渋滞でも緊急を要するはずの自衛隊車両は一般車と同じく

整然と車列に並ぶ。パトカーや救急車、消防車通過に対しても一般車両と同様に路肩に寄せて停止。このような矛盾を解決する前提で緊急事態条項を求め、災害は世論を操作できる有効材料となります。

台湾の外交部からの、能登半島地震に対する救助隊派遣の申し出について、日本政府は「謝意」を表明。その上で、現在数千人の自衛隊員を投入して捜索・救助を行っており、海外支援は災害状況に応じて検討すると説明したと発表。台湾は、医師・看護師・救助犬など１６０人規模の捜索救助隊の派遣を準備したのに、日本政府はなぜ断ったのでしょうか？　中国の反発を恐れた忖度以外に、緊急事態条項に内政干渉を受けることなく独自路線でメディアを誘導したいからではないでしょうか。

第2章

なぜかドローン禁止！　ハワイマウイ島と同様に宇宙からのレーザー照射（指向性エネルギー兵器）が使われた!?

6・11能登半島地震が人工地震であるもうひとつの証拠が見つかった

令和6年1月1日に能登半島で国土交通大臣による航空法第132条の85によるドローン・無人航空機の飛行禁止空域が指定されました。メディアの空撮で専門家に上空から見られると困る何かがあるからです。外国の記者が禁止令を知らぬふりをして火災現場上空からドローン撮影した動画がありますが、そこに注目すべき異常現象が撮影されています。

石川県輪島市の中心部で店舗や住宅など200棟以上、東京ドームよりやや広い約4万8000平方メートルが焼失した大火災。原因は地震の影響と誰もが自然にそう思いますが、実は違うのです。災害に乗じた放火魔がいたのです。強烈な火災を引き起こした指向

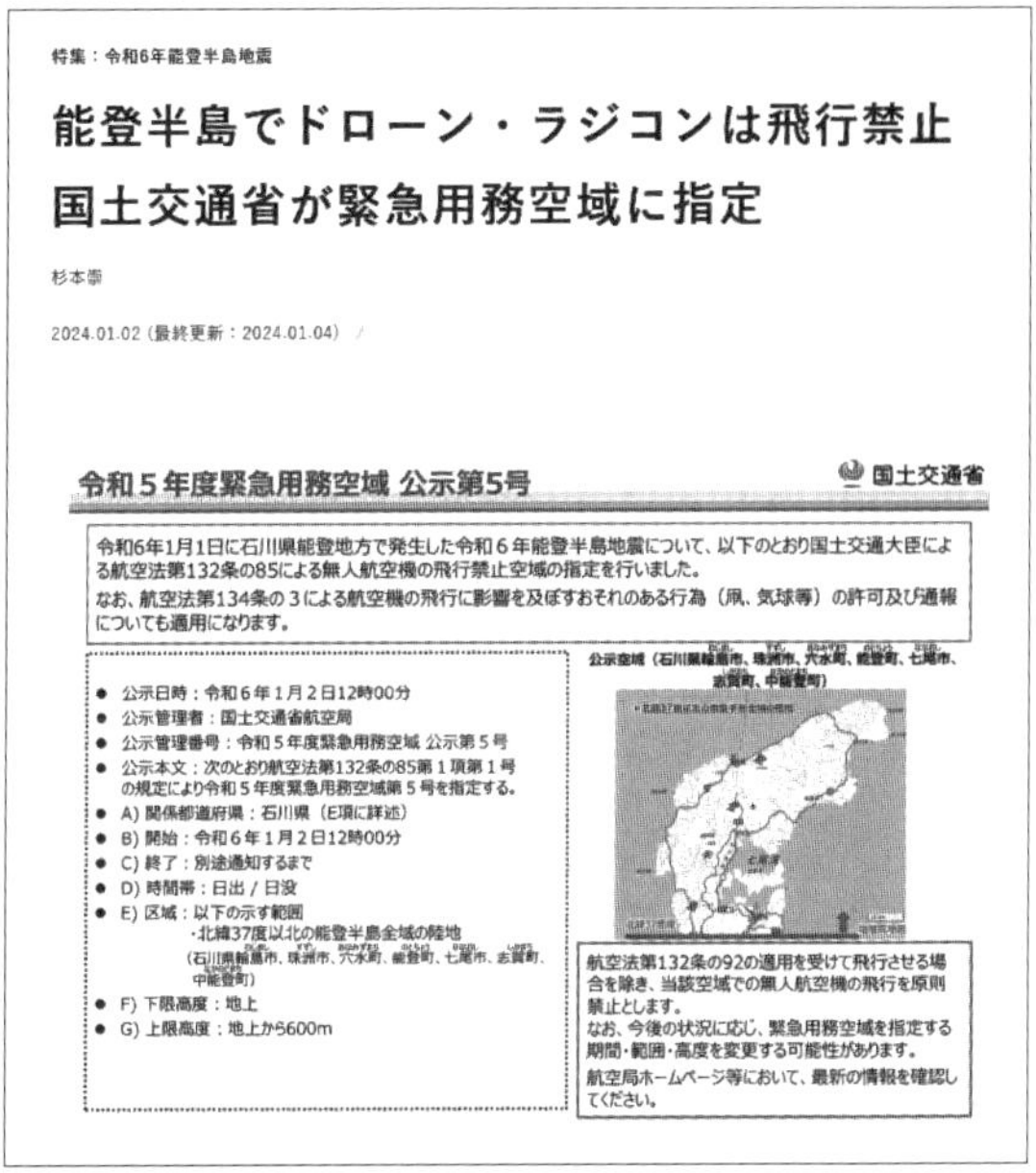

特集：令和6年能登半島地震

能登半島でドローン・ラジコンは飛行禁止　国土交通省が緊急用務空域に指定

杉本崇

2024.01.02（最終更新：2024.01.04）

令和５年度緊急用務空域 公示第5号　国土交通省

令和6年1月1日に石川県能登地方で発生した令和６年能登半島地震について、以下のとおり国土交通大臣による航空法第132条の85による無人航空機の飛行禁止空域の指定を行いました。

なお、航空法第134条の３による航空機の飛行に影響を及ぼすおそれのある行為（凧、気球等）の許可及び通報についても適用になります。

- 公示日時：令和６年１月２日12時00分
- 公示管理者：国土交通省航空局
- 公示管理番号：令和５年度緊急用務空域 公示第５号
- 公示本文：次のとおり航空法第132条の85第１項第１号の規定により令和５年度緊急用務空域第５号を指定する。
- A) 関係都道府県：石川県（E項に詳述）
- B) 開始：令和６年１月２日12時00分
- C) 終了：別途通知するまで
- D) 時間帯：日出 / 日没
- E) 区域：以下の示す範囲
  ・北緯37度以北の能登半島全域の陸地
  （石川県輪島市、珠洲市、穴水町、能登町、七尾市、志賀町、中能登町）
- F) 下限高度：地上
- G) 上限高度：地上から5600m

公示空域（石川県輪島市、珠洲市、穴水町、能登町、七尾市、志賀町、中能登町）

航空法第132条の92の適用を受けて飛行させる場合を除き、当該空域での無人航空機の飛行を原則禁止とします。

なお、今後の状況に応じ、緊急用務空域を指定する期間・範囲・高度を変更する可能性があります。

航空局ホームページ等において、最新の情報を確認してください。


性エネルギー兵器（ＤＥＷ、directed-energy weapon）です。これが使用された可能性が高い痕跡があるのです。これは、砲弾、ロケット弾、ミサイルなどの飛翔体によらず、兵器操作者が意図した目標に対し指向性のエネルギーを直接的に照射攻撃を行い、目標を破壊したり、無力化させる兵器です。目標物は対物用も対人用もあります。この兵器の特徴は、宇宙からレーザー照射しますが、不思議と青色には反応せず反射して青い物だけは焼かれないのです。次ページ画像の火災現場、石川県輪島市では赤丸で囲った部分に焼かれないで残された大きな建造物のようなものが見えます。色はいずれも青色です。小さな画像からの判断なので、断言できるものではないのですが、これら青い建造物だけが不思議と焼かれない不可解現象は指向性エネルギー兵器を使用した後の特徴によく似ています。

こちらの画像は、４種類の異なる布に指向性エネルギー兵器と同じ光線、レーザー光を照射した実験です。上から赤色、青色、緑色、白色と並んでいますが、順次、上から下の布へレーザー照射します。レーザー光は右上から等間隔で照射します。

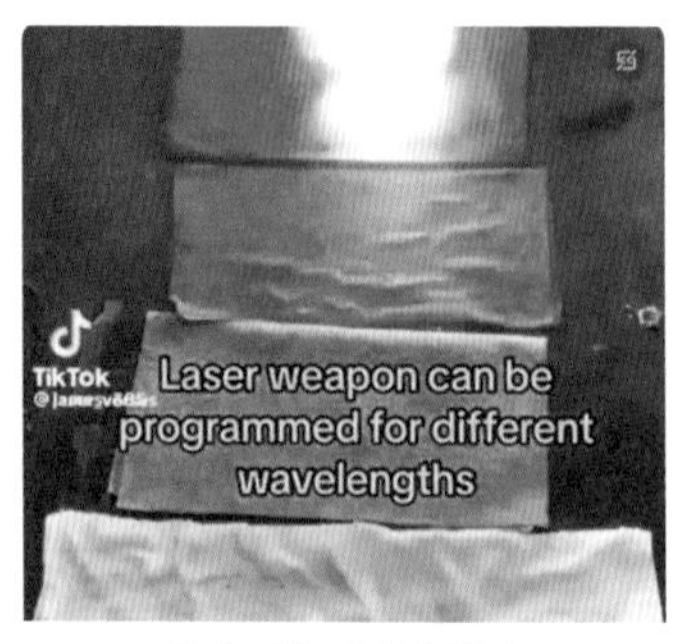

まず、赤い布に照射中

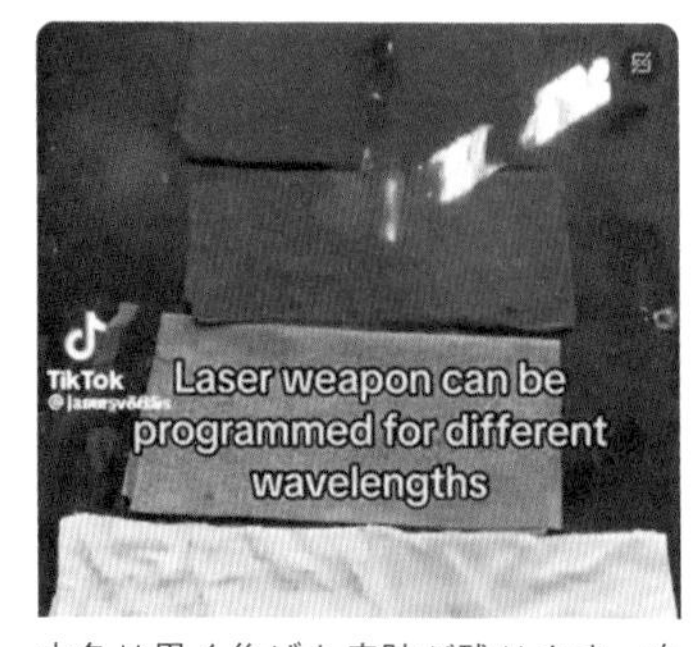

赤色は黒く焦げた痕跡が残ります。次に青色に照射中

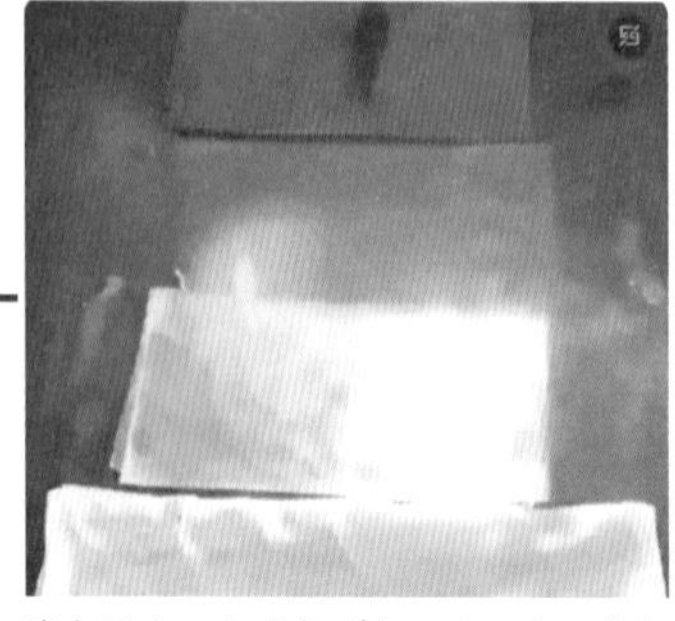

青色はまったく焦げません。次に黄色に照射中

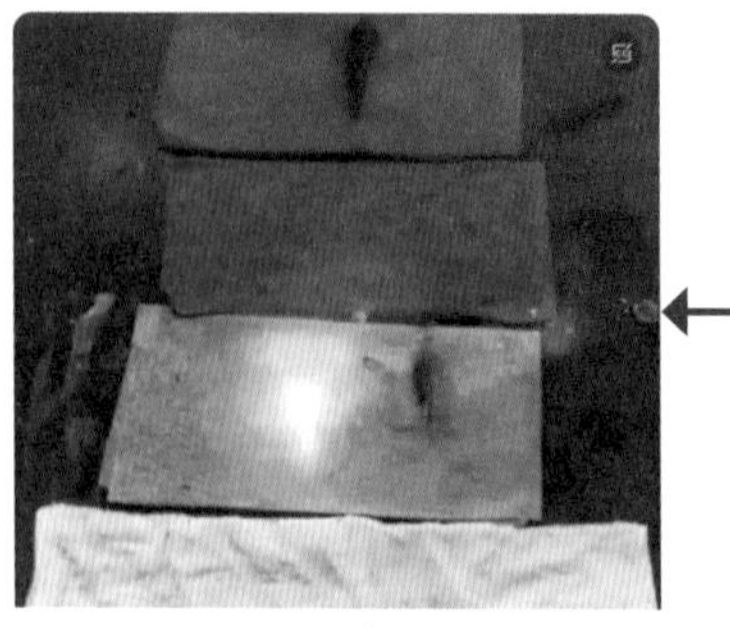

黄色も焦げました

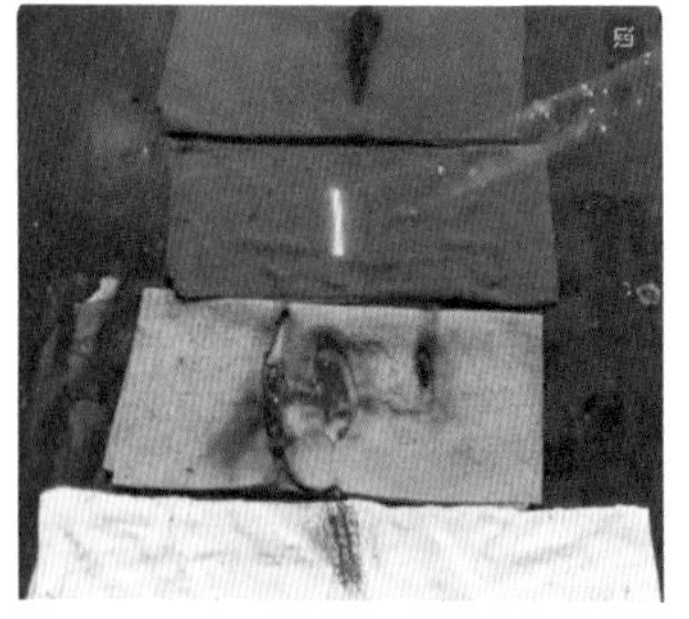

最下の白色も照射で焦げました。そこで、もう一度、青色に照射中

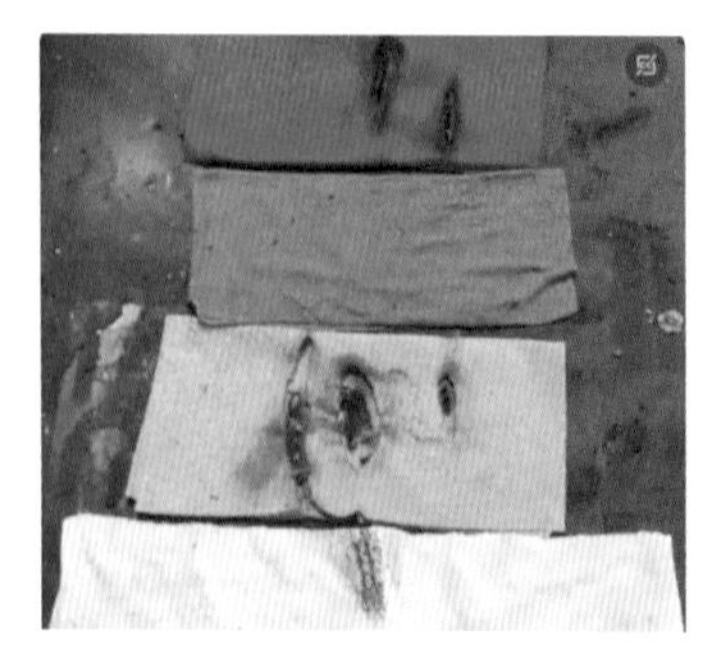

しかし、青色は繰り返し照射しても、まったく焦げない唯一の色です

青い布にダメージを与えないのは青いレーザー光の特性です。宇宙の人工衛星から照射されるレーザー攻撃は、ブルーレーザー計画ともいわれる通り青い光の照射です。青は青を反射して発熱しませんが、その他の色は吸収するので熱になります。可視光線は波長によって異なる色感覚を与え、紫（380－430nm）、青（430－490nm）、緑（490－550nm）、黄（550－590nm）、橙（590－640nm）、赤（640－770nm）として認識されますが、ブルーレーザーは同色に反射して発熱しません。殺傷能力のあるレーザーを鏡で跳ね返すということも太陽光同様、短時間なら鏡が溶けるまでの間、可能です。

さて、その知識の下で50ページ以降の画像をご覧ください。2023年8月8日から11日までハワイのマウイ島で発生した大規模な火事は、歴史的な町に甚大な被害をもたらしました。

97人の死亡が確認されているほか、31人が行方不明、2200棟以上の建物が損壊しました。いまだ500人以上の子供たちがスクールバスと共に拉致されたようで行方不明とも言われています。ところが、街が焼け野原でも、青色の物体だけは焼かれていません。指向性エネルギー兵器は、電子レンジで使用されるようなマイクロ波をビームとしたもので、樹木が内部から発火し始めます。ハワイのマウイ島で発生した大規模火災は決して山

周囲にあるすべての車両が焦げて、焼き尽くされていますが、左に寄せた青い車だけはまったく焼けていません。後部ガラスとテールランプがこの車だけ溶けていないことで見分けやすいです

火災後、焼かれなかった右端にあるベンチのような物体は青色です

こちらの画像でも他のすべての車両は焼けていますが、一番右下の青い車だけはガラス窓もペイントもそのまま無害です

青い植木鉢だけが、焼かれていません

一面焼け焦げた光景ですが、手前にある横並び５本の大きな日よけのパラソルは焼かれていません

拡大します

一番上の青い一軒家だけ焼けていません。他は焼け付きて灰となり、更地となっています。この家屋は屋根は黒く、四方の外壁だけ青いですが、周囲の炎を逃れています

ここでもやはり焼け野原の廃墟住宅街に、丸で囲った青い屋根の家がまったく焼かれていません

こちらは埋もれた残骸の中から引っ張り出された青色のＴシャツです

火事が原因ではないのです。

ハワイに青い焼けなかった物が多いなら、石川県輪島市の火災現場はどうだろうか？立ち入り禁止なので、テレビニュースから検索。やはりあった（54ページ以降の画像）！

２０２４年1月15日～17日まで救援物資搬送のため悪路と大渋滞を乗り越えて能登半島に行きました。現地に救援物資と全国から送金いただきました70万円の義援金を寄付。輪島市は特に被害甚大で、沢山の家屋倒壊に何度も涙が出ました。衝撃は、やはり朝市通りの焼け跡には確かに青い物が多数残っていました。テレビで観た何やら分からない四角い物体が現地で判明。手押し台車上に積んだ発泡スチロールの箱、その上を黒いシートが覆い、さらにその上に青色のブルーシートが覆って青い紐で固定された市場関係の物でした。不思議なことに周囲は車さえ完全に茶色くなるまで焼け尽したのに、ブルーシートがかかると、中の発砲スチロールまで溶けていないんです。

他にも何か青い物が焼け跡にありましたが、その瞬間、見回り中の消防隊員に、「危険だから入らないでください」と言われて撮影終了。立ち入り禁止のロープの外にいた朝日新聞の記者に青色だけ焼けない指向性エネルギー兵器のことを世間話しましたら、全く信

朝市商店街でインタビューを受けた近所の女性の目撃談に注目。「あんな小さい火ならすぐ消える、とみんな言っていたが、だんだん火がでかくなった」

輪島市朝市通りの火災現場。何か分からないけど、青く四角い物体が中央で焼けずに残っています

小さな種火を短時間で巨大な炎に成長させる、これが通常の火災とは違うマイクロ波をビームとした指向性エネルギー兵器の特徴なのです

青色の看板が焼かれていません

立木は黒焦げなのに、青色の物干しざおだけ不自然に焼けずに残っています

青い湯飲み２つが焼けていません。周囲には焼け焦げた他の色の陶器も多数散乱していました

地面に落ちた青い交通標識、焼けてないんです

半分白、半分青の表示板、半分焦げています

曲がった青い標識、焼けてないです

逆三角形の赤いはずの道路標識と青い一方通行の道路標識が一緒にポール上に表示されていますが、青は無害、赤のほうだけ溶けて文字も色も完全にないです

普通はこの表示板のように文字が読めなくなるまで焼けます

青いBOSSの自動販売機は押しつぶされて変形していますが、どこも焼けていません

焼け野原でも青いホースは焼けません

右端がBOSSの不思議に焼けない青い自販機、背後は焼けて鉄骨だけが残った店舗跡、左が焼け焦げた自動車残骸。これだけの大火災の中で自販機が全く焼けないのが不思議。
現場で不思議に思うことは、何台もの自動車が焼けていましたが、鉄部分以外は何も残らないまでに徹底的に焼けていること、燃焼後の自動車が皆、茶色に変色していること。通常の火災ではここまで高温で焼けないです

赤いコカ・コーラの自動販売機は黒く焼けています

ガレージ内のセダン自動車は完全消失

プライバシー
保護の為、
家は隠します。

ガレージ右横でもワゴン自動車が完全消失。あれ？　さらに右のお隣さんの青い軽自動車は全く焼けていない。このお宅は居住中のようですから、隠します

じられないようで笑われました。でも、本当に噂は本当だったのです。現場では、青い物が焼けずに残っています。そうです。私は立ち入り禁止エリアに入って走りまわって青色物体を撮影しました。ごめんなさい。

第3章

反対する邪魔者は住民たち⁉　人工地震と大火災とデジタルスマートシティ構想の狙いを探る!!

なぜ街を焼くのか⁉

石川県輪島市の火災現場

ハワイのマウイ島の火災現場

人工地震と大火災とデジタルスマートシティ構想の関係？　建築に必要な環境は何でしょうか？

いずれも共通点は、デジタルスマートシティ構想を進めている先進的な市です。地震のあった石川県では、加賀市、珠洲市、能登市でスマートシティ構想が進められていることが判明しました。石川県の11市8町の内、加

能登半島地震の死者数

計	213(8)人
輪島市	83人
志賀町	2人
羽咋市	1人
珠洲市	98(6)人
能登町	4(2)人
穴水町	20人
七尾市	5人

震源　20km　石川県　富山県

※11日午前9時現在。カッコ内は災害関連死

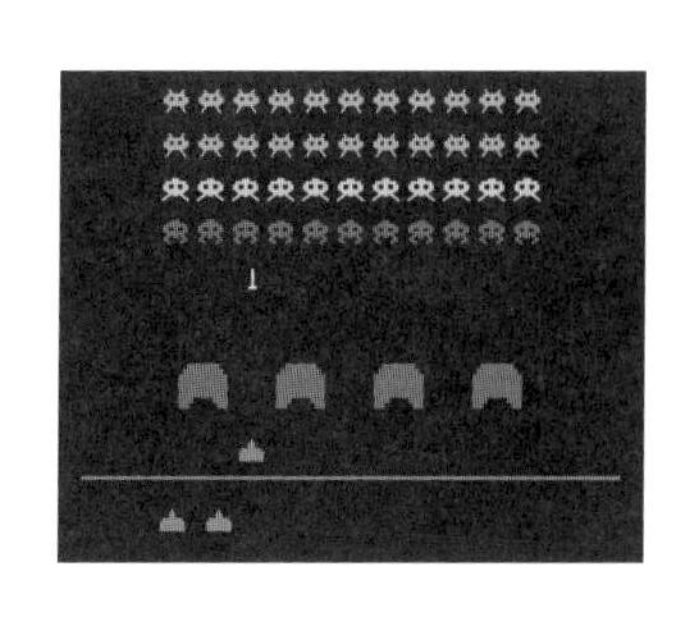

賀市、輪島市、能登町など5つの市と4つの町が「消滅可能性都市」で、人口回復が緊急課題です。石川県知事の馳浩氏は、人口減少の対策として外国人の受け入れを重視し、「そろそろ移民政策にかじを切る段階だ。移民法の制定を強く主張したい」と発言して批判を浴びました。能登半島は中国側から見ると、船で入りやすい半島の港で、そこから突破口に最短で陸路、高速で東京に行けますから一帯一路を目論む中国共産党が上陸地に狙っています。2024年1月11日現在、中国側から見て最先端の港、珠洲市（98人）と輪島市（83人）が断トツ死者数が多い甚大被災地です。震災終息後、人々の関心も薄れた頃に地主不在となるであろう港玄関口を二束三文で外国のインベーダーに売り渡してはいけません。

日本が外資に既に乗っ取られた一例を挙げましょう。1988年の『仮面ライダーBLACK　恐怖！　悪魔峠の怪人館』に夕張市長が登場します。「この街は、占領されているんです」とい

う住民の叫びに応えて、夕張に基地を建設しようと目論む悪の暗黒結社から仮面ライダーが街を救う内容ですが、これは実際に夕張市が8年後の2006年にバブル経済崩壊後の不況を背景に、財政悪化で財政破綻。全債務は620～630億円という惨劇を子供の番組で犯行予告した恐ろしい現実です。「10年後の日本の縮図」といわれる夕張市は、惑わされた市長によって巨額の税金を投入した広大な土地を暗黒結社同様、中国マネーに二束三文で売却、貴重な水源地もろとも乗っ取られたのです。侵略者は忍び込んでは賄賂で売国奴の知事や市長を惑わし、有事混乱に乗じては、港玄関口を狙っています。誰かピンチの被災地を厳格に法整備して保護し、インベーダーの暗黒結社から救う仮面ライダーはいないのでしょうか。港は、国営、県営、市町村営、民営、組合営、個人所有まであります。

ハワイのマウイ島の観光地ラハイナは2200以上の建物が損壊、約9㎢が焼け、99人が死亡。国際政治経済学者　浜田和幸氏はこう指摘しました。

「ぶっちゃけ、ハワイのマウイ島を襲った史上最悪の山火事については、不可思議な現象が数多く報告されています。単なる山火事では割り切れない思いに駆られている被災者の数は膨れ上がる一方です。８月８日に発生したのですが、火の回りは凄まじく早かった上に、実に不自然で、円を描くような形で進んでいったことが映像で確認できます。最も腑に落ちないのは、ハワイ州政府の肝入りで計画が進んでいた『ジャンプ・スマート・マウイ』と命名された未来のスマートシティの建設予定現場が跡形もなく消滅してしまったことです。

見方によっては、この計画にとって邪魔になりそうな住宅や建物を意図的に狙ったといえなくもありません。これは『２０４５年を目標に電力需要の１００％を自然再生エネルギーで賄う』という構想で、日本企業も全面的に関与してきたプロジェクトです。『新エネルギー・産業技術総合開発機構』（ＮＥＤＯ）を中心に、日立製作所やみずほ銀行、サイバーディフェンス研究所など日本企業がマウイ電力などと協力し、電気自動車（ＥＶ）をはじめ、最新技術を導入することで、『公害も犯罪もない、クリーンな未来都市』建設を進めようと意気込んでいました。

ＥＶに関しては日産自動車が島内各所に充電スタンドを導入し、５年以上にわたり、データの収集に取り組んでいたものです。ハワイの州政府は２００８年に『１００％自然再生エネルギーが稼働する未来のスマートシティ』を建設する計画を大々的に発表。その構想は国連でも評価されることになり、マウイ島を皮切りに東京を含む世界で36カ所の『グリーン・スマート・シティ』が建設されることが決まったほどです。

しかし、このスマートシティ構想にとって最大のネックが、地元住民の反対でした。ハワイ王国の首都が置かれていたマウイ島の多くの居住者たちは『便利なスマートシティより自然の中での暮らしを優先したい』と考え、土地を手放そうとしませんでした。もし山火事が人為的なものであれば、スマートシティ構想の現場はある意味で、すべてクリーンな更地になったようなもの。状況が落ち着けば、改めて本格的な工事が始まる可能性は高いと思われます。

しかも、大火災が発生する直前の7月、ハワイの州政府はマウイ島の住宅再開発諮問委員会を発足させていました。ハワイ州の住宅局長はグリーン州知事の指揮の下、スマートシティ構想の実現にとって必要な区割り作業を始めていたわけです。ぶっちゃけ、今回の大火災によって、最大の障害物が取り除かれたといっても過言ではありません」

彼は、平成23年に人工地震兵器の存在を国会で証言した大臣政務官です。ハワイマウイ島火災をスマートシティ構想といち早く関連付けました。

国会で質問を受ける。

「こういう方を公認して選挙に擁立した自民党もなかなか勇気があるなというふうに思いますけれども、菅総理に至っては、この海外の人脈やパイプを生かして国際的な震災復興の協力体制を築いてほしい、何をどうしてほしいというんでしょうかね。正直、スマトラ沖地震と津波はアメリカの地震・津波兵器のしわざだと言われたら、国際的な震災復興の協力体制といったって、むしろ、アメリカだって、こんな人を登用するなんて日本国政府は何を考えているんだと思われてしまうのではないかというふうに心配をいたします」

「どう思われますか、浜田政務官」

浜田和幸大臣政務官が答弁する。

「地震兵器とか自然改変装置というのは、別にアメリカだけではなくて、旧ソ連、今のロシアも、中国も、多くの国々が研究開発に余念なく取り組んできた事実があります。しかも、地震あるいは津波を人工的に起こすということは実は技術的には十分可能だと言われているのは、国際政治、軍事上においては常識化されているわけであります。そういった意味で、スマトラ沖の問題にしても、そういう可能性があるということを十分踏まえた上で世界の国際政治の現実ということをとらえる必要があるというのが私の基本的な考え方であります」

マウイ島に豪邸を持っていた富豪たちが判明。

「ビル・ゲイツ、モーガン・フリーマン、ウィル・スミス、オプラ・ウィンフリー、ジェフ・ベゾス、レディー・ガガ、ジュリア・ロバーツ」

スマートシティ構想とは何だろうか。

国土交通省は、スマートシティを「都市の抱える諸課題に対して、ＩＣＴ等の新技術を活用しつつ、マネジメント（計画、整備、管理・運営等）が行われ、全体最適化が図られる持続可能な都市または地区」と定義づけています。ＩＣＴは、通信技術を使って、人と人、人とインターネットをつなげる情報技術です。人とモノをつなげるＩｏＴ技術とこの

ＩＣＴ技術がスマートシティ構想の中核を担い、街の機能がすべて通信技術でつながることによって、さまざまな社会課題が解決できるといわれています。例えば、都市部では店舗無人化や無人決済、自動運転による渋滞緩和、過疎化が進む地方ではセンサーを使ったひとり暮らしの高齢者の見守り、ロボットによる農作業自動化などがあげられます。また、水位自動監視システムによる洪水の防止、ＧＰＳを活用した災害予測・復旧の迅速化など災害対策への効果も見込まれています。ではそのために必要な環境は何でしょうか？

それは、人が住めるに適した広い平坦地です。しかし、現状、すべての住環境にふさわしい平野は既に町が建てられており、古い住宅がひしめき合っています。そこで、これらの住宅を一掃する手っ取り早い方法が焼き払ってしまうことです。これがスマートシティ構想の新たな建設土台になるのでは？　という説がささやかれています。

ハワイの場合も再三の立ち退き要求を拒み続けた地元の貧困層が住む古い住宅街が、ピンポイントに大規模火災で一掃されたにもかかわらず、アメリカの富裕層のセレブたちが所有する高級住宅街だけは火災を免れたことに人々は不信を覚えています。火災後、スマートシティ建設の障害となる古くからの住民たちは、土地の売却を余儀なくされています。

歴史は繰り返します。

古代ローマ帝国でも、ネロ皇帝は古くて見苦しい旧ローマ市街の住宅街に兵士らに命じて放火させ、街並みを新たに再建しました。ネロ皇帝にとって古くて曲がりくねった旧市街の街並みは、自分が屋上で竪琴片手にポエムを歌うのにインスピレーションがわかない原因ととらえ、街が新たになればきっといいひらめきが来ると考えました。しかし、実際にローマ大火災の日、屋上で歌うネロ皇帝とローマ兵士らによる放火の目撃者が多数いたため、ネロ皇帝はその責任回避のために、放火魔を以前から自分を神として拝まない反抗的な集団に思えたクリスチャンのせいにしました。そこで初代教会の時代、クリスチャンへの大迫害が始まったのです（諸説あり）。いま、同じような動きを感じませんか？

聖書では、黙示録に飢饉と死病と地上の獣による大量殺害の次は、クリスチャンへの迫害が起きると預言されています。飢饉と死病と地上の獣による大量殺害とは、戦後最大の死者数を出している新型コロナにかこつけた連続ワクチン投与による大量虐殺です。

全く話にならない異端のことですが、コロナ騒動以降、世界平和統一家庭連合（旧統一教会）やエホバの証人などの聖書を悪用した異端カルト集団がテレビのワイドショーで叩かれています。その怒りの矛先が、同じく宗教と誤解され、本物のプロテスタント教会にいつ向かわないとも限りません。

ヨハネの黙示録6：7－11「小羊が第四の封印を解いたとき、私は、第四の生き物の声が、『来なさい』と言うのを聞いた。私は見た。見よ。青ざめた馬であった。これに乗っている者の名は死といい、そのあとにはハデスがつき従った。彼らに地上の四分の一を剣と飢饉と死病と地上の獣によって殺す権威が与えられた。小羊が第五の封印を解いたとき、私は、神のことばと、自分たちが立てたあかしとのために殺された人々のたましいが祭壇の下にいるのを見た。彼らは大声で叫んで言った。『聖なる、真実な主よ。いつまでさばきを行わず、地に住む者に私たちの血の復讐をなさらないのですか。』すると、彼らのひとりひとりに白い衣が与えられた。そして彼らは、『あなたがたと同じしもべ、また兄弟たちで、あなたがたと同じように殺されるはずの人々の数が満ちるまで、もうしばらくの間、休んでいなさい』と言い渡された。」

悪魔の支配者層の連中は、ゾンビ社会のスマートシティ構想をやってみたくてしょうがないのです。

マウイ島火災の翌月9月25日に、ハワイデジタル政府サミットが行われ「マウイ島をデジタルＡＩで統治する計画」が話されています。国防総省は、中性粒子ビーム兵器を軌道上の宇宙から試験したいと考えていましたが、指向性エネルギー兵器は、光の速さに近い速度を持つ素粒子をミサイルにぶつけることで無効化する兵器で、標的を燃やすのに十分な熱を生成し、その供給燃料に点火し、標的を溶かす人工衛星に搭載されたアメリカの宇宙兵器です。これが石川県輪島の大地震のどさくさに紛れて使用されていたのです。

やがて、震災報道が落ち着いた頃に、人口の65％が高齢者の限界集落が自力再生できないためスマートシティ構想に組み込まれて、コロナワクチン強制化への道「緊急事態条項」憲法改正もなされるでしょう。ワクチンを拒んだら、即、日

本のＦＥＭＡに収監。大変な時代が来ます。

角栄「目白御殿」の消失は、眞紀子氏への口封じだったのか⁉

田中角栄元首相邸「目白御殿」敷地内で火災　娘の真紀子氏「線香をあげていた」趣旨の説明。２０２４年1月8日午後3時すぎ、東京都文京区目白台にある田中角栄元首相邸の敷地内で火災が発生。「煙が上がっている」という１１０番通報があり、現場には消防車20台以上が駆けつけ、消火作業。２階建ての建物から出火し、約８００平方メートルが全焼。雑木林なども燃えたという。敷地内には角栄氏の長女、田中眞紀子元外相（79）と夫の田中直紀元防衛相（83）夫妻が普段暮らす自宅があるとのこと。

本人さえ線香の火が火災原因と思い込んでいますが、違うのでは。家、青かったらよかったのに！　私もこんな本を書くからには、教会の5階屋上に、青色ペンキを塗らなくちゃ。最近、田中

眞紀子氏は過去に小泉メーソンにやられた更迭問題の復讐チャンスを得た自民党裏金問題について、TVで強い言葉で噛みついていました。だから能登半島ついでに、DS放火魔に宇宙から放火されたのでは？　本人は線香をあげて離れた後、窓ガラスの割れる音を聞いて戻って火災を発見したといいますが、テレビではガラス破損が報道されていません。線香程度の小さな火種が短時間で窓を割るほどの強烈火炎の大火災になりますか？　恐らく豪邸にふさわしい丈夫な分厚い複層ガラスでしょう。

石川県輪島市の朝市火災現場でインタビューを受けた女性が言う通り、一般常識では自然鎮火レベルの「あんな小さな火」、これが街全体を焼く巨大な炎に急成長！　まさに同様の不可解現象では？　小さな線香の火種が大きな家を速攻で焼く、常識では考えられない指向性エネルギー兵器特有の異常な特徴です。

裏金問題について田中眞紀子氏は、「別にみんな知ってるんですよ。言わないだけですよ」と告白しました。裏金疑惑の対象は「自民党はもう全部でしょうね、全部の派閥でしょうね」と指摘。「『派閥の中で個人の議員がパーティー券売って定数以外のものは自分が手に入れて私的に使ったと』。違う。党ですよ。党自体がそういう体質なんですよずっと。だからそれが下までいってる」と安倍派のみにとどまる問題ではないと語ると、「うちの父のことを金権だって言ってた人たちが裏金派閥だったたってことじゃないの」。「脱税グループじゃん究極は。党を解体したほうがいいんですよ」。裏金の使い道については、「ああいっぱいもらってたら自分のところに使って……」。「だって家建てたりマンション持ってたり車買い替えたり。奥さんもいい着物着て降りてこられますよ。私的に使ってんじゃないですか」と語っていました。田中眞紀子氏は改憲発議の直前に命懸けで告発して家を燃やされたので、「これ以上、暴露すると本当に殺すよ」という脅迫メッセージだったのではは？

無言の脅迫メッセージに対抗して、田中眞紀子側も暗に情報発信しているという話。それは仏壇の線香ごとくで大火災なんかにならない！　本当のメッセージ発信は分かる人たちに暗示。「仏壇は、創価学会、公明党。線香（せんこう）は閃光、つまり学会工作員から指向性エネルギー兵器でやられた！」とメディア相手に暗に訴えたのでした⁉

漫画の「ザ・シンプソンズ」はおなじみDS犯行予告の掲示板ですが、今後、世界中で急増する指向性エネルギー兵器使用の火災を6年以上前からそのまま描いていました。しかも青色だけは無害であることをほのめかす内容になっていました。

ストーリー：指向性エネルギー兵器を意味する凹面反射面という装置を学者が作って街中に設置。上空から一筋の太陽の閃光。凹面反射面にレーザー光を意味する太陽光が反射して街を破壊し、至る所が火災となる。レーシック治療を待つ患者に閃光が注がれ、メガネが溶けて目がよく見えるようになる。池にも照射で沸騰して魚も動物も死ぬ。刑務所への照射で壁が溶けて破壊され、囚人たちが脱走できると思って喜ぶ。市長の演説を聞きにまだ煙立つ焼け野原の広場に集まった住民たち。最後にこの兵器を青いブルーシートのよ

HOMER JAY CLIPS

LASER EYE SURGERY CENTER
Simpsons - SPRINGFIELD GETS BURNED DOWN!
Homer Jay Clips
チャンネル登録

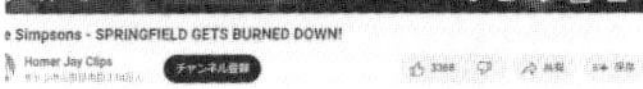
e Simpsons - SPRINGFIELD GETS BURNED DOWN!
Homer Jay Clips
チャンネル登録

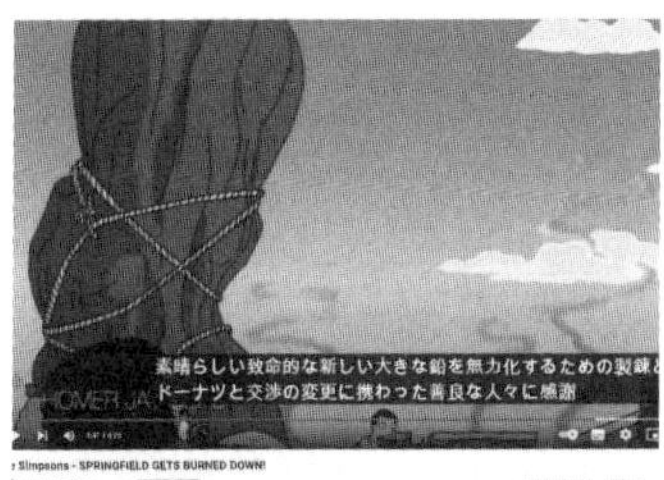

素晴らしい致命的な新しい大きな鉛を無力化するための製錬と
ドーナツと交渉の変更に携わった善良な人々に感謝
HOMER JAY

HOMER JAY CLIPS
Simpsons - SPRINGFIELD GETS BURNED DOWN!
Homer Jay Clips
チャンネル登録

ハワイの焼けなかったパラソル

うな物で包んでロープで縛ったと思われますが、広場で焼かれず残された物は、この青色ブルーシートだけ。住民は焼かれ破壊された街を「再建する」「再建する」と叫び続けるが、最期は疲れてしまう。

ところで、この漫画のおかしな青く包まれた物体、先ほどのハワイで焼け残った現実の青いパラソルに似ていませんか？奴らは随分前から企画して犯行予告した上で実行して、計画実現を見比べながら面白がっているのです。

1988年の映画「アキラ」にも宇宙兵器の指向性エネルギー兵器が出てきます。宇宙から青い光の束が注がれる。「なんだこれは?」その後、人工衛星から攻撃を受け、街は燃やされる。ちなみに、漫画にはアキラという名前が多いです。「デビルマン」「勇者ライディーン」「バーチャファイター」「百獣王ゴライオン」「地獄先生ぬ～べ～」「モノクローム・ファクター」「東のエデン」「爆闘宣言ダイガンダー」「真・女神転生Dチルドレンライト&ダーク」など他にも多数です。日本の昭和史に残る殺人者たちの名前にもアキラが多いです。なぜそうですか？　アキラは明と書きますが。その意味は聖書で、堕天使の悪魔・サタンのことを「暁の子、明けの明星」と呼んでいます。主人公に多いアキラの意味は悪魔なのです。

指向性エネルギー兵器が他国の軍事監視衛星を襲う時、ＳＦのような宇宙戦争になります。

この画像は、お見せするのも大変、心苦しいのですが、ザ・シンプソンズの作者のもう一つの番組「フューチュラマ（Futurama）」というアニメがあります。漫画家マット・グレイニングと脚本家デイヴィッド・Ｘ・コーエンが、より大人向けのアニメを作ろうと構想したといいますが、これもまたＤＳの汚れた息のかかった犯行予告の掲示板です。31世紀の地球を舞台にした内容でアメリカのＳＦシチュエーション・コメディテレビアニメシリーズ。フォックス放送で１９９９年3月28日から２００３年8月10日まで、ケーブルテレビで２００８年3月23日から２０１３年9月4日まで放送され、日本ではDisney+で配信されています。そのワンシーンですが、キチガイ博士が「ワクチンを打った人間は、このレーザーの標的になる。」と言っています。アニメの世界の冗談だけであってほしい。

だから "C-19" のワクチンを打った人間は
このレーザーの標的になると

What's this light?
Akira (1988) Tetsuo x Kaneda

SOL
740

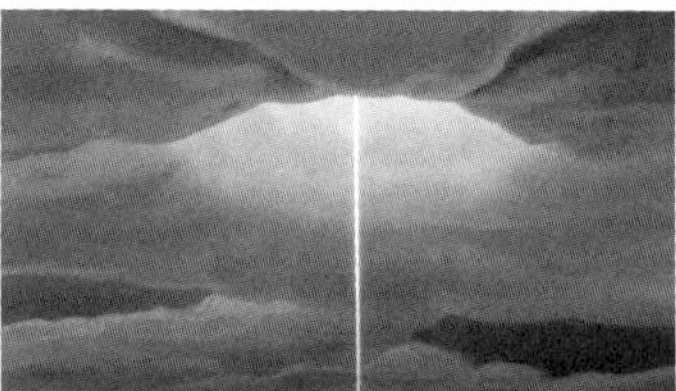

サウジアラビアのメディアによる映像で、輪島市の火災現場動画をよく注視すると、上空にレーザー照射の際に現れる小さな光の縦長の閃光が瞬間的に繰り返し幾筋も走っています。この画像だけで見極めるのは困難ですが、丸で囲んだ微細な閃光が指向性エネルギー兵器使用の確かな状況証拠です。

５Ｇのタワー技師の方が、次のように述べています。「私は５Ｇのタワーを設置する技術士です。多くのヒトは怖がっている。当然だ。実際に自分が設置した地域で、身体に悪影響を感じる人が出てくるから。アメリカ国立衛生研究所によって、身体に悪影響が出ると発表されている。２Ｇと３Ｇ電磁波はがんと腫瘍の原因になると証明したのだ。それには理由がある。５Ｇはミリメータ波の放射線電波を出している。レーザービームのようなものさ。だからそれを軍隊が使ってきたのだ。群衆をコントロールするため水の分子を変異させ、発汗作用に異常をきたすから、身体が燃えるように熱くなる。

それで群衆は慌てて走り去る。

電子レンジに入ったような状態。血液が、細胞が沸騰していく」

ここまでまとめると、令和6年能登半島地震の目的は、緊急事態条項加憲でワクチンを強制接種にすること。レプリコンワクチンという一度接種すると新型コロナウイルスのmRNAが体内で複製される新たな技術を使っているため、少量で効果が長続きする強力なものが日本で先行発売されます。パンデミック条約も締結、DS大手製薬会社は大儲け。自衛隊が憲法の縛りから解き放たれ戦争できる日本になり、武器商人のDS軍産複合体は大儲け。古い街並みを一掃してデジタルスマートシティ構想実現で、管理されたゾンビ社会を作ることなどが考えられますが、他にこんな要素もあります。

ストーリー‥「ちきゅう」号を派遣↓ボーリング作業で爆弾設置完了↓前日準備に3爆破で断層に大量入水↓当日に3爆破で断層完全崩落で大地震。

第４章

日本の米国債減少は許せない!? アメリカＤＳからの締め付けと都合の良い自民党救済なのか!?

支配層からの締め付けメッセージ説が濃厚??

私は２０２４年の元日に教会で医学に関する大切なメッセージをしました。ワクチンと言わないで、ワクワクと言いました。今まで何度もネット動画を削除された経験からです。昨年は、アカウントも２つ何百という動画と共に永久抹消されました。２０２４年１月１日の夕方には、ワクワクと言ったのにメッセージは２つも削除されました。相変わらずＤＳは、平気で人々を滅ぼし大事な情報を隠蔽しています。しかも益々、検閲は厳しくなっています。

新年、テレビをつけたら、自民党の裏金問題は以前ほどニュースになりません。地震関連や日航機炎上、ワクチンで病死の有名歌手などトピックスが目白押しだからです。東日本大震災の時も自民党トップは人工地震計画を知っていたから、あらかじめ与野党を不正選挙でひっくり返して、野党に主権を与えて貧乏くじを引かせました。あの時、学習したことが災害が起きた時、菅総理が東電に乗り込んでパフォーマンスした後、落ち込んでいた民主党の支持率が急上昇したように、今回、地震災害は裏金問題で支持率最低の岸田政権にとってやり方次第では自民党回復にチャンス到来です。

2012年のアメリカ大統領選挙の際に、候補者オバマとロムニーの支持率が接戦だった時に、ハリケーン・サンディが本土に上陸してロムニー支持者の多く住む州を直撃した時、オバマ大統領の救済活動が勇敢さを強調しながら再三メディアで報道され、逆転勝利で再選したことがありました。

アメリカにとって使いやすい現政権、自民党がミスって、裏金問題で滅びようとしているから、正月の御挨拶も含めて救済したのでは。悪党からの贈り物は、いつも悪にふさわしい悪い物、災害だけです。

そしてもうひとつ、考えられる今回の人工地震の目的は支配層アメリカDSからの締め

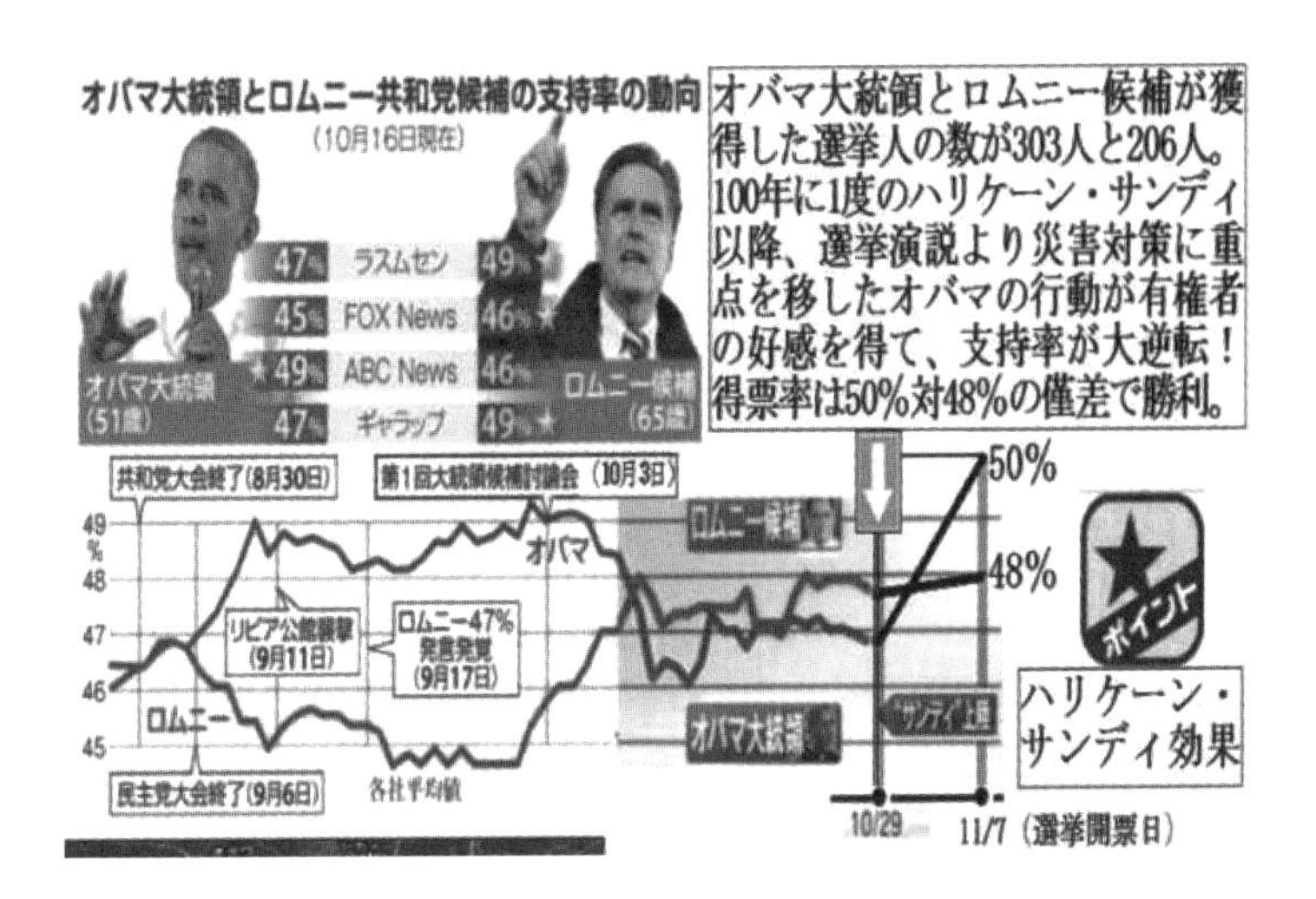

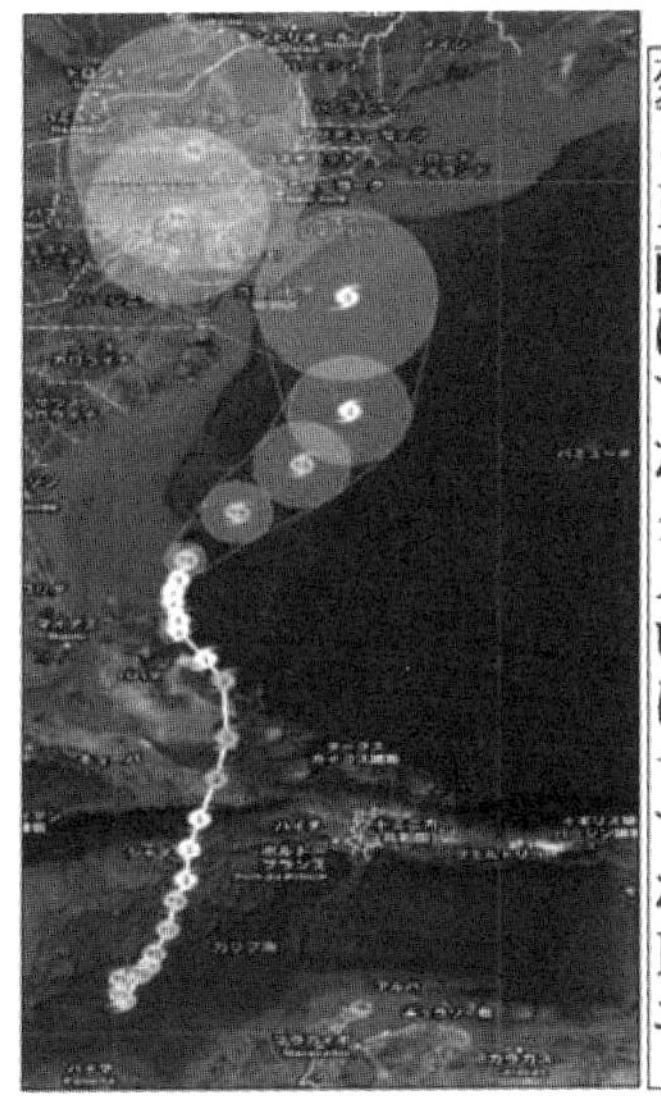

変電所爆発や大火事を発生させて、進路はワシントンＤＣで直角に左折して直撃。南海上から発生したサンディは北上し、東にそれるようで突如、進路変更で西に向かい、そのままニューヨークを直撃と言う最悪のコースを選んだ。この進路について専門家は疑問を投げかけている。通常、偏西風やジェット気流の影響からして西に進路を変えることはなく、それを行なうには、ＨＡＡＲＰのマイクロ波エネルギー操作が必要だ！

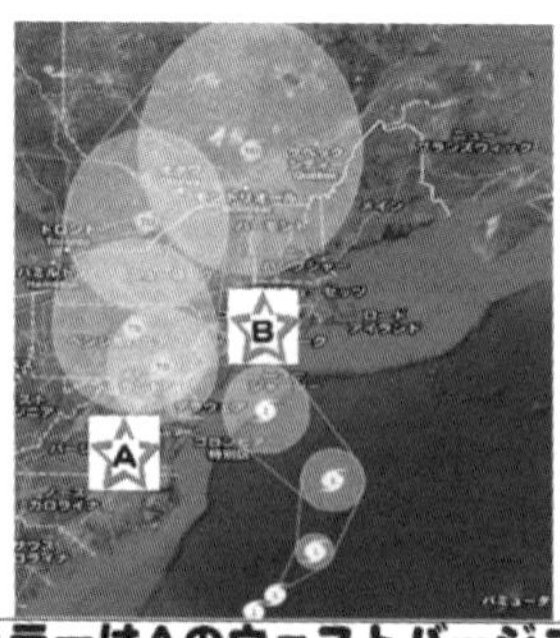

ロックフェラーはAのウェストバージニア州から選出された上院議員。Aは自宅がある本拠地。
一方、Bのロックフェラータウンは彼の高層ビル群が並ぶ5番街の地域。

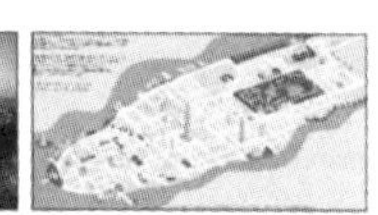

10月末にハリケーン20件以上という異常事態の中、サンディは成長を続けて中心気圧940ヘクトパスカルという猛烈な勢力で前進。
サンディは非常識にも大陸風に逆らって進み、AB両方の地域をうまく交わして上陸し、敵陣のニュージャージー州を直撃した！

付けメッセージです。日本政府がアメリカ国債を近年、徐々に売りさばいていること。イスラエルとパレスチナの戦争において日本メディアがパレスチナ寄りの報道が多く、反イスラエル、反米的な傾向があることです。まるで飼い犬が不従順すると飼い主がしつけに犬を叩くかのようです。

財務省発表では、２０２２年９月末の外貨準備高が８月末比４・２％減の１兆２３８０億ドル（約１８０兆円）。減少率は過去最大。外国債券などの「証券」が大きく減少。９月22日の円買い・ドル売

外貨準備最大の4%減　為替介入で9月末、米国債売却か

経済　＋フォローする

2022年10月7日 8:58 (2022年10月7日 10:59更新)

上野泰也さん他2名の投稿

外貨準備が大幅に減った（東京都千代田区の財務省）

りの為替介入は米国債を売却する形で実施したようで、外貨準備の減少は２カ月連続。減少額の５４０億ドルも最大です。ピークだった２０２１年８月から１割以上減っています。証券が９８５２億ドルと前月比５１５億ドル減少しています。

米国債を売った後で岸田首相は「増税メガネ」と言われるようになりました。過去にも元財務大臣、中川昭一氏は「アメリカの借金のツケを日本に回すな！」と米国債購入を拒否して日本国内のＣＩＡの手先に服毒暗殺されています。

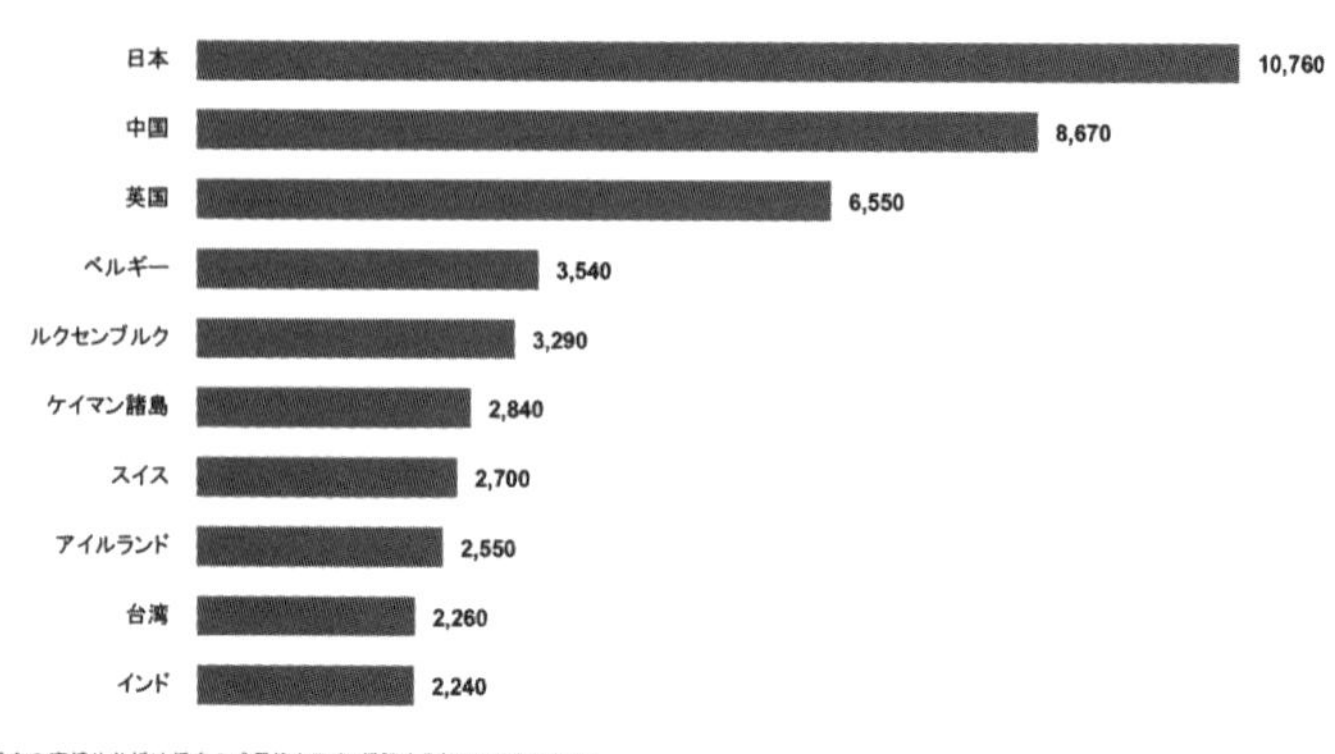

松下金融担当大臣も米国に逆らって人権侵害救済法案と外国人参政権に反対してインサイダー取締りを強化すると暗殺（公式発表は病死と自殺）されました。グラフをご覧ください。

２０２３年３月の統計ですが、日本の保有額は１兆米ドル超です。もし、日中が結託して何十億米ドルもの米国国債を売却すればウォール街は大混乱でアメリカは株価下落でデフォルトです。だからアメリカは日中関係を壊したいのです。橋本龍太郎首相が「米国債を売りたい衝動にかられたことがある」と発言しただけで、NYダウは１９２ドルも下落、これはブラックマンデー以来の大幅な下落でした。竹下登首相は米国債を売ろうとしたから、アメリカに拉致され在日米軍基地からアラスカまで連れて行かれ、米軍ヘリから宙吊りにされ、暴力で暗殺されました。マスコミが竹下首相が病死したはずの病院を調べたら入院履歴はなかったそうです。安倍首相は竹下首相が暴行されている動画を見せられ、脅されて関税やＦ35戦闘機の大量購入をさせられ、アメリカの奴隷になったようです。そう考えれば、日本は最大の米国債保有国ゆえ、その売買動向を米国債券市場は常にチェックしてアメリカ離れの動きを感じたら即、武力制裁します。

過去にもアメリカを超えた時、制裁されています。２００１年に三洋電気が世界初の洗剤不要で超音波と電解水で洗う洗濯機を開発して2か月で３万台販売の大ヒットでしたが、日本石鹸洗剤工業組合が猛反発して消費者庁管轄の国民生活センターまで動く騒動になりました。３年後、新潟県中越地震がその生産地で勃発、三洋電機の半導体工場は大打撃を受け、黒字経営が反転、設備損失４２３億円、機会損失３１０億円、７１０億円の赤字に転落。２０１１年には三洋電気グループ10万人超の巨大企業が倒産を経ずに経営統合で事実上消滅。役員が社外に去り、日本の優秀な技術者たちがヘッドハンティングで米韓中に企業データーと共に頭脳流出しました。石油カスで洗剤を製造販売するロック財閥が許さなかったようです。

世界初の量産ハイブリッド乗用車トヨタ・プリウスも、北米市場に投入以降、全世界で600万台以上の驚異的販売拡大でしたが、東日本大震災勃発でその生産地が大打撃を受けました。石油財閥には省エネ乗用車は天敵です。

2016年に熊本地震勃発で被災したルネサスエレクトロニクス熊本川尻工場と三菱電機パワーデバイス製作所熊本工場。前者はルネサスの中で那珂工場に次ぐ主力工場で、後者はハイブリッド車や電気自動車に欠かせないパワー半導体生産で車載向け半導体を生産する重要拠点でした。

ガソリン不要のEV車や電子機器の省エネ性を左右するパワー半導体も、中長期で安定成長が見込まれる分野です。日本のパワー半導体メーカーはシェア奪還に向けて動き、省エネ技術で地道に経験とノウハウを蓄積した高い競争力を持っています。特に東芝と半導体・電子部品大手のロームは2023年12月、経済産業省の補助金1294億円を最大活用し、パワー半導体を共同生産すると発表しました。ロームは2892億円を投じ、2024年から宮崎県国富町の新工場で、次世代のSiCパワー半導体を生産。東芝も991億円を投じ、2024年から石川県能美市の新工場でシリコン製のパワー半導体を生産と発表した直後でした。翌月2024年1月1日に能登半島地震が勃発して工場操業が停止に追いやられました。パワー半導体を手がけるサンケン電気の生産工場も震度7の石川県志賀町と震度6弱の石川県能登町です。この分野は邪魔されなければ、日本こそ欧米企業以上に熟練と技術の蓄積があるお家芸なのです。

２０２４年12月27日、日本政府が地対空ミサイルの米国輸出を決めたことを受け、ロシア外務省は記者会見で、日本の地対空ミサイルがウクライナに供与された場合は「最も深刻な結果を招く」「その責任は日本当局が全面的に共有することになる」と述べ、日本製の地対空ミサイルが「最終的にウクライナに至る可能性が排除できない」そうなった場合、「ロシアにとって明白な敵意と見なされ、二国間（日ロ）関係において最も深刻な結果を招くだろう」と非難しました。

この5日後に森元総理の牙城、能登半島に大地震勃発。森元総理はメディアがウクライナ寄りの偏向報道であることを非難し続けた親ロシア派だから、米国ＣＩＡ傘下の東京地検特捜部に攻撃されたのではないでしょうか。オリンピック裏金問題、自民党裏金問題、いずれも森元総理発案の裏技です。森元総理の支持者が多い地元、石川県民には地元名士の影響で親ロシア派が増加中。その矢先に、見せしめで米国が叩いた。つまり能登半島叩きは米国からロシア外務省への返答メッセージ。ちなみに森元総理の長男で石川県議だった森祐喜氏も暗殺説が濃厚です。

もう一つは、「日本がハマスやタリバンを公安調査庁のテロ組織のリストからはずした」という言説が拡散されましたが、事実です。しかし、これもアメリカの横槍が入ったのでしょう。即日、ウェブページの当該ページは削除され、基準の再検討中で、さまざまな資料に今も掲載されていると弁解しています。このようにDSに徹頭徹尾、従順していないから、岸田政権が攻撃されている可能性もあります。このような流れは、政治だけでなく芸能界でも同様です。

知り合いの芸能界に詳しい方はこう指摘します。

「2023年からジャニーズ、宝塚、吉本潰しは、言論封じの一環で、DSの命令を聞かない大手芸能事務所を潰しているわけです。ジャニー喜多川はCIAの工作員で、男の子供を変態権力者たちにあてがうことをしていました。亡くなったのでそれをしない現社長などは、会社含めていらなくなったというわけです。吉本も宝塚も言うことを聞かないから叩く。週刊文春はCIAの傘下だから代表的な吉本看板芸人を冤罪で叩いて降板させるのです」

今回、「能登地震、中学生８５０人を集団避難へ調整　校舎使えず」あるいは、「輪島市、全３中学の生徒集団避難を検討　対象者４００人に意向調査」のニュース報道があります。大半は無事に移動されるでしょうが、ハワイのマウイ島火災直後にスクールバスの乗車定員と同じ数だけ行方不明となった子供たちの拉致事件のように、親を失った身寄りなき子供たちが心配です。能登半島から軽井沢のビル・ゲイツの別荘まで連行されなければいいのですが。

トルコ

黒部上空

２０２３年2月6日のトルコ・シリア地震で、ブルサの町にレンズ雲が出現した虹色効果も、人工地震兵器ＨＡＡＲＰ使用の痕跡である可能性を否めません。２０２４年1月9日、石川県に住む宣教師から来た動画ですが、富山県東部、黒部上空で同様のレンズ雲が現れました。ＨＡＡＲＰ電磁波の影響でしょうか。

人工地震のもう一つの目的は資源！　能登半島沖のメタンハイドレートか⁉

能登半島の人工地震のもう一つの原因は、資源狙いです。次世代のエネルギーとして注目されるメタンハイドレートが日本海側の上越沖と能登半島沖に約225カ所も埋蔵されています。巨額の国家予算投入で上越沖を約8260㎢、能登半島の西方沖を約6000㎢にわたり調査が行われた結果、海底数メートルから数十メートルの浅瀬に分布する表層型メタンハイドレート含有の特殊な地形をした地点が広範囲に発見されています。メタンハイドレートの本格的商用化は数年で可能です。日本海とオホーツク海産は純度100％の燃える氷の柱で、簡単に採掘でき、精錬不要でコストも極めて低く抑えることができます。しかし、メタンハイドレート・シェールオイル等の試掘が地層を穴だらけにして、染み込んだ海水が地下に入り込んで断層を滑りやすくさせていることも、ここ数年の能登半島での地震を誘発させた原因です。資源開発にリスクは付き物ですが、今回の能登半島地震は、そのレベルを超えた指向性エネルギー兵器の使用痕跡がある以上、単なる開発上の事故ではない計画された犯罪です。

日本政府は、過去にも人工地震で国有地と領海を拡大した疑惑があります。小笠原諸島・西之島が噴火を始めたのが２０１３年ですが、その後、海中の人工地震で噴火前の10倍以上まで島の大きさを拡大させた結果、ＥＥＺ（排他的経済水域）は１００㎢拡大しました。日本の領海、排他的経済水域を拡大させた海中資源確保の意外な裏技です。

３・11東日本大震災以降、原発停止で日本の化石燃料の需要が増加し、天然ガス価格が高騰し、天然ガス使用量は2倍、輸入額の増加は日本の貿易赤字の主因になっています。そこで注目の代替エネルギーが国内調達のメタンハイドレートですが、３・11は結果、経済産業省の動かない不良官僚をこの無尽蔵のメタンハイドレートの商用化を成させざるを得ないよう、環境的に追い込んだのです。今、再び能登半島の人工地震で沿岸線を陸地2・4㎢も増加の動きに連動して、海中では浅瀬の表層型メタンハイドレートが大量に露出したのではないでしょうか。経済産業省や資源エネルギー庁が存在を重々承知の上で隠蔽してきた日本の国益。その商用化を促進させる戦略が日本政府主導の人工地震でしょうか？

日本政府による核ミサイル製造目的の地下核実験もあり得ます。地下資源メタンハイドレートをザクザク掘り起こす人工地震は、同時に極秘の核実験の役割も果たせます。H2ロケット弾頭に核爆弾を搭載したい日本政府にとって、裏日本といわれる過疎の限界集落なら被害も僅かで済みます。非核三原則の縛りで国内外でできない地下核実験を地震偽装で日本領内で秘密裏に行い続けるため、毎度、既知で有事に逃げ出す売国奴幹部らは共謀して能登半島を選んだのではないでしょうか。

石ノ森章太郎の仮面ライダー最終回には、こんなやり取りがあります。

ショッカー幹部‥「この計画は、もともとおまえたちの政府が始めたものだよ！」

仮面ライダー‥「なんだと⁉」

ショッカー幹部‥「おまえたちも聞いたことがあるはずだ。国民を番号（コード）で整理しようという国会での審議を。あの「コード制」というアイディアは日本政府の「コンピューター国化計画」の一部なのだ」

漫画内で富士山地下の巨大コンピュータールーム内で日本政府が計画していた「国民総背番号制」のマイナンバー制度が「コンピューター国化計画」の一部なら、人工地震の地下核実験で核ミサイル完成も計画の一部です。核ミサイルの実用は人口削減直結だからです。

演歌歌手の坂本冬美は、能登の出稼ぎ労働者の苦難を歌詞に「能登はいらんかいね」と歌いますが、能登半島は売らないでください。

キタニタツヤが歌う「青のすみか」（TVアニメ『呪術廻戦』「懐玉・玉折」編OP曲）のミュージックビデオでは、赤い服の男が落胆、青い服の男が喜び勝ち誇って青を賛美しています。青色だけが焼かれない象徴ですか？

「今でも青が棲んでいる　今でも青は澄んでいる　どんな祈りも言葉も近づけるのに、届かなかった」

2024年1月2日、疑惑のJAL516便炎上も大韓航空機のように青かったら、全焼しなかったかも？

能登地震の原因に関しては、米国説、日本説、以外に北朝鮮説もあり得ます。北朝鮮は、度重なる韓米日合同軍事演習に対抗し、「破滅的な結果」を招くと警告してロシアの技術援助で新しい無人艇「津波」を完成。これは、「海中で核弾頭を爆発させて放射性衝撃波

（津波）を起こして敵の海域で奇襲攻撃を仕掛け、艦船や主要な作戦港を破壊することを目的としている」「米国と同盟国の敵対行為を抑止するために海上や海底での対応行動は続く」と声明。

気になるのは、2024年1月19日発表の水中核実験は、なぜか実施日を明らかにしていないことです。報道では、2024年1月15〜17日に行われた軍事演習に対する報復処置として水中核実験を行い、その発表が2日後になったと思えます。しかし、北朝鮮にとって、度重なる挑発行為の軍事演習にたまりかねて、演習終了直後に報復行動といういつも後手後手というルールはないです。公示された演習期間よりも前に、北朝鮮側の予告の通り、奇襲攻撃の発破をしてもおかしくないです。すでに日米韓合同軍事演習は公示だけで2023年は、3月、5月、8月、10月と、過去に何度も行われていたのだから、これらに対抗して2024年1月1日に、1月予定の軍事演習より前に先手を打って水中核実験実行、普通にあり得ると思いませんか？　ただし、北朝鮮TOPも狡賢く考えました。

「日本にあれ程の被害を与えたのだから、国際社会の非難轟々、あわや対日戦争勃発、これら加害者責任回避のために、わざと軍事演習終了の2日後、19日に水中核実験を行ったと公式発表しよう！　実験した日程だけは伏せておこう。そうすれば、１月１日の震災とは無関係に思えるだろう。あ、そうだ！　支持率最低だけど岸田総理に、６日は見舞いの電報も送って善人ズラしよう！　これで隠蔽工作は完璧」

この核兵器の特徴は、「放射性衝撃波の津波が起こる」「奇襲攻撃」「艦船や主要な作戦港を破壊する」等いずれも能登地震の被害にピッタリ該当しています。志賀町では「津波」が最大５・１mに達し、「奇襲攻撃」にふさわしい自衛隊員さえリラックスする１月１日の安心しきった正月の攻撃です。日本軍も過去に真珠湾奇襲攻撃を休日の日曜日に行った歴史があります。「奇襲」の意味は、「思いがけない方法を用い、あるいは、不意をついて敵を襲撃すること。不意打ち。」です。「艦船や主要な作戦港を破壊する」の声明に関しても、「艦船」ではなく１７２隻以上の「漁船」が被害に遭い、「主要な作戦港」ではなく「漁港」が、４mの地盤隆起などで69カ所の漁港中、58カ所が被害を受けました。90㎞にわたり、東京ドーム94個分にあたる４・４㎡の広大な範囲が海から陸に変わって、もとの海岸線から最大２００mも遠のいた惨事を「破壊」といわなくて何と表現すべきでしょうか！　こう考えると、北朝鮮の不可視な海中で核弾頭を秘密裏に爆発させて津波を起こす「核無人水中攻撃艇」実験の可能性はあり得ます。

正月で海上保安庁職員数が手薄な時、排他的経済水域ＥＥＺまでこっそり潜水艦で来て、そこから能登半島の先端、岬の海中岩盤まで「核無人水中攻撃艇」を発射。大地震後は、人々が地上の荒廃にだけ注目する中、海中では、「核無人水中攻撃艇」を回収確認して排他的経済水域ＥＥＺ付近で待機していた潜水艦で逃げ帰るだけ。

北朝鮮は、今回の水中核実験を「東海岸沖で行った」と発表していますが、本当ですか？　誰が確認できますか？　私たちはメディアがどれほど、フェイク情報で大衆操作するのか、よく知っています。東海岸沖の震源ポイントと、能登半島地震の震源ポイント、地図上で一致しません。しかし、北朝鮮は「敵の海域で主要な作戦港を破壊する」と声明したからには、敵なる日本の海域、能登半島近海まで「核無人水中攻撃艇」で来ていたのでしょう。だから、海から来た侵略者たちの仕掛けた震源が、一番北朝鮮に近くて逃げやすい能登半島の岬の先端部分なのですね。

ストーリー：北朝鮮が能登半島沖で核弾頭爆発の人工地震誘発→北工作員の動きを事前に熟知していた米国が、災害便乗で輪島市商店街に熱い指向性エネルギー兵器照射で宇宙からお灸をすえた放火→レーザー光の特性で遺体が炭化してほとんど遺骨が見つからない異変あり→３・11有事に事前待機の空母ロナルド・レーガンがトモダチ作戦で被災地入りで証拠隠滅した時と同様、今回も在日米軍に支援要請で証拠隠滅→日本政府「もう米国国債は手放しません。逆らいません。緊急事態条項可決に向けて努力してワクチン強制化で販売促進します。憲法改正で戦争できる日本にして旧式米国製兵器を大量買いします。」→「日本海のメタンハイドレート掘削も止めて、アメリカの燃料買います。日本製核兵器製造も止めて、アメリカ離れしません」

どれだけの国会議員が北朝鮮の攻撃と米国がすえたお灸に気付いているだろうか？　読者の皆様、彼らに真実を教えてあげてください。

今、住宅被害６５５７０戸で最大１０００人収容の避難所もあり、窃盗が起きていることを理由に石川県は監視カメラ設置を決定しました。自作自演の京王線刺傷事件や食堂迷惑行為も理由に監視社会に向けた憲法改正をＤＳは推進しています。緊急事態条項が可決されなければ地方自治体へ命令し、非常時に国が個別に指示を出せる同様に危険な地方自治法改正案を通そうとしています。残念ながら日本政府は国民の幸福達成の協力者ではなく米国の統治下です。政府一押しの新ニーサは米国株押しばかり、外資のための罠です。石油のドル決済で米国を支えてきた同盟国サウジアラビアがＢＲＩＣＳに加盟して世界の基軸通貨ドル崩壊は決定的です。そんな落ち目の米国経済を日本のタンス預金引き出しで支えるのですか？　新紙幣発行も旧札がＡＴＭなどで使えなくなる恐れを抱かせて、タンス預金を引き出す増税視野のあぶり出し戦術です。

医学による惑わしは、もう通用しなくなっている⁉

震災以降は、医学による惑わしが拡大します。

ヨハネの黙示録18：23―24「お前の魔術によって　すべての国の民が惑わされ、預言者たちと聖なる者たちの血、地上で殺されたすべての者の血が、この都で流されたからである。」

魔術という言葉は、ギリシャ語でファーマキアといい、その他の意味には、薬、薬剤、薬品、医学の使用などがあります。英語で薬局や製薬を意味する言葉は、"pharmacy"ですがその語源です。言い換えれば、「お前の医学の使用によって　すべての国の民が惑わされ、殺された」となります。現代医学の誤用で惑わされ、大手製薬会社に殺される時代が今です。しかも、その惑わしの規模は「すべての国の民」と世界規模です！

YouTube動画の、日本の高齢者医療に関する情報で「町から病院がなくなったら死ぬ人が減った」という和田秀樹医師の指摘を話したところ、「医学の誤報」と指摘され削除されました。

連中が隠蔽したい強制削除するほど重要な情報が以下です。高齢者になると格段に処方される薬の量が増え、無駄な検査も増えるので、医療費増大要因です。日本の医療は、無駄な検査と投薬が多すぎます。がんは治療せずに放置していても、死の直前までは痛みなどを感じづらく、晩節を穏やかに過ごせるため、「最も幸せな病気」と言う医者もいるほどです。

和田秀樹医師は、患者遺族の許可を取り、毎年100例ほどの遺体の解剖をしたところ、80代後半の方で、体の中にがんのない患者さんはほとんどいませんでした。がんが死因だった人は三分の一くらいで、残りの方はがんであることを知らずに亡くなっていました。高齢者であれば、がんが体内に発生したとしても、無理やり早期発見をして、治療する必要はないともいえるのです。

1974年から1989年にフィンランドの保険局で行われた大規模な調査研究では、40歳から45歳の循環器系が弱い男性が約1200人を健康管理するグループと何も介入しないグループとに分けて、その後15年間にわたって追跡調査を行いました。最初の5年間、健康管理が行われたグループは、4カ月ごとに健康診断を行った上で薬剤が処方され、アルコールや砂糖、塩分の管理など食生活に関する指導も行われました。何もしないグループでは、健康調査票への定期的な記入以外は、放置されたのです。

その後、6年目から12年目については、健康管理は自己管理してもらい、15年後に両者の健康状態を検査しました。がんをはじめ各種の病気の死亡率や自殺者数、心血管性系の病気の疾病率や死亡率などの数値は、健康管理が行われていたグループのほうが高かったのです。過度な医療の介入は健康を損なうということです。

集団健診が義務化されているのは、日本と韓国くらいです。日本でも、医者いらずのほうが、寿命が延びた例として２００６年、北海道の夕張市が中国の陰謀で財政破綻し、市民病院が廃止になり、19床の診療所となったため、夕張市民たちが病院で医療行為を受ける回数が格段に減りました。病院に行けないのであれば死者数は増えると思われますが、夕張市では、がんで死ぬ人と心臓病で死ぬ人、脳卒中で死ぬ人の数がすべて減り、老衰で死ぬ人の数だけが増えたのです。夕張市の事例は、医療行為をしないほうが死ぬ人は減り、病気にならずに老衰で死ねるという疫学的な根拠になったのです。

コロナ禍でも、医療行為をしなかったゆえに死亡者数が減る現象がありました。新型コロナウイルス感染症が日本に来た最初の年である２０２０年、日本全体の死者数が驚くほどに減りました。２０２０年は死亡数が約１３８万人で死亡数は11年ぶりに減少しました。本来、少子高齢化が進んでいますから、死者数は毎年増えるはずなのに、２０２０年は前年より死者数が約９０００人も減ったのです。

コロナ流行で医療機関に行かなくなった患者がものすごく増えました。熱があったらコロナだとみなされ、病院に拒絶されることが多かったのですから。その後、２０２１年、２０２２年、２０２３年は、ワクチン登場で一般投与により持病悪化で史上最大の死者数を例年更新しました。

Part

レーザービームからAI最先端テクノロジーまでもなぜ聖書に記述されているのか!?

第5章

そこには遺伝子情報から最先端生物学までも含まれていた!?

宝石についての驚愕の真実！
一体誰が、どうして2千年前のヨハネが知っていたの？

天国の城壁を科学すると、城壁12土台石は現代のレーザーライト照射時に虹色に光る複屈折の貴石だけを採用!?

聖書では、エデンの園に宝石が多数ありましたが、旧約時代の祭司が着る服のエポデにも12種類の宝石をはめ込むよう書かれていました。目的は12種類の宝石も金のわくや鎖も祭司の肩に重い負担を感じさせます。そこで心する教訓が、リーダーは民の重荷を肩に背負う覚悟を要求されているという使命感と責任ある立場であり、同時にその美しさは神様の民は美しく高価で貴い価値ある宝石のようだという意味です。

イザヤ書43：4「わたしの目には、あなたは高価で尊い。わたしはあなたを愛している。」

祭司のまとうエポデについての聖書の記述はこのようです。

出エジプト記28：16－23「それは、四角形で、二重にし、長さは一あたり、幅は一あたりとしなければならない。その中に、宝石をはめ込み、宝石を四列にする。すなわち、第一列は赤めのう、トパーズ、エメラルド。第二列はトルコ玉、サファイヤ、ダイヤモンド。第三列はヒヤシンス石、めのう、紫水晶、28：20　第四列は緑柱石、しまめのう、碧玉。これらを金のわくにはめ込まなければならない。この宝石はイスラエルの子らの名によるもので、彼らの名にしたがい十二個でなければならない。十二部族のために、その印の彫り物が一つの名につき一つずつ、なければならない。また編んで撚った純金の鎖を胸当てにつける。胸当てに、金の環二個をつけ、その二個の環を胸当ての両端につける。」

一方、天国の都について、そこにも都の城壁の土台石に12種類の宝石が使われています

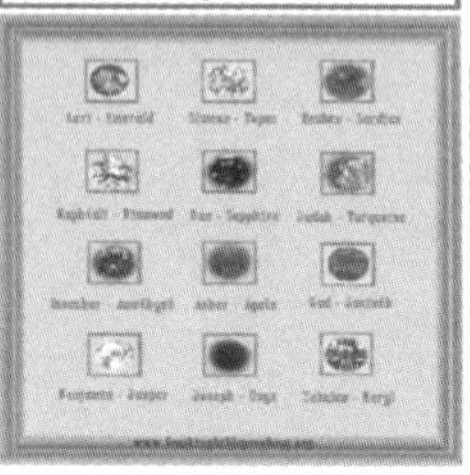

が、祭司の服と比較する時、地上で祭司の服に採用されたダイヤモンドが天国の城壁にはないです。どうして天国では地上で価値あるダイヤモンドが不採用なのでしょうか？

黙21：19－20「都の城壁の土台石はあらゆる宝石で飾られていた。第一の土台石は碧玉（ジャスパー）、第二は青玉（サファイア）、第三は玉髄（カルセドニー）、第四は緑玉（エメラルド）、第五は赤縞めのう（サードニクス）、第六は赤めのう（カーネリアン）、第七は貴かんらん石（ペリドット）、第八は緑柱石（ベリル）、第九は黄玉（トパーズ）、第十は緑玉髄（クリソプレーズ）、第十一は青玉（ラピスラズリ）、第十二は紫水晶（アメシスト）」であった。また、十二の門は十二の真珠であった。どの門もそれぞれ一つの真珠からできていた。都の大通りは、透き通ったガラスのような純金であった。」

天国の新エルサレムでダイヤモンド不採用の理由は、地上で稀な12の宝石、貴石だけで城壁の土台が作られていることが原因です。現代は純粋な光を人工的・科学的に作れます。自然の反射する光でなくまっすぐ強烈な一方向から来る照射光、つまりレーザーライトを発見しました。宝石や原石を薄く切り取り、顕微鏡で見る時、偏光板を通して純粋なレーザー光を当てるとすべての宝石に2つのうちの一つの科学現象が必ず起きます。科学用語で「異方性」か「等方性」を示す光学特徴が現れます。

ダイヤモンドは、レーザー光線を当てると光が内部で同じ方向にそのまま一本で進む単屈折という進み方をする特徴があります。対して、サファイヤやエメラルドはレーザー光線を当てると光は2本に分かれ、次に異なった速度で進み、それぞれの光波は互いに直角の方向に振動します。これは複屈折と呼ばれ、宝石内部に入った光が折れ曲がってその進路を虹色の7色に変化します。その分解された赤・橙・黄・緑・青・藍・紫の7色の光の

偏光検査

光

分光検査

天国は地上で稀な１２の宝石、貴石が城門の土台。現代は反射する光でなくまっすぐな一方向から来る光、純粋な光レーザーライトを発見。宝石や原石を薄く切り取り、顕微鏡で見る時、偏光板を通して純粋な光を当てるとすべての宝石に2つのうちの一つが起きる。科学用語で「異方性」か「等方性」を示す。

帯スペクトルの屈折率でこの宝石は何かという宝石鑑別ができます。

元の宝石が赤でも青でも緑でも、複屈折の性質を持つ宝石は純粋なレーザー光の中では分解拡散されて虹色全色の多色性に変わります。非常に美しいパターンが見える貴石です。

しかし、純粋なレーザー光の中ですべての色を失い真っ黒になる宝石もあるのです。炭の灰のように見えます。それが単屈折で暗いダイヤモンドなのです。ダイヤモンドは純粋なレーザー光の中では、消えてしまいます。スピネルもガーネットもレーザー照射すると、すべて美しい光は消えてしまいます。

多色性が見られる宝石(ギリシャ語「多くの色の」を意味)

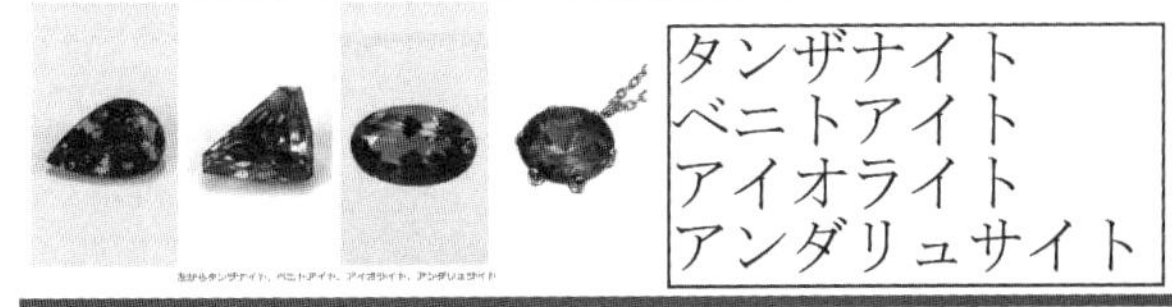

左からタンザナイト、ベニトアイト、アイオライト、アンダリュサイト

タンザナイト
ベニトアイト
アイオライト
アンダリュサイト

多色性がはっきり見えない宝石

ルビー
サファイア
エメラルド
クリソベリル

左からルビー、サファイア、エメラルド、クリソベリル

多色性がない宝石

スピネル
ガーネット
ダイヤモンド

この世界には複屈折の特徴を持ち、レーザー照射でいっそう美しい7色を見せる12種類の宝石もあれば、全く光らないダイヤモンドや、わずかしか光らない吸収バンドのルビーもあります。神様は天国の新エルサレム建築資材に純粋な光の中で虹色に光らない7色の美を失う性質の宝石素材は一切使わないのです。不採用の理由があります。それは、

ヨハネの手紙一1:5　神は光であって、神のうちには暗いところが少しもない。これが、私たちがキリストから聞いて、あなたがたに伝える知らせです。

ということです。天国に暗闇は一切許されないのです！　完全な光の国だからです。ジェシー・デュプランティスという方が、交通事故で瀕死の重体になった際に天国を冒険して帰還しました。彼によると美しく輝く光の国、天国には暗い日影が全くどこにも見当たらなく、驚いて両手を丸く合わせて覗き込んだけれど、やはりこぶしの中にも闇は存在しなかったそうです。そこで天使が語った言葉が、先の聖書の言葉「神は光であって、神のうちには暗いところが少しもない。」だったそうです。さらに天国には美しい花々が咲き乱れていて、この世に存在しない綺麗な色彩もあったそうです。観察するうちに気付いたことに、天国の花々には枯れている物やしおれかかったものが一切ないということです。踏んでも自分の足を花が通り抜けてしまい、決して踏み殺されないそうです。理由は天使の説明では、天国には死がないからだそうです。すべての人も生物も美しく輝き、生き生きと生命力に満ちているそうです！

ところで、レーザー光照射で7色に美しく虹色分割する貴石だけを特別採用した天国の城壁。2千年前に誰がこの光学特徴を知っていたのでしょうか？

その不思議な光学特徴は最近発見されたレーザー照射機の使用によってのみ始めて分かる科学知識ですが……。レーザー照射機が発明されるまで、現代の科学者の誰も知らなかったはずの斬新な研究結果です。現代では光学機械を使って光学特徴を専門検査するプロの宝石鑑定士の最高権威「ＧＩＡ」がありますが、２千年前に既に分類済みで聖書に記録した通り採用決定済みの12種類の宝石、それらはすべて複屈折の貴石だけが選ばれています！　レーザー照射機もまだ発明されていない時代に、「ＧＩＡ」もない時代に、誰がこれを個別に調べて２００種類もある宝石の中から12種類の７色に分割して最も美しく輝く貴石だけを巧みに選び出しましたか？　確かな鑑定力で光を放たないダイヤモンドは、天国の城壁の土台石に選ばれなかったのです。

レーザー光線の歴史

１９１７年、アルベルト・アインシュタインの論文がレーザーの理論的基礎を確立。

１９６０年、物理学者セオドア・メイマンが、最初のレーザー発生装置を開発。放射されたレーザー光線は、赤い光でわずか3億分の１秒しか持続しませんでした。

１９８５年、チャープパルス増幅法が提案され、現在のような高強度レーザー発振が可能となりました。その後、レーザー光線を実用した金属の切断、溶接、プラスチック、ゴム、フォームなどの有機材料の加工までアプリケーションが拡大。さらに宝石にレーザー

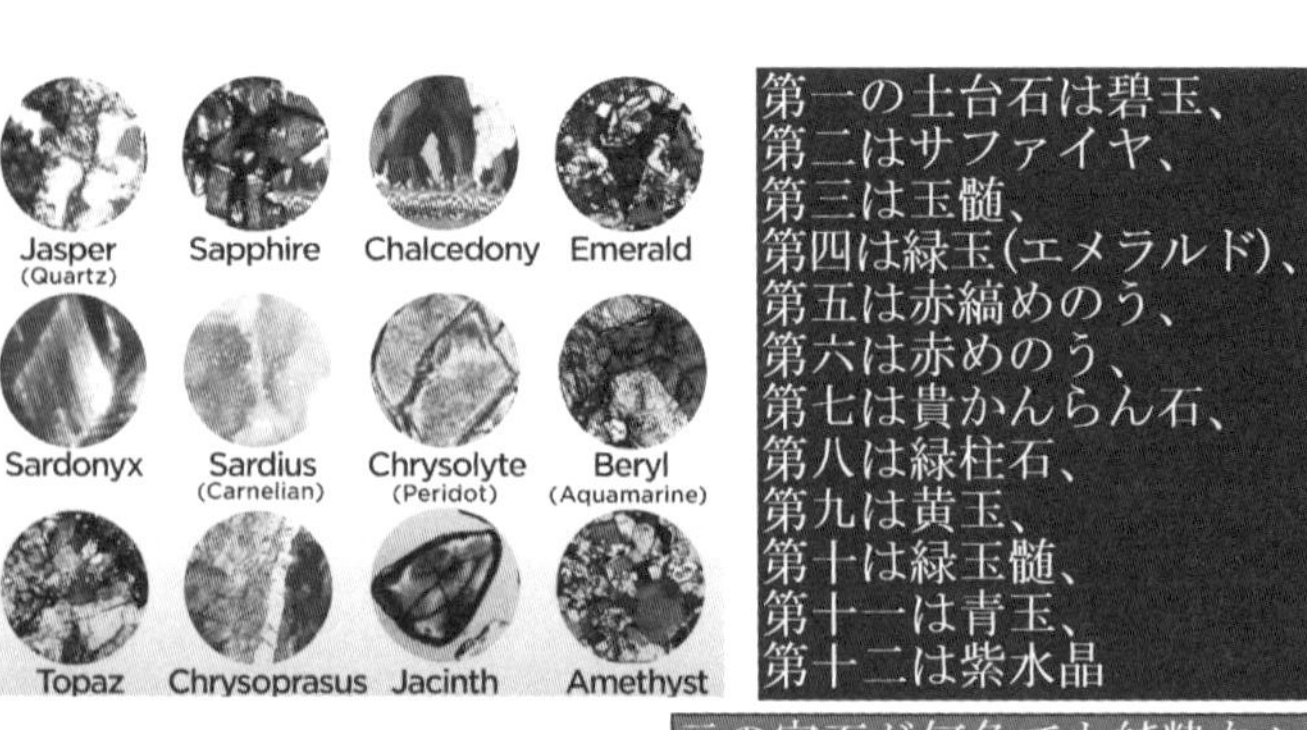
Jasper
(Quartz)
Sapphire
Chalcedony
Emerald
Sardonyx
Sardius
(Carnelian)
Chrysolyte
(Peridot)
Beryl
(Aquamarine)
Topaz
Chrysoprasus
Jacinth
Amethyst
第一の土台石は碧玉、
第二はサファイヤ、
第三は玉髄、
第四は緑玉(エメラルド)、
第五は赤縞めのう、
第六は赤めのう、
第七は貴かんらん石、
第八は緑柱石、
第九は黄玉、
第十は緑玉髄、
第十一は青玉、
第十二は紫水晶

Diamond

Spinal

Pyrope

Alamandine
元の宝石が何色でも純粋なレーザー光の中では虹色全色になる。非常に美しいパターンが見える。しかし、純粋な光の中ですべての色を失い真っ黒になる宝石もある。

光線を当てると7色分割される複屈折の貴石があることを発見！　宝石鑑定法の主流となりました。

城壁素材に不採用のダイヤモンドは、レーザー光線を当てると一方向にしか折れ曲がらない単屈折で暗く光りませんが、偽の合成ダイヤモンドといわれる合成モアッサナイトは複屈折性で光が二方向に屈折します。偽ダイヤモンドが多い現代、鑑定師は光の屈折率で本物か否かを判別できます。

ユダヤ人の歴史

迫害の歴史から研磨技術こそがユダヤ人の一大産業となりました。血塗られたユダヤ人の歴史を紐解くと、その悲しい悲劇はイエス様迫害から始まりました。総督ピラトはイエス様には何も罪がないことがよく分かっていました。しかし、政治家は民衆の人気を得ようと昔も今も湾曲した不正行動をとることがあります。暴動勃発とその責任追及を恐れた臆病者の総督ピラトは民衆の誤った誘導に譲歩しました。民衆の叫ぶ声「その人の血は、私たちや子供たちの上にかかってもいい」に屈して罪もないイエス様をむち打ってから十字架刑にしました。

マタイによる福音書27：23－26「ピラトは言った。『あの人がどんな悪い事をしたというのか。』しかし、彼らはますます激しく『十字架につけろ』と叫び続けた。そこでピラトは、自分では手の下しようがなく、かえって暴動になりそうなのを見て、群衆の目の前で水を取り寄せ、手を洗って、言った。『この人の血について、私には責任がない。自分たちで始末するがよい。』すると、民衆はみな答えて言った。『その人の血は、私たちや子供たちの上にかかってもいい。』そこで、ピラトは彼らのためにバラバを釈放し、イエスをむち打ってから、十字架につけるために引き渡した。」

ユダヤ人みなが一致して決定したイエス死刑要求ですが、その血の責任を「私たちや子供たちの上にかかってもいい」と一斉に告白しました。言葉の力は恐ろしいです。その約40年後、ＡＤ70年にティトス将軍率いるローマ帝国からのイスラエル総攻撃を受けてユダヤの民は壊滅的な大被害を受け陥落しました。

十字架の当時、5歳、10歳だった子供たちが今や40年が過ぎて45歳、50歳の大人です。彼らがその父たちの咎を背負ってイエス様を迫害した血の責任を身に受けたのです。僅かに滅亡をまぬかれて国外逃亡したユダヤの民もその後の歴史中、国家を持たない民として嫌われ、どこに行っても迫害・虐殺・追放の歴史を繰り返し味わいました。彼ら災いを刈り取る子孫たちもまた先代の蒔いた告白の種「私たちや子供たち」に含まれた該当者なのです。ユダヤ人のアウシュビッツ強制収容所の大虐殺は有名ですが、長い歴史の中、呪いの辛苦を舐めたユダヤ人は学習しました。「国家を持たない我々が生き延びるには子供たちに特殊技能を身に着けさせることだ。」特殊技能職とは、ホワイトカラーに属する医師、弁護士、芸術家や音楽家など特殊な専門技術を学べば、万一、国外追放処分を受けても海外に誘致されても即、通用する必要不可欠な職業を体得させたのです。中でもユダヤ人共同体だけで独占的に栄えた固有の専門職がダイヤモンド鑑定士や研磨職人だったのです。

神は光であって、神のうちには暗いところが少しもない。これが、私たちがキリストから聞いて、あなたがたに伝える知らせです。

レーザー光通過で暗くなる素材は天国の城門に使えない『ダイヤモンド』

ダイヤモンドは『純粋な炭素』で構成され、特別に貴重でも、地球上で最も固い物質でもない。しかし、価値があるとされるのは、炭素の周期表の原子番号が『6』で、炭素は『6』個の陽子と『6』個の中性子と『6』個の電子から構成されているからです。ユダヤ系財閥ロスチャイルド家が好む数字666だから、研磨技術がユダヤ人独占の一大産業だからです。

ところで、イスラエル国旗にはダビデの星という五芒星が描かれていますが、ダイヤモンドに似ていると思ったことはありませんか？

ダイヤモンドの歴史

ブランドコンシェルによると、1888年に南アフリカのセシル・ローズ氏が創業したデビアス社は、ユダヤ系財閥であるロスチャイルド家やオッペンハイマー家の資本を後ろ盾に、南アフリカのダイヤモンド鉱山を次々に傘下に収め、ダイヤモンド原石の採掘から流通の段階に至るまで強力なシンジケートを構築し、工業用を除く世界中のダイヤモンドの供給量と流通量をほぼコントロールして19

世紀末には、ダイヤモンド鉱山の90％をデビアス社だけで支配していました。

その後、ダイヤモンド原石の生産だけでなく、流通や小売りの分野にも参入し、世界のダイヤモンド販売会社なども次々に買収、支配下に収めたデビアス社は、世界のダイヤモンド産業の支配者的な立場に立ったのです。

ダイヤモンドは、原石の生産段階で「ダイヤモンド生産者組合」が余分な量のダイヤモンドが市場に出回らないように生産調整します。

次の段階では、「ダイヤモンド貿易会社」が、ダイヤモンド原石を一括買い上げし、分類します。そして、「中央販売機構」と呼ばれる販売組織から世界に売られていくのです。デビアス社から選ばれた、100社にも満たない業者のみが、ダイヤモンド原石を買うことができる仕組みになっているので販売価格も、各業者に対する原石の割り当て量も、すべて決めてしまいます。業者は異議を唱えることすらできません。

こうしたダイヤモンド産業をコントロールする巨大シンジケートの仕組みの存在こそが、ダイヤモンドの価値が一定に保たれ、末端価格に至るまで大きな価格変動がおこらない要因です。販売価格も販売量もコントロールする仕組みで総合的に管理しているから人工的に価値を高めています。１００万ドルのティアラにセットされたダイヤモンドと10セントの鉛筆の黒船は、全く同じ種類の原子でできていて、その違いは、内部の配列がごくわずかに異なるだけです。

ダイヤモンドは「純粋な炭素」で構成されており、ダイヤモンドは特別に貴重なものでも、地球上で最も固い物質でもないのです。ダイヤモンドに価値があるとされるのは、炭素の周期表の原子番号が「6」で、炭素（Carbon）は「6」個の陽子と「6」個の中性子と「6」個の電子から構成されているからです。

ユダヤ系財閥であるロスチャイルド家が好む数字666だから、研磨技術がユダヤ人の一大産業だからです。666というのは元々、ソロモン王が繁栄を極めた時、貿易成功で1年間に入ってくる金の目方が、666タラント（2万2644kg）もあったという歴史を重視していま す。つまりユダヤ人にとって繁栄の象徴が縁起のいい数字ソロモン王にあやかる666と考えたようです。

しかし、これが悪用、曲解されて世界の終わりにはサタン崇拝者たちの好む数字として乱用されるのです。

ヨハネの黙示録13：15―18「それから、その獣の像に息を吹き込んで、獣の像がもの言うことさえもできるようにし、また、その獣の像を拝まない者をみな殺させた。また、小さい者にも、大きい者にも、富んでいる者にも、貧しい者にも、自由人にも、奴隷にも、すべての人々にその右の手かその額かに、刻印を受けさせた。また、その刻印、すなわち、あの獣の名、またはその名の数字を持っている者以外は、だれも、買うことも、売ることもできないようにした。ここに知恵がある。思慮ある者はその獣の数字を数えなさい。その数字は人間をさしているからである。その数字は六百六十六である。」

666は元来、人間のDNA構成を指す数字であり、宇宙や生命の根幹を成す数字です。

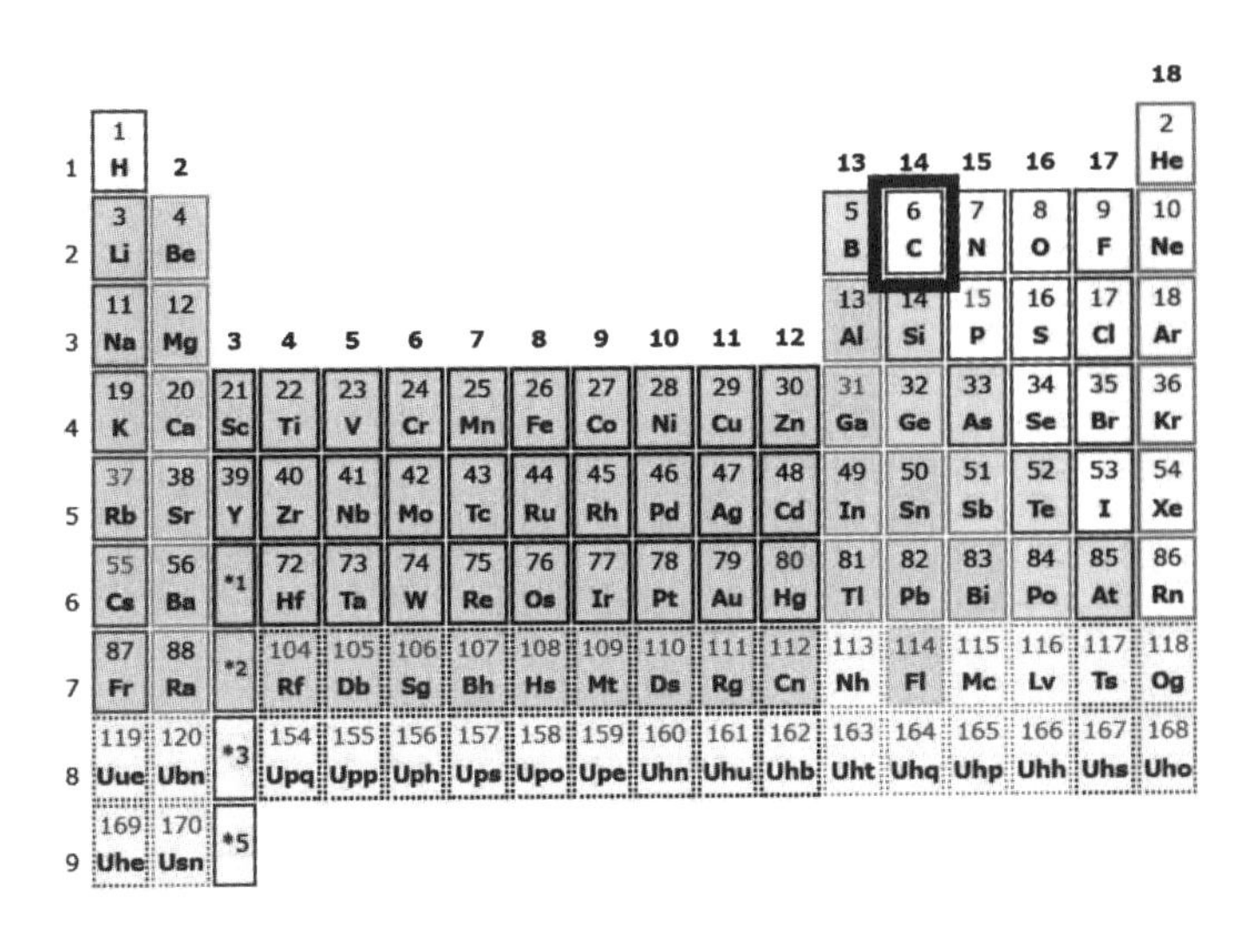

人間もまたダイヤモンド同様6Cで表す『炭素』が主体となってできています。人間の体は60%が水といわれています。その水を除くと人間を構成する元素は炭素原子が50%。酸素原子が20%、水素原子が10%、窒素原子が8・5%、カルシウム原子が4%、リン原子が2・5%、カリウム原子が1%などです。人間は炭素原子を主要な構成成分とした生物であることが科学的に判明していて、炭素が生命の起源、進化、分布、宇宙での生命の中核であり、人間は6日目に創造され、構成要素の炭素は6個の陽子と6個の中性子と6個の電子です。

　元素周期表は1869年にロシアの化学者ドミトリ・メンデレーエフが原子量順に並べ

た元素表で、人の元素、炭素は１１８番まである周期表で原子量から原子番号６となりました。

でも、「その数字は人間をさしている」との記述、人間構成元素の炭素の原子番号６。この科学知識、２千年前のヨハネがどうして知っていたの？

それと、反キリストそっくりな偶像出現について「獣の像がもの言うことさえもできる」ようにしたと言いますが、この未来預言、やがて作られる偶像が人工知能ＡＩ搭載であることは間違いないです。言語の理解や推論、問題解決などの知的行動を人間に代わってコンピューターに行わせる技術です。SiriやＡＩ小説まである時代の今じゃない、２千年前のヨハネがどうしてＡＩ最先端技術の到来を知っていたの？

すべてをご存知ですべてができるサムシンググレートなる方を全知全能と呼びます。ユダヤ財閥連中が巧妙に生産調整しながら希少性を意図的に高め、高価な物として価値を引き上げた宝石ダイヤモンドも、神様の御前にはすべてお見通しで、あまりランキングの高くない素材として天国城壁の土台石として建築素材に不採用というわけです。

イザヤ書54：11－13「苦しめられ、もてあそばれて、慰められなかった女よ。見よ。わたしはあなたの石をアンチモニーでおおい、サファイヤであなたの基を定め、あなたの塔をルビーにし、あなたの門を紅玉にし、あなたの境をすべて宝石にする。あなたの子供たちはみな、主の教えを受け、あなたの子供たちには、豊かな平安がある。」

ＤＮＡの遺伝暗号は神からのメッセージとしか考えられない⁉

人間の細胞の核にあるＤＮＡは体の設計図で、60兆個にも及ぶすべての細胞に存在する個人情報です。これに基づいて体の細胞や、器官、臓器が生涯、細胞分裂を繰り返して複製されながら作られ続けます。ＤＮＡは精子と卵子の中にも存在し、受精を経て親の特徴は子供へと「遺伝」して遺伝形質も決める因子、遺伝子を含んでいます。遺伝子の情報次第で子孫の皮膚の色、髪の毛の色、目の色、性格、病気のかかりやすさ、体質などの遺伝的傾向が引き継がれます。

ＤＮＡ遺伝子検査をすれば、遺伝的にかかりやすい病気が分かり、先天的な運命の病に対して先手を打って発症させることを回避できる対策が大事になります。

人生１００年時代、今後の医学の発展により、ますます身近に遺伝子検査による発病の防止対策が重視されるでしょう。

遺伝子組み換えは、外来の遺伝子を細胞にプラス導入して新しい形質を作る技術です。一方、ゲノム編集技術は、生物が持つゲノムＤＮＡ上の特定の塩基配列を狙ってハサミの役目をするツールで切り貼りして細胞が突然変異で内部変化する技術です。ゲノム編集は、子供の容姿や能力を遺伝子レベルで好きなように設計するデザイナー・ベビーの普及リスクのある技術です。中国で２０１９年、遺伝子を改変するゲノム編集技術で３人の赤ちゃんを誕生させ、違法医療行為罪で懲役3年の判決を受けた南方科技大の元副教授が昨年、釈放されました。このマッドサイエンティスト、放置したら外国に行くかも。

ゲノム編集に使用される主流なツール CRISPR-Cas9（クリスパー・キャスナイン）遺

伝子は、元々、九州大の石野良純教授の発見でしたが、徹底研究しないうちにノーベル化学賞受賞者は同研究分野でドイツ・マックスプランク研究所のフランス人と米国人の女性研究者２人にとられています。

北海道大の石井哲也教授は、ゲノム編集は「遺伝子組み換え作物のように、遺伝子を設計し、能力増強した子供だけが生まれる世界になりかねない。多様性の価値や命の尊厳が崩れてしまう」と警鐘を鳴らしています。

ＤＮＡ遺伝子の影響下、遺伝的に親子が同じ種類の病気や性格的な傾向から不思議と類似行動をとるケースが多々あります。以下の聖書の箇所では、アブラハムから息子イサク、孫のヤコブまで親子三代、同じ健康上の問題、妻の不妊があります。恐らくこれはお嫁さんよりは代々続く病ゆえ男系に生殖上の問題ありと思われます。

病気において、
父アブラハム：妻サラ　は不妊の女だった（創世記11：29－30）
子イサク：　妻リベカも不妊の女だった（創世記25：21）

孫ヤコブ：　妻ラケルも不妊の女だった（創世記29：31）

このようなケースは病気において特に、遺伝的傾向が引き継がれがちです。祖父もがん、父もがん、子もがん。あるいは、祖父も早死、父も早死、子も早死。性格的にも、祖母も離婚、母も離婚、子も離婚など、必ずしも同様にならなくとも親を見ることによって反面教師的な片寄りやすい家系的な負の遺産のような性格的傾向がわかります。そんな意味でも父祖、祖母をよく観察してください。あなたと同じDNA情報が共有された原本のような神様から送られた遺伝情報満載の尊い生きたお手紙の存在なのです。失敗行動に関しては、反面教師として学び、警戒すれば二の足を踏むことは避けられるでしょう。

性格的な類似傾向から、同じ罪と失敗の異常行動をとったアブラハム。
彼は、妻サラを妹と偽り、後に嘘がバレて大恥を受け、国外に出て行きます。（創世記12：10－13）
ところが息子のイサクも成人後、妻リベカを妹と偽り、後に嘘がバレて大恥を受け、国外に出て行きます。（創世記26：6－7）

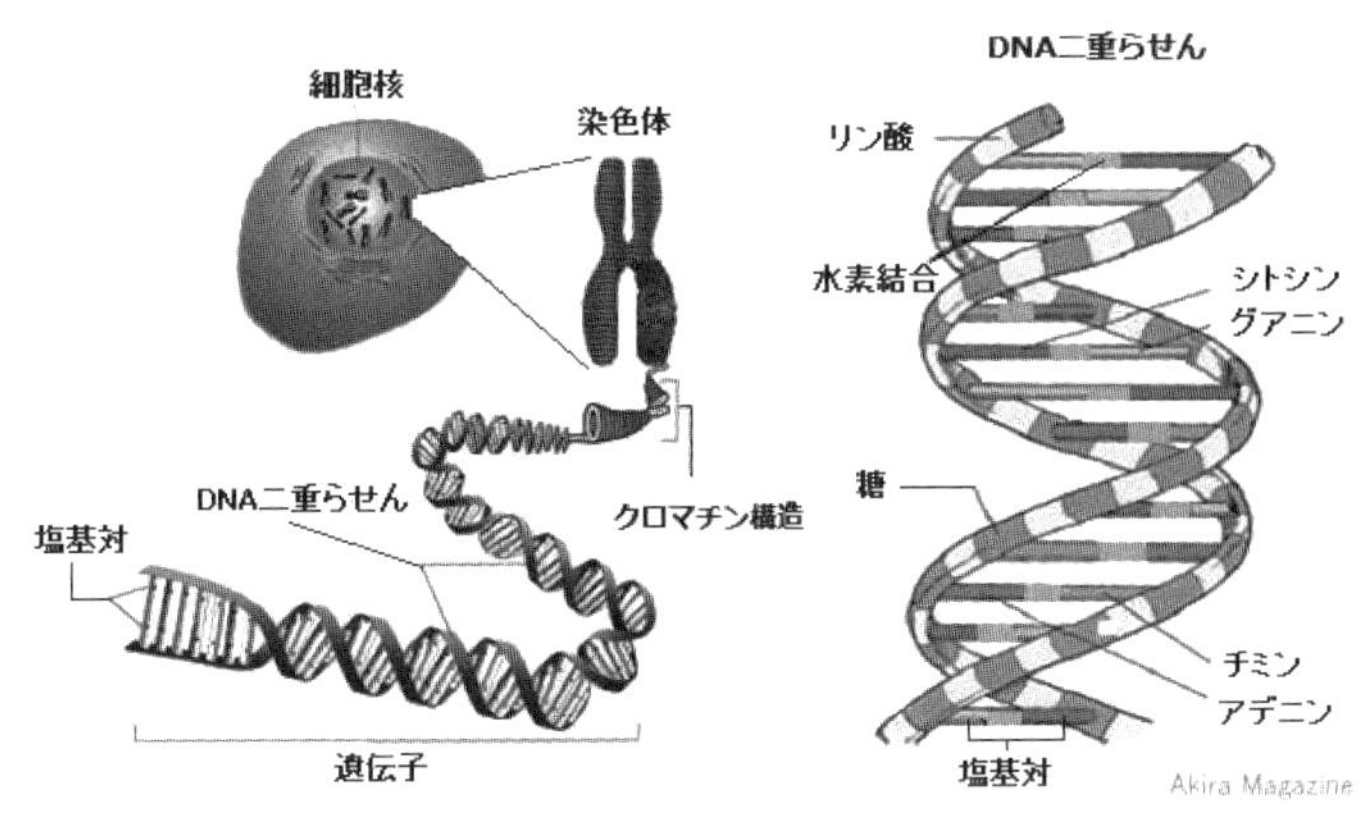

細胞核・染色体・遺伝子 模式図

さて、人間のＤＮＡ設計図を拡大するとこのようになります。

少し難しいですが、簡単にご説明します。

人間のＤＮＡ細胞内のヒトゲノムは、その名前の通りヒトのゲノムで、遺伝情報の一セット、右回りの二重らせん構造です。ねじれた２本の対をなしたラインのうち一本は父方から引き継ぎ、もう一本は母方から引き継ぎます。その２本のラインを上下につないでいる縦の橋は４本ごとに一セットで結合している塩基と呼ばれる部分です。それぞれ異なる塩基は、アデニン（Ａ）、グアニン（Ｇ）、シトシン（Ｃ）、チミン（Ｔ）が１分子に付いています。

このずらっとつながって並ぶ４種類ごとの塩基

の並び方が遺伝暗号になっていて、塩基配列に私たちのすべてを決める個人的な遺伝情報が含まれています。

生物の設計図そのものである人間のDNA配列は誰でも99・9%が同じで、残りの0・1%だけ異なるといわれています。

塩基が人によって変化しているところが約1000個に1個の割合であります。その0・1%の遺伝子型の違いで、わずか一カ所の配列の微小な違いが姿形や性格、体質、遺伝性疾患などの個人差となって、一人ひとり全く異なる個性を生み出しています。

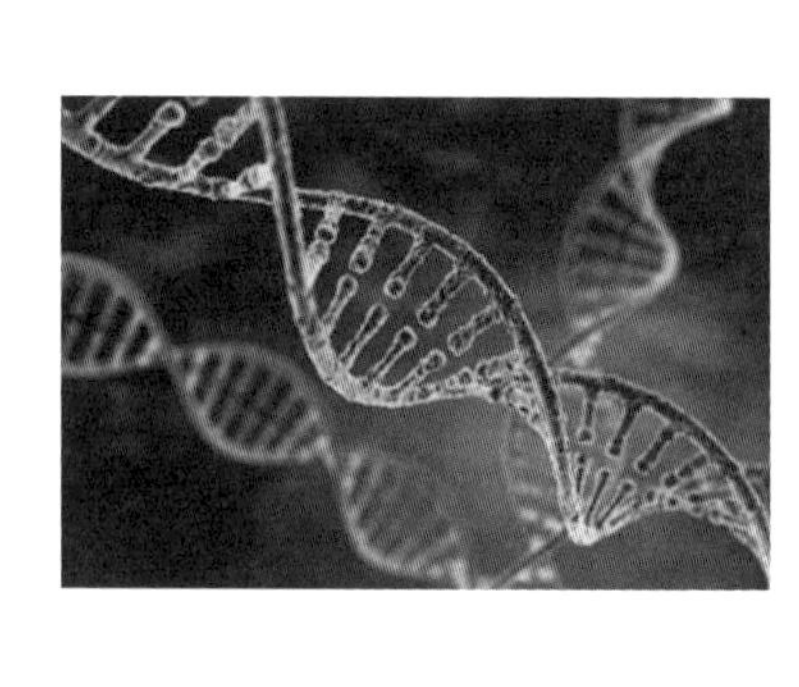

米カリフォルニア大学サンディエゴ校のニュー・ヘイブンとジェームズ・ファウラー、イェール大学のニコラス・クリスタクスの共同研究によると、米国人2000人のゲノム調査を行った結果、友人同士は、見知らぬ者同士と比べて遺伝子的に共通点が多くみられ、遺伝子学的にはいとこ同士の関係と同等かそれ以上の共通点があり、遺伝子が近いもの同士は似たような環境を選ぶために、類似環境を求めて集まり、出合い友となるようです。

そのことを商売に生かしたのが運命の赤い糸を結ぶDNA解析によるマッチング婚活です。

このアデニン（A）、グアニン（G）、シトシン（C）、チミン（T）という文字列ATGC文字の並び方によって、新しい細胞・体を作る設計図の指令も書かれています。

人体は約200種類以上の役割をもつ細胞が60兆個も集まった巨大な複合組織です。この細胞は絶えず細胞分裂を繰り返し、古い細胞が破壊され新しい細胞と入れ替わっています。その過程でまれに細胞のコピーミスが起きて、それが増加すると、がん細胞となって体を蝕み滅ぼします。ウイルス感染した細胞や毎日3000～5000個もできるがん細胞を退治して増殖を防いでいる免疫細胞が、私たちの体に与えられたNK細胞やT細胞の活躍です。体内で細胞が生まれ変わる周期は

・胃腸が約5日周期
・心臓が約22日周期
・肌が約28日周期
・筋肉が約60日周期
・骨が約90日周期

と部位によって異なります。体が正しく新陳代謝されれば約5年～7年ですべての細胞が生まれ変わり、見た目も現状維持しますが、年齢でこの周期は遅くなっていきます。こ

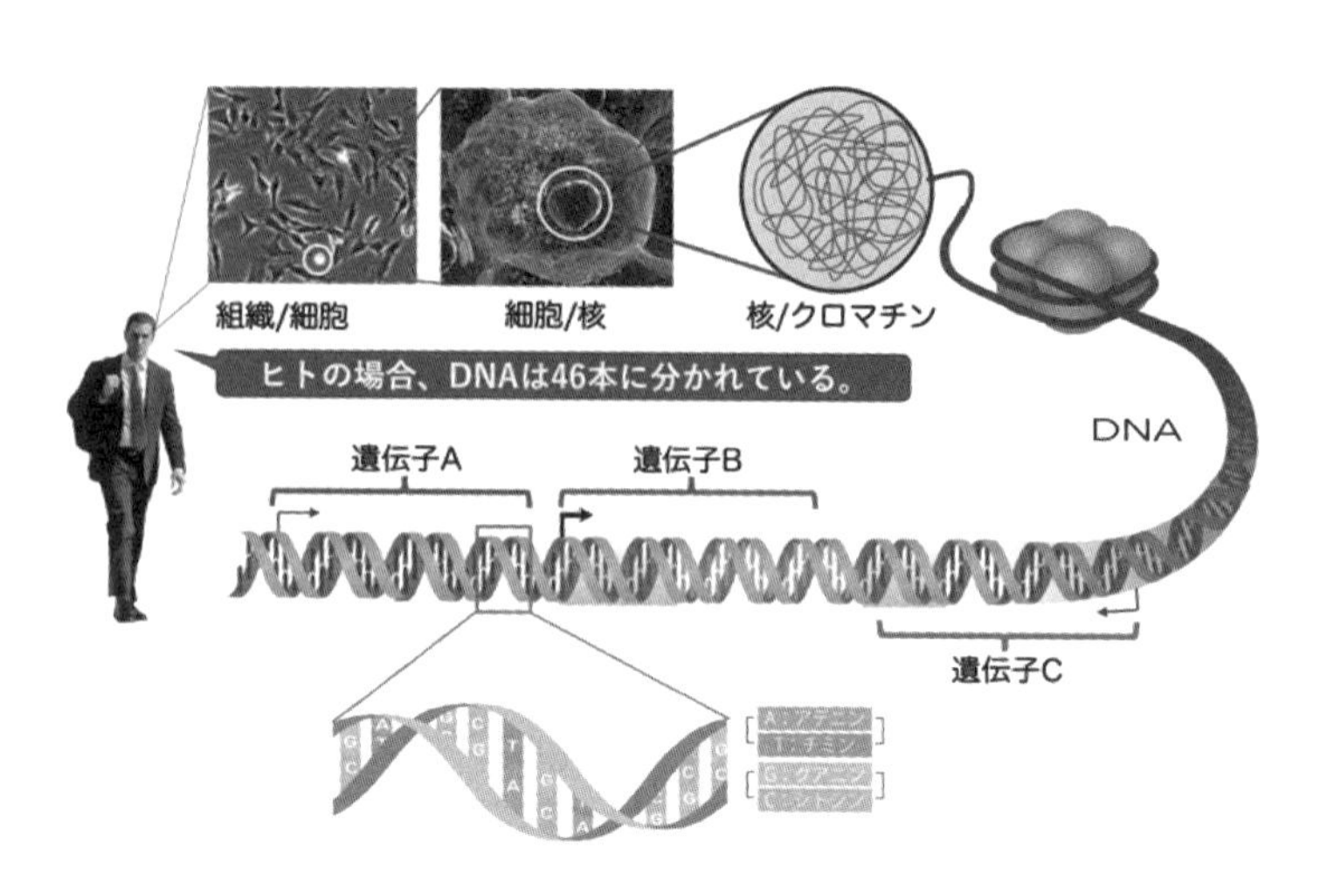

のサイクルが繰り返され、絶えず体が自然治癒力でリニューアルされていることは奇蹟の連続です。少々腫れても、打撲や怪我も、病気のダメージさえも克服して、元の姿に回復できる自己修繕機能こそ、神様が与えたＤＮＡの成せる業、塩基に設計と指令があるからです。

人は細胞核の中に遺伝子を含んだ染色体が46本あり、父親から23組、母親から23組引き継いで生命として産まれます。

ちなみにイエス・キリストは処女マリアから聖霊様によって身ごもったため父方の遺伝子情報23組の染色体を受けないで産まれた科学用語で半数体と呼ばれるレア現象、奇蹟の人です。恐らく部分的処女生殖によって生まれた男性の血液を持ち、母胎となる処女の卵巣付近に存在するＹ遺伝子が卵子と結合して、処女がＸＹ遺伝子を含む胎児を出産できたと考えられます。

医学的には女性の卵子には血がなく、血液型は妊娠の瞬間に決まり、血は父親からのみ受け継ぎます。イエス様は肉の父親を持たず、聖霊様によって生まれることによって人間の罪の血を一切受けずにこの世に来られました。アダムの罪汚れた血の混血もなく、完全な清い血潮が十字架で流されたのです。どんなに価値ある尊い血潮でしょうか。

レビ記17：14「すべての肉のいのちは、その血が、そのいのちそのものである。」

ヘブル人への手紙13：20「永遠の契約の血による羊の大牧者、私たちの主イエス。」

人間の原点46本の染色体と46年の神殿建築

ヨハネによる福音書2：19－22「イエスは彼らに答えて言われた。『この神殿をこわしてみなさい。わたしは、三日でそれを建てよう。』そこで、ユダヤ人たちは言った。『この神殿は建てるのに四十六年かかりました。あなたはそれを、三日で建てるのですか。』しかし、イエスはご自分のからだの神殿のことを言われたのである。それで、イエスが死人の中からよみがえられたとき、弟子たちは、イエスがこのように言われたことを思い起こして、聖書とイエスが言われたことばを信じた。」

イエス様が御自身の体を指して「この神殿をこわしてみなさい」と言われたのは、人々がイエス様を十字架で殺すという定めの聖書預言でした。しかし、「わたしは、三日でそれを建てよう」と十字架の死後、3日目に復活されることも預言されました。ユダヤ人たちはこの真意を理解できずに目の前にそびえる建築物の神殿を念頭に「この神殿は建てるのに四十六年かかりました。あなたはそれを、三日で建てるのですか」と反論していますが、聖書の科学的・医学的神秘がここに見られます。神殿つまりイエス様の体なる人体は46本の染色体を持つということが二千年も前から暗示されていたのです！

私たちの体は約60兆個の細胞からできています。たった1個の細胞の「核」だけで全長2mにも及ぶヒトゲノム　DNA（生命の設計図）が収められています。長さで1200億km。この距離は、太陽と地球の距離が1・5億km。私の体のすべてのDNAの長さは、太陽と地球の距離の８００倍です。このことを三千年も前に書かれた聖書には、「あなたの目は胎児の私を見られ、あなたの書物にすべてが、書きしるされました」とＤＮＡ設計図の存在について証言し、さらには、細胞の数60兆個とその長さ１２００億㎞を「その総計はなんと多く、砂より数多い」と文学的にさらっと表現しています！

詩篇１３９：12－18「あなたにとっては、やみも暗くなく夜は昼のように明るいのです。暗やみも光も同じことです。それはあなたが私の内臓を造り、母の胎のうちで私を組み立てられたからです。私は感謝します。あなたは私に、奇しいことをなさって恐ろしいほどです。私のたましいは、それをよく知っています。私がひそかに造られ、地の深い所で仕組まれたとき、私の骨組みはあなたに隠れてはいませんでした。あなたの目は胎児の私を見られ、あなたの書物にすべてが、書きしるされました。私のために作られた日々が、しかも、その一日もないうちに。神よ。あなたの御思いを知るのはなんとむずかしいことでしょう。その総計は、なんと多いことでしょう。それを数えようとしても、それは砂よりも数多いのです。私が目ざめるとき、私はなおも、あなたとともにいます。」

精子と卵子が受精し、受精卵となってから子宮へ移動し子宮内膜に着床することで妊娠が成立します。ダビデ王は光を造られた神様の啓示を受けて「それはあなたが私の内臓を造り、母の胎のうちで私を組み立てられたからです」と語りますが、母胎の胎児を妊娠6週前後に超音波検査で観察できる今の時代、この聖書記述の正確さに驚愕します。母胎で受精卵から人間の形になっていく時に最初に出来上がる器官は一体どこでしょう？　それは心臓でも脳でもなく、なんと聖書の語る通り内蔵！「腸」からです！　神様が私の内臓を造り、母の胎のうちで私を組み立てられたのです。

その行程はまず、受精卵の外側がくぼみ、その口が閉じ、「腸」が形成され、腸がのびて「口」と「肛門」ができます。さらに栄養をためる「肝臓」ができ、酸素をためる「肺」ができ、そして上のほうが膨らみ「脳」ができます。まず腸ができ、その周りに神経系ができ、脳（中枢神経系）ができるのはその後です。生き物にとって「腸こそ生命の起源」といっても過言ではありません。

人間が完成してこの世に生まれてくる美しい神様の神秘、ただただ驚愕です。それにしても今から3千年も前の超音波検査もない時代のダビデがどうして最新医学で判明した事実、最初に出来上がる器官が内蔵！『腸』であることを知っていたのでしょうか？

消化管は口から食道↓胃↓十二指腸↓小腸（空腸↓回腸）↓大腸（結腸↓直腸）↓肛門へとつながり、胎児期では羊水が口からこれらの順番で腸内の道筋を通り嚥下や吸収が行われています。腸はただのひもではなく中身が空洞の栄養が通る耐久性抜群の管です。それが途切れることなく口から肛門まで体内で複雑にめぐりながら生命創造の最初に出来上がる器官としてつながっています！　気が遠くなるような奇跡です。

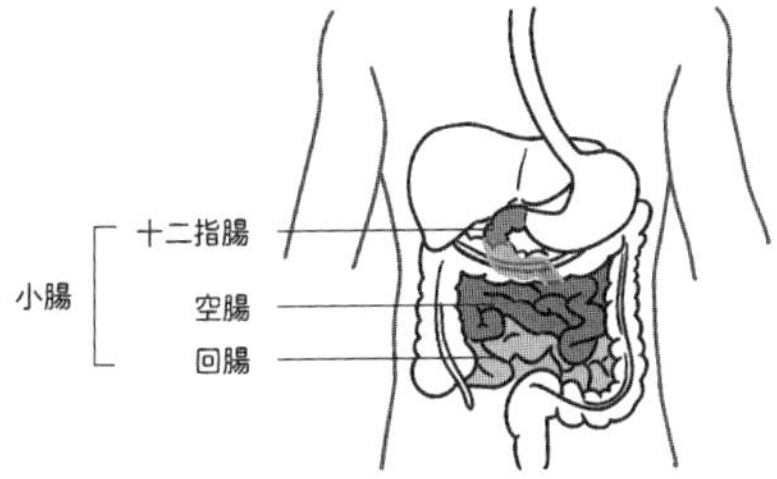

大人を例に語ると、小腸は「十二指腸」「空腸」「回腸」という3つの消化器官の総称であり、体の中で最も細長い臓器です。小腸の内壁には、「絨毛（じゅうもう）」というじゅうたんの毛のような突起物があるから、胃で溶かされてから送り込まれた食べ物を消化液でさらに分解し、栄養素を体内に吸収する働きがあります。そのため効率よく栄養を取り込めるように絨毛が存在し、表面積が広くなっているのです。小腸を広げると、なんと、テニス

コート1面分にも匹敵します！　体の中で最も細長い臓器の小腸、その長さは、日本人の平均で約6～8m。プラスその下に続く連結の大腸は約1・5m。合計すると、身長の4～5倍です。小腸内部の突起物、絨毛から取り込まれた栄養素は、血流に乗って全身に運ばれ人が生きる力に変換されます。テニスコート1面分もある広大な小腸内にはさまざまな食物が送り込まれますが、食物と一緒に口からウイルスや毒素ある悪性物質も入り、体内に吸収してしまう危険性もあります。そのため小腸周辺には、ウイルスや悪性物質から体を守る「免疫細胞」が集中しています。その数、なんと全身の約7割。セキュリティ強固ポイントとして沢山の免疫細胞たちが小腸で見張り、ウイルスや細菌などが体内に侵入するのを防いでいるのです。

私たちはそもそも腐った食物、傷んでいそうな食物、ばい菌が付いていそうな汚れた食物は食べません。落ちている物も拾って食べません。その知的判断力が体内に毒素を入れないバリアの第一関門です。次に、鼻で匂いを嗅ぎながら異臭がないのを知って口に入れます。変な匂いがすると食べません。食べると次に味でも認識します。腐っていたら「おえっ！」と言いながら吐き出します。「おえっ！」という時、舌を外に出して吐くのに好都合な形になっています。こうして吐いて体を毒素から守っています。

ばい菌侵入ルートは食事だけでなく空気感染もあります。毒素の分子や小さな病原体が私たちの口や鼻から入る時、素早く反応して違和感を覚えて咳やくしゃみをします。「ゴホン、ゴホン。ハックション！」その風の勢いでウイルスや細菌などの異物を体外に吹き飛ばして追い出しています。

免疫は、私たちの体に元々備わっている防御システムです。体の表面にある皮膚や粘膜などは最前線でバリア機能を果たし、ウイルスや細菌など異物の侵入を防いでいます。自然免疫が働くと炎症が起こり、発熱や鼻水、のどの痛みなどの症状を引き起こしますが、異物排除のため戦っている証拠です。風邪をひいて鼻水が多く出てティッシュで鼻をかみますが、ばい菌がくっつきやすい液体のネバネバ鼻水粘膜が、これをまとめて排除していきます。

鼻だけでなく、口の中の扁桃腺も、舌の付け根の両側にあるこぶのようなリンパ組織ですが、ウイルスや細菌などの病原菌から体を守る免疫の役割を果たす抗菌をしています。よく扁桃腺が腫れたとかいうのは、ウイルスや細菌との戦いが激しかった戦場後のデッドヒート余熱です。

これらの防衛線が破れて病原体が体内に侵入すると、今度は白血球が中心となって異物を認識し、病原体を食べたり「抗体」という物質で攻撃して排除します。

それでもこの自然免疫の防衛関門を突破して血液中や細胞内に毒素の分子や小さな病原体などが入ってしまった場合、退治するのが、獲得免疫です。

敵の侵入を見張る体中に配備された樹状細胞（体内に侵入した異物の特徴を他の免疫細胞に伝える情報伝達係）、キラーT細胞（ウイルス感染した細胞やがん細胞の殺し屋）、ヘルパーT細胞（免疫活性化物質を産生する）、B細胞（病原菌に応じた抗体を作る）という4種の免疫細胞の連携プレーで標的と戦います。NK細胞も体中を単独警備で巡回してウイルス感染した細胞やがん細胞を発見すると攻撃する殺し屋です。

細胞だけでなく、顆粒球も戦います。細菌やカビ担当の好中球。寄生虫担当の好酸球。炎症反応担当の好塩基球。あなたの体はこのように何重もの防衛システムと各方面から戦う精鋭部隊が揃って日々、外敵のウイルスやがん細菌から守られています。

もし怪我をして出血したらどうなりますか？　赤い出血を見ると、恐れて力が抜けます。

危険信号の赤い動きで命に関わることの重大さに気付いて真剣さが増します。赤い流血は誰もがおぞましくて嫌いですが、もしこれが汗と同じ透明色なら、傷を受けて皮膚が裂け、危険にさらされても気付かないで、早期の初期対応も遅れます。目立つ赤だから、すぐ気付きますが、それ自体、行動自粛、停止せよという体の分かりやすいシグナルであり、派手に動けば傷口は広がります。安静にしていると早く治るのです。

出血に含まれる血小板の働きで出血は自動停止します。すると傷を治す自己修復細胞がたくさん含まれている浸出液というベトベトした体液がしみ出ます。その粘着力が開いた傷口をボンドのようにくっつけて閉じます。その後、皮膚をつくる細胞が働いて、傷の周囲にヒスタミン物質が増え、さまざまな細胞の受容体にくっついて、細胞が傷を治します。やがて浸出液や血液が乾燥して固まったかさぶたが完成し、傷口をふさぐ天然ばんそうこうになります。かさぶたは偶然固まって貼りつくのではなく、構成成分は血液に含まれる赤血球、血小板、血液を固めるフィブリンたんぱく質、これらの結合です。かさぶたは茶色い絆創膏で目立ちます。そこはまだ未完の修理中、これを覚えて用心していたわって生活しなさいと体は無言に語ります。同時期に、かさぶた内では、細胞成長因子に覆われた傷口に活発な細胞分裂が行われるため傷が早く治ります。やがて治ってくるとかゆくなります。かさぶたもだんだん小さくなります。かいてみると、かさぶたが取れて元の皮膚にリセットしています。皆が持つ自然治癒能力ですが、凄いと思いませんか？　偶然の連続ですか？

疲れたら目の下にクマができて寝不足を警告します。すべての病気にシグナルが出ます。体調異変は、見えない体内異変の見えるサインです。プロの医師は患者の症状から内なる病状を見抜きます。沢山考えて脳細胞が酸欠になると、大量酸素の必要性から大あくびをします。長時間の正座で足がしびれる時、足の血液循環が足りなくて壊死する危険性あり、正座を中止とシグナルを痛みで警告します。精神に悩みがある人は、自然と顔も暗くなります。体に病気がある人は、見た目も病弱そうな雰囲気があります。私たちはお腹が悪くなるとお腹に手を置き痛いと言い、頭に異常があると頭が痛いと頭部に手を置き、不可視な内側で病んでいる個所を見事特定しながら、いたわります。体自体が痩せたり、顔色悪くなる、発熱やむくみなどで、体内異変があるとシグナルを表面化して訴えています。それでも気付かず無理して悪化すると、意識のブレーカーが過電圧同様、一旦飛んで気絶し倒れます。

私が知ってそうしていますか？　いいえ、違います。体自体が無知な私に無言で教えてくれます。こんな医学知識は学んだだけで、知っていても自分は体に対して何もプログラミングしていません。ただ、生まれた時からこれら優れた警告や防衛のシステムが体内に備わっていたのです。医学知識も何もない赤ちゃんの時、すでに完璧にできていました！　誰が設計プログラミングして自動回復機能の自然治癒力まで備え付けましたか？　両親ですか？　違います。産んで、育ててくださり、有難い限りですが、違います。両親もまた同様に自分の知らないうちに母胎内でつくられたのです。誰が？　それがあなたを愛してやまない真実で偉大な英知に富んだ創造主の神様なのです。

妊娠中に子宮内の胎児の周囲を満たしている羊水は、胎児にかかる圧力や衝撃を軽減させる保護環境であり、子宮内の環境を清潔良好に維持する役割を果たしています。密封された羊水の中にいれば寒さや暑さも大丈夫、外的衝撃もゴムボールのように水圧で跳ね返します。

生まれるとすぐに鳴き声を上げて呼吸を吸う瞬間、臍帯（さいたい）が不要な口呼吸に切り替わります。泣くから最初の空気を吸えます。ちょうどその時期に出て来る母親の母乳は赤ちゃん成長の主食となるだけでなく、うつ病にならない成分や抗菌成分と抗ウイルス成分まで含んでいます。母乳で赤ちゃんの免疫力がアップしてウイルスや細菌、アレルギー物質の侵入まで防いでいます。

母乳は赤ちゃんの健康的な成長と発達をサポートするために、相応しいたんぱく質、糖類、ビタミンおよびミネラル、さらにホルモン、成長因子、酵素や生細胞などの膨大な数の生理活性成分を豊富に含んで、粉ミルクや牛乳レベルではない栄養満点です。しかもかわいい赤ちゃんを抱くとちょうど母親の胸の位置、そこはクッションにもなる柔らかくこの世で一番安心、安全な場所。すべてが美しい神様の神秘です。

J・アラン氏は「抱っこを通じて子供の生き生きした感情が呼び起こされ、生きる喜びが回復してくる。母親もまた、わが子への愛情を再認識し、子育ての喜びと意欲と自信を、ひいては母親として生きる喜びを取り戻していく」と言いましたが、抱擁療法はイエス様も繰り返し実践なさりました。

マルコによる福音書9：36－37「イエスは、ひとりの子供を連れて来て、彼らの真ん中に立たせ、腕に抱き寄せて、彼らに言われた。『だれでも、このような幼子たちのひとりを、わたしの名のゆえに受け入れるならば、わたしを受け入れるのです。また、だれでも、わたしを受け入れるならば、わたしを受け入れるのではなく、わたしを遣わされた方を受け入れるのです。』」

マルコによる福音書10：13－16「さて、イエスにさわっていただこうとして、人々が子どもたちを、みもとに連れて来た。ところが、弟子たちは彼らをしかった。イエスはそれをご覧になり、憤って、彼らに言われた。『子どもたちを、わたしのところに来させなさい。止めてはいけません。神の国は、このような者たちのものです。まことに、あなたがたに告げます。子どものように神の国を受け入れる者でなければ、決してそこに、入ることはできません。』そしてイエスは子どもたちを抱き、彼らの上に手を置いて祝福された。」

双子の姉キリエ・ジャクソンと妹ブリーレ・ジャクソンは12週も早産で体重１０００g未満の未熟児でした。姉は、順調に体重も増え経過良好でしたが、妹は呼吸と心拍数に問題を抱えて、ひと月後、危篤状態に陥りました。当時、アメリカでは感染症防止のため１

つの保育器に2人の赤ちゃんを入れることはありませんでしたが、看護師が2人を1つの保育器に入れたのです。すると、姉の腕は抱擁しているように妹の肩にかけられました。妹の容態は順調に回復し、双子は揃って退院することができました。

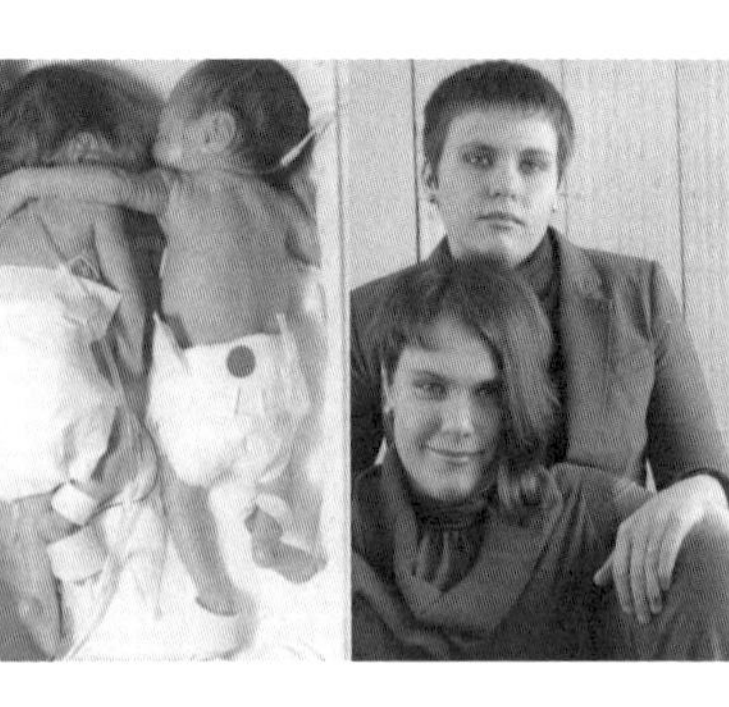

抱擁は人を癒やします。西洋と異なりハグする習慣の乏しい東洋ですが、親子間、夫婦間、もっと生活の中で抱擁しあうならば愛情は深まり、心がなごんで癒やされます。

ルカによる福音書14：2－4「そこには、イエスの真正面に、水腫をわずらっている人がいた。イエスは、律法の専門家、パリサイ人たちに、『安息日に病気を直すことは正しいことですか、それともよくないことですか。』と言われた。しかし、彼らは黙っていた。それで、イエスはその人を抱いて直してやり、そしてお帰しになった。」

私たちの教会で牧師になったある人物の心の癒やし体験です。

「私は10歳の時に父を亡くした。昨年、あるインドネシア人牧師の集会に参加して、メッセージの終わりに、この中で子供時代に父を亡くした方は前に出てきてください。お祈りしますと招かれたので即座に前に出た。すると、その牧師とチームのリーダーの方々が私を抱擁し、祈りを始めた。すぐに聖霊様が働かれ彼らは涙をもって真剣に祈ってくださった。私は父親を亡くしたことによる傷は自分で祈ってすでに、癒やされていると思い込んでいたので、もうこれ以上、長く祈ってもらう必要はないと考えていた。しかし最初、何も感じなかった私が5分間くらい、抱擁されて祈りを受けていると、石のように固かった私の心は溶かされ、父の愛を感じ、大声で泣き出してしまった。温かい父なる神の臨在により、私の子供時代の父親との死別の傷が癒やされていくのを感じた。涙と共に聖霊様が力強く働かれ、私の心は父の愛に触れた喜びで満たされた。」ハレルヤ。心癒やされたこの牧師は札幌で現在も立派に教会を運営されています。

マルコによる福音書9：21　「イエスはその子の父親に尋ねられた。『この子がこんなになってから、どのくらいになりますか。』父親は言った。『幼い時からです。』」

傷を受けた時があり、傷が癒やされる時があります。過去に傷を受けたその現場に昨日も今日もとこしえに変わらないイエス様が入って来られ、聖霊様が私を強く抱きしめて癒やしてくださるよう祈りましょう。

伝道者の書11：5「あなたは妊婦の胎内の骨々のことと同様、風の道がどのようなものかを知らない。そのように、あなたはいっさいを行われる神のみわざを知らない。」

神のサインか⁉ 人間のDNA塩基にYHVHとイエスの十字架が暗号化されていた！

さて、地球上に生存する多様な生物は、塩基配列や塩基の数が生物の種類によって異なり、それぞれが異なるDNAを持って多様性を生み出しています。

DNAの文字列が変わると、たんぱく質を作るためにアミノ酸がつながって種類が変わります。すると違う生物ができあがります。DNAの文字列が重要です。科学者は、生物ごとに異なる塩基配列を分類上、数値化しています。人間の特徴である4種類の塩基A、T、G、Cの数は、およそ32億文字で、書籍3万冊以上に匹敵する膨大な情報量になりますが、組み合わせが重要です。各細胞の核内に高密度でプログラミングされた複雑なコード、次世代にまで99・5%も親から子に引き継がれるDNAコード。それは、コンピュータープログラム命令に使うパソコンへの命令が書かれたバイナリコード配列に非常によく似ています。バイナリコード配列は人間には数字の行列で解読不可の暗号でもコンピュー

人間は、DNAの塩基配列が1千個に1個は他人と異なる
AGACTGGCGTGTGGCGAAGCTTGGGGCGTGAAGT・・・・

AGACTGGCTTGTGGCGTAGCTTGGGGCGTGAAGT・・・・

AGACTGGCGTGTGGCGTAGCTTGGGGCGTGAAGG・・・・

AGCCTGGCGTGTGGCGTAGCTTGGGGCGTGAAGT・・・・

1101001101010110100100100010110011・・・・
ロボットの場合は、バイナリコード

DNAは細胞・身体の設計図

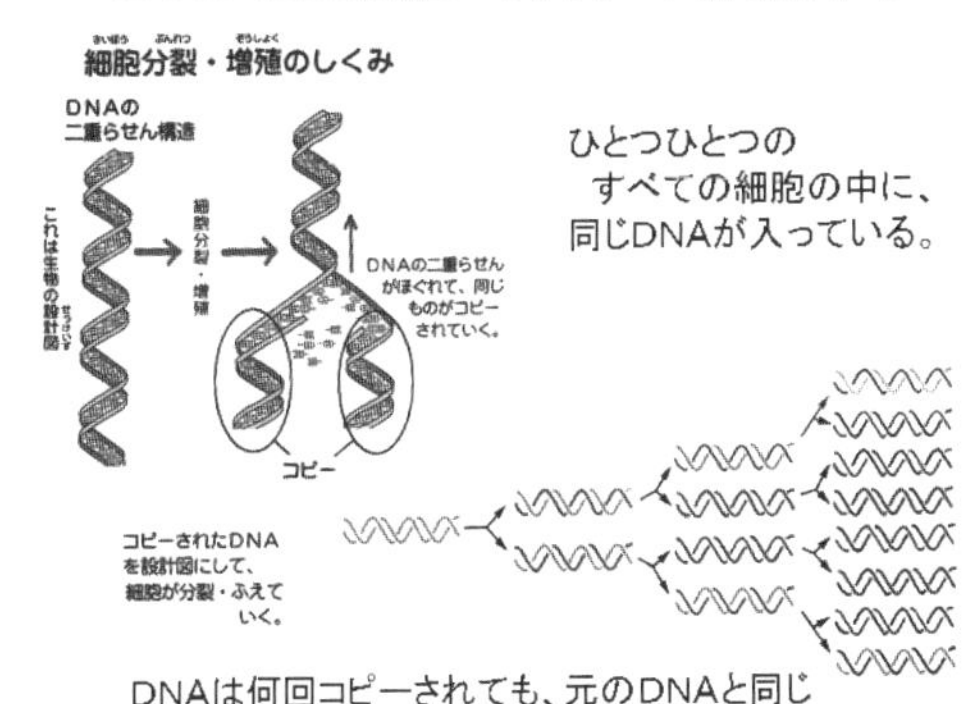

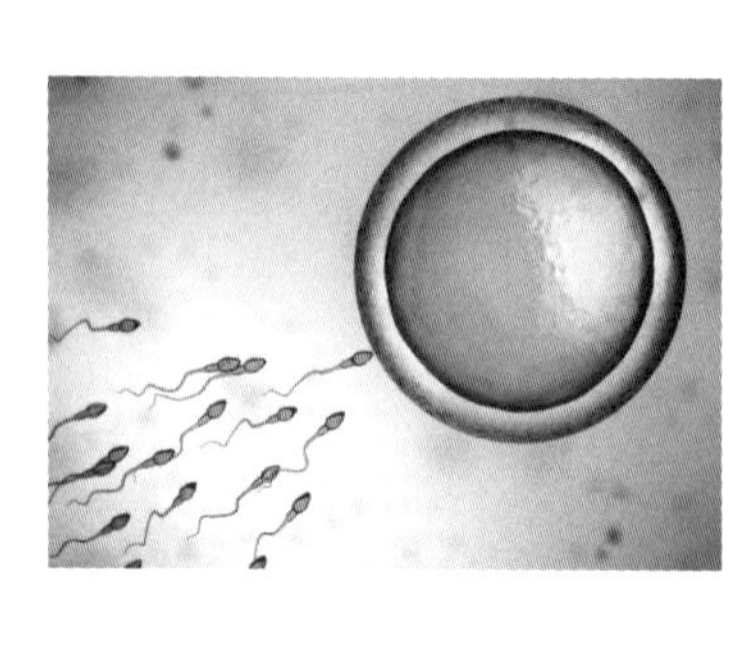

ターが直接実行できる形式に変換されたコードの機械語です。
人間は神様に似せてつくられたと聖書に書かれていますが、人間のつくったコンピュータープログラムのバイナリコード配列と神様が人間体内の設計図としてつくられたＤＮＡ塩基配列は発想も仕組みもよく似ています。

卓上にペンと紙だけ置いて何十億年待っても何も起きません。知的人間のライターが必要です。あなたの設計図を見事に書きあげたお方は偉大な英知に富んだ現実の神様です。

エペソ人への手紙2：10「私たちは神の作品であって、良い行いをするためにキリスト・イエスにあって造られたのです。神は、私たちが良い行いに歩むように、その良い行いをもあらかじめ備えてくださったのです。」

あなたはすでに倍率５００兆倍に勝利した特別な存在。生まれつきの勝利者です！　そうはいうけど倍率５００兆倍の超難関試験、いつ受けました？　女性が持っている卵子の数は約５００個、男性が生涯作る精子の数は約１兆個。１組の夫婦が１人の子供を持つ確率は、５００兆分の１。さらに何十億人の中で両親が出会った確率まで入れると計算不可。ですからあなたは、特別な存在。生まれつきの圧倒的な勝利者なのです。

【新改訳】イザ43：４「わたしの目には、あなたは高価で尊い。わたしはあなたを愛している。」
【口語訳】イザ43：４「あなたはわが目にとうとく、重んぜられるもの。」
【新共同訳】イザ43：４「わたしの目にあなたはあたい高く、たっとい。」

英語が26文字のアルファベットで表されるように、人間を構成するＤＮＡの塩基は４種類の記号で遺伝子情報を表現しています。

10対のヌクレオチド毎と
５対のヌクレオチド毎と

6対のヌクレオチド毎と
5対のヌクレオチド毎の順番で並びます。
10　5　6　5　それが人間固有の塩基配列の特徴です。
ヘブライ語は数字を文字として置き換えることができます。
ヘブライ語で10、5、6、5の数字を文字で換算すると、
יהוה となります。横文字の4文字は右から左に読みますが、正確な発音はイホバです。

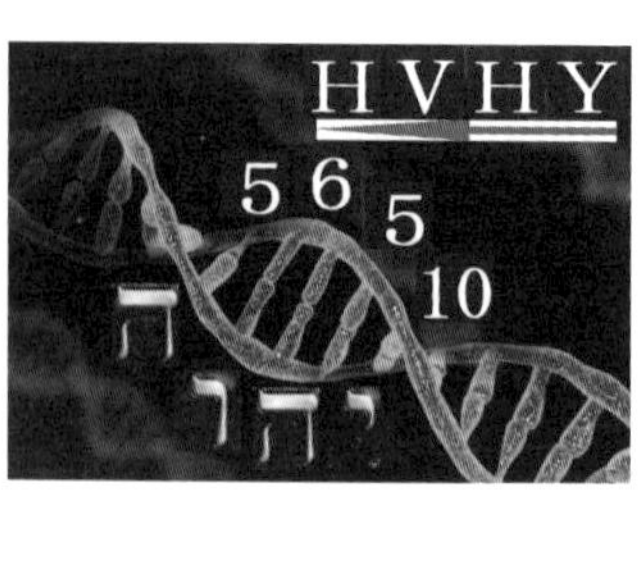

異端のエホバの証人は、ここから盗ってエホバと自称しますが、元来の意味は神様です。ヘブライ語はさらにアルファベット換算もできます。יהוה は、YHVHです。左から右に読んでヤーウェとなります。それは創造主なる神様の名前、署名のサインです。画家の絵の下に小さなサインがあることと同じです。人間をつくられた神様が、御自身の最高傑作である人間のDNA塩基に神様御自身の名前を書かれていたことを知った現代のイスラエルの科学者たちが驚嘆しています。「人間固有の塩基配列10　5　6　5　↓　יהוה　↓

YHVH」

それだけではありません。ヘブライ語の文字は、漢字同様、それぞれに意味があります。

読み方は、神様の名前であるイホバ、ヤハウェの他に、

יהוה

ヨッド　へー　ヴァヴ　へー　です。

この4文字を解読した意味は次のようになります。

י = Yodh（ヨッド）腕、手、業

ה = He　（へー）見よ！

ו = Waw　（ヴァヴ）釘

ה = He　（へー）見よ！

つまり「יהוה　→　ヨッド　へー　ヴァヴ　へー　→　手を見よ！　釘を見よ！」

「手を見よ！　釘を見よ！」の意味！　それは、私たち人類のすべての罪を背負い、身代わりとなって十字架上、手に釘打たれ、血を流して死なれ、3日目に死人の中から復活された罪なき神様の独り子、救い主イエス・キリストを表しています！

全人類の魂を救うために来られたイエス様を創造主である神様の名前は表していたので

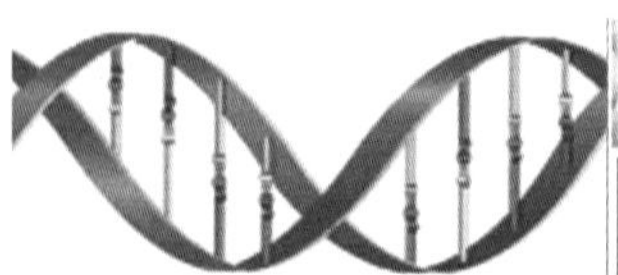

DNAを構成する右回りの二重らせんが、リン酸の橋。1つは父親から、一つは母親から来て、人間の基本、ヒトゲノムＤＮＡは両親の結合結果で、塩基（縦4本）は10、5、6、5の数列で神様が繋ぎ留めている。
神様が夫婦を一つに結び合わせた、それが新しい生命、あなたです。繋いでいるのは神様の名前でサイン入り。

HVHY
5 6 5 10
יהוה
ヤハウェ、神、創造者

י = Yodh（ヨッド）腕、手、業
ה = He（へー）見よ！
ו = Waw（ヴァヴ）釘
ה = He（へー）見よ！
יהוה

ヘブライ語の文字は、漢字同様、意味があり、4文字アルファベット換算でYHVHを解読した意味
יהוה ヨッドへーヴァヴへー
手を見よ！釘を見よ！＝十字架

す！　ＤＮＡを構成する横長の上下にねじれた二重らせんに対して、橋のように縦につなげている塩基という名のリン酸の橋。感動です！　なぜなら神様の名前をサインとして、塩基が二重らせんを一つにつなぎとめているのですが、この二重らせんは、一本は父方から遺伝され、もう一本は母方から遺伝されて創造されているからです。それらをつないでいるのが、塩基、すなわち神様の名前なのです！　感動です！　神様が、イエス様が、私たちの両親のＤＮＡを一つに結んでつなぎ、そこに新しい生命であるあなたを美しく創造されたのです。

エレミヤ書１：５「わたしは、あなたを胎内に形造る前から、あなたを知り、あなた

が腹から出る前から、あなたを聖別し、あなたを国々への預言者と定めていた。」

ヘブライ語で人間の塩基配列10、５、６、５の数字は、聖書に登場する数字から考察すると、人間の仕様書のようなもう一つの意味があります。

10は一般的完成、新しい出発、モーセの十戒です。
５は恵み　一方的な神様の恩恵です。
６は人間、弱さを強調します。
５は恵み。

人間はそのような存在です。一方的な神様の恩恵である恵み（５）と恵み（５）に囲まれて生きる弱い人間（６）、完成されるのは、一番上の10の意味、まずは、新しい出発、新生体験が必要です。十戒である聖書（10）によって生きるのです。本来の人間らしい生き方、新しい出発をしたくありませんか？　さあ、勇気を出して、ご一緒に新しく出発しませんか？

エレミヤ書29：11－13「わたしはあなたがたのために立てている計画をよく知っているからだ。主の御告げ。それはわざわいではなくて、平安を与える計画であり、あなたがたに将来と希望を与えるためのものだ。あなたがたがわたしを呼び求めて歩き、わたしに祈るなら、わたしはあなたがたに聞こう。もし、あなたがたが心を尽くしてわたしを捜し求めるなら、わたしを見つけるだろう。」

エレミヤ書33：2－3「地を造られた主、それを形造って確立させた主、その名は主である方がこう仰せられる。わたしを呼べ。そうすれば、わたしは、あなたに答え、あなたの知らない、理解を越えた大いなる事を、あなたに告げよう。」

ビル・ゲイツが取った特許番号「060606」何を人間に加えようとしているのか!?

美しい神様の成された美しい純粋な人間創造の御業。一方、汚い悪魔の作り変えた不純な駄作があります。遺伝子の一部を組み替えた新しい失敗工作です。

マイクロソフト社による身体活動データを使用する暗号通貨システムの特許、人間の身体活動にセンサーが反応して、ＡＩがその行為に対して評価し、仮想通貨が与えられる特許番号の数字は『０６０６０６』です。このゲイツが取った新型コロナの特許では、将来的に人のＤＮＡ二重らせんに３本目のＲＮＡ一本鎖を追加して三重らせんに書き換えようとします。すると、神様の名前の意味を持つ美しい数列10　５　６　５が転落して、６の３つ並ぶ数列10　５　６　６　６　５へすぐに変わってしまうといわれます。

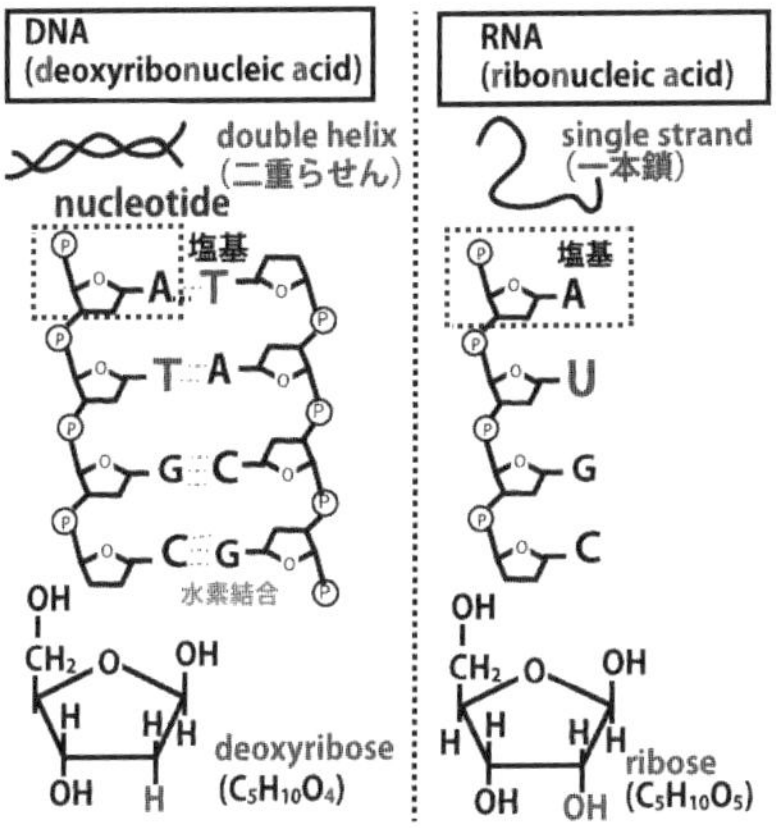

血中への異物混入、上書き行為で、ＤＮＡは通常、炭素で構成されるのに、ケイ素のシリコン元素から構成が変わり、私たちの二重らせんのＤＮＡを三重らせんに上書きして作り変えようとしています。遺伝子配列コードに塩基６６６を刻印で加える、それが合成ゲノム、遺伝子組み換え人間、雑種のゾンビ創造です。

現在のｍＲＮＡワクチンも、遺伝子ＤＮＡに、さまざまな形で組み込まれてキメラ遺伝子を形成する

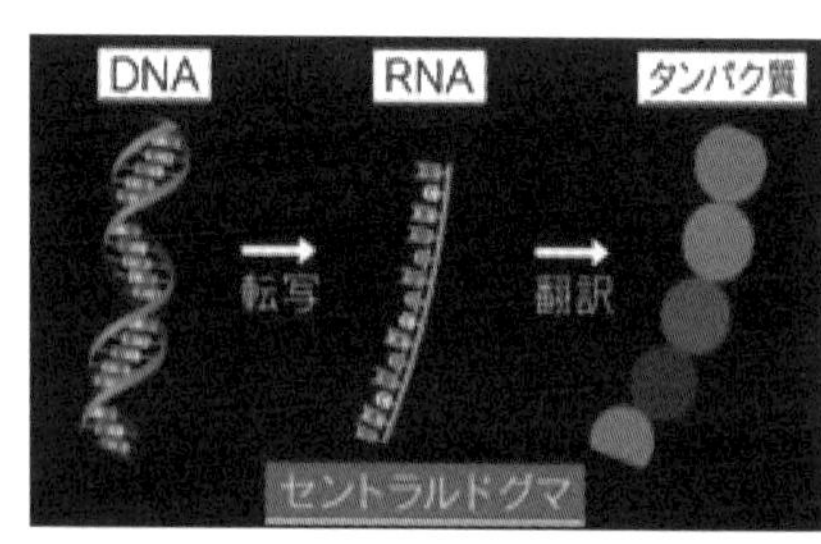

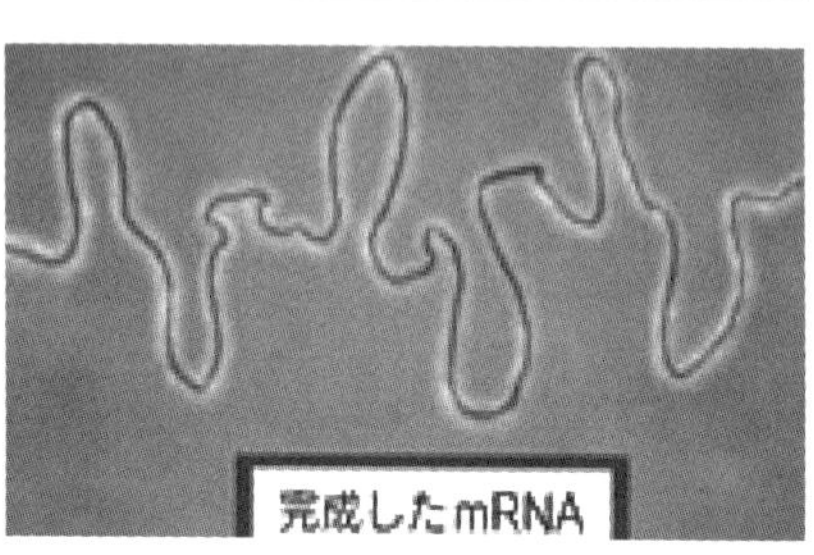

ことが確かめられています。つまり、新型コロナ遺伝子ワクチンに使用されている新型コロナウイルスのスパイクタンパク遺伝子が、我々の細胞内で長期間にわたりスパイクタンパクを産生させ、人の遺伝子DNA配列自体にランダムに組み込まれるのです。

CORONA＝C（3）O（15）R（18）O（15）N（14）A（1）＝66

mRNAワクチン接種者のDNA書き換えについて、専門家の胡桃坂氏は説明します。

「DNAは二重らせん構造をしています。二重らせん構造がほどかれて、読み取られて最初に作られる物質というのは、DNAの2本の鎖のうちの1本とほとんど同じ塩基配列を持った物質です。それがRNAです。」

まず、DNAの二重らせんがほどけます。ほどけたDNAの片方の鎖に、RNAの材料となる塩基を含むヌクレオチドが近づき、DNAの塩基と相補的な結合を作っていきます。

こうして、二重らせんの片方の塩基配列の一部がＲＮＡに写し取られます。次に、ｍＲＮＡの塩基配列を元に、アミノ酸が結合されていきます。

遺伝情報はＤＮＡからＲＮＡ、ＲＮＡからたんぱく質へと一方向に伝えられます。胡桃坂氏によると「ＤＮＡの文字列が変わると、たんぱく質を作るためにアミノ酸がつながって種類が変わる。そうすると、違う生物ができあがる」とのこと。

近年、ＤＮＡが三重らせんの人間がついに確認されたといわれ、近代医療も公式に３個のＤＮＡ鎖がある子供の症例を認めました。２歳の少年アルフィークランプ君は、盲目で重度障害者です。彼の７番目の染色体に余分な鎖があるのが発見されました。しかし、この子はエスパーでも超能力者でもありません。ケンブリッジの遺伝学者は、人間が将来12対のらせんを持つことになるだろうと期待を込めて妄想していますが、それは単なる遺伝子異常という症状でしょう。

第6章

まるで人口削減ワクチンそのもの！　なぜ彼らは聖書を書き換えてまで不浄のコオロギをわれわれに食べさせるのか!?

昆虫食キャンペーン／コオロギ食はワクチン代用物で酸化グラフェン追加目的！

25冊の聖書と原文へブライ語で判明したことがあります。原文はイナゴは食してOKでもカブトムシやコオロギはNGです。コオロギ食が聖書のすすめは大嘘です。悪魔が改ざん！

コオロギ食が聖書に書かれているいない＝神様公認か否認かで、欧米では議論が炎上しています。日本で有名な3種類の聖書を比較すると、新改訳聖書だけコオロギを食用可能としています。口語訳と新共同訳はコオロギの名前さえ出てきません。

【新改訳】食用可
レビ記11：22「それらのうち、あなたがたが食べてもよいものは次のとおりである。いなごの類、毛のないいなごの類、こおろぎの類、ばったの類である。」

【口語訳】食用不可
レビ記11：22「すなわち、そのうち次のものは食べることができる。移住いなごの類、遍歴いなごの類、大いなごの類、小いなごの類である。」

【新共同訳】食用不可
レビ記11：22「すなわち、いなごの類、羽ながいなごの類、大いなごの類、小いなごの類は食べてよい。」

英語の聖書22冊の訳も全部比較しました。結果は、コオロギを食べていいと書かれていた聖書は、これら日本語訳３冊を含めて25冊中、18冊です。残り７冊だけがコオロギが食べられるリストに書かれていません。

例えば有名なＮＩＶ（ニューインターナショナルバージョン）聖書では、食べられるとなっています。
ＮＩＶ「これらのうち、あらゆる種類のイナゴ、カティディッド、コオロギ、バッタを食べることができます。」
ニューリビング翻訳聖書でも食べられるとなっています。
ＮＬＴ「あなたが食べることを許可されている昆虫には、あらゆる種類のイナゴ、ハゲバッタ、コオロギ、バッタが含まれます。」
ところが発見しました。途中からコオロギを食べられると変更になった有名な聖書があります。欽定訳聖書です。最初は、欽定訳聖書ではコオロギは食べられるリストに書かれていませんでした。
ＫＪＶ　欽定訳聖書「あなたがたはこれらも食べることができる。イナゴの類、ハゲイナゴの類、そしてカブトムシの類、そしてバッタの類。」(Even these of them ye may eat; the locust after his kind, and the bald locust after his kind, and the beetle after his kind, and the grasshopper after his kind.)

この聖書はイギリスで1611年に国王ジェームズ1世の命令で翻訳されました。

ところが、王様の死後、欽定訳聖書が新しい新欽定訳聖書になると訳が変わりカブトムシがなくなってコオロギが加わりました。これは一体どういうこと、どこからか圧力がかかったのでしょうか？

ＮＫＪＶ　新欽定訳聖書　「あなたが食べることができるのは：イナゴの類、破壊的なイナゴの類、コオロギの類、そしてバッタの類。」（These you may eat: the locust after its kind, the destroying locust after its kind, the cricket after its kind, and the grasshopper after its kind.）

新規参入の「cricket」がコオロギです。ＫＪＶ欽定訳聖書とＮＫＪＶ新欽定訳聖書の版権を持っていたトーマス・ネルソン出版社の社長トーマス・ネルソンは、なんとフリーメイソンの著名人一覧表に名前が書かれている人物です。1982年に旧約聖書が翻訳し直されて新たに完成したのが、ＮＫＪＶ新欽定訳聖書ですが、その後2011年にハーバー・コリンズ出版社に買収されて業界1位になりました。そのアメリカが最大手、つまり世界最大の出版社がコオロギと翻訳しているのですから、その影響が広がったのです。しかし、どう間違えたら大イナゴがカブトムシやコオロギにコロコロ変わりますか？

コオロギが食用可能リストに書かれていない7冊の聖書は、口語訳、新共同訳、KJV、KJP、HPBT、DBT、DRBです。

コオロギを食用可能と書いた18冊の聖書は以下です。

新改訳、NIV、NLT、NKJV、NASB、AMP、CSB、ESV、BSB、HCSB、CEV、GNT、ASV、NET、ERV、GWT、ISR、ISV。

重要なのは原文のヘブライ語聖書がどう書いているかです。ヘブライ語だけは、ユダヤ人が死守してきた原文通りのひとつだけの訳です。

אֶת־אֵלֶּה מֵהֶם תֹּאכֵלוּ אֶת־הָאַרְבֶּה לְמִינוֹ וְאֶת־הַסָּלְעָם לְמִינֵהוּ
וְאֶת־הַחַרְגֹּל לְמִינֵהוּ וְאֶת־הֶחָגָב לְמִינֵהוּ׃

レビ11：22「これらのうち、あなたが食べることができるのは種類ごとに、サバクトビバッタ。そしてその種類ごとに毛のないハゲイナゴ、その種類ごとに、大イナゴ、そしてその種類ごとに、小イナゴ。」(泉パウロ訳)

過越し祭で調理されたイナゴ

イナゴの揚げ物カシュルートについて原文には、カブトムシもコオロギも食用可能リストに書かれていないのです！　ユダヤ人は食物の清浄規定で清いイナゴ以外食べません。ヘブライ語原文は写本がある通りにどれも訳はひとつだけ。近年の誤訳した各種の聖書を比較しなくてもこれですべてです。オリジナル原文にはイナゴはＯＫでもカブトムシもコオロギもＮＧ。悪魔が改ざんしたのです！

ユダヤでは昆虫の中で食べてよいものはバッタ類のイナゴ４種類のみで、ほとんどの昆虫は食べることができません。

タルムードでも「不浄なバッタは８００種類」とあり、食べられるバッタはごく一部のみです。ヘブライ語聖書に出てくる食べてよいバッタ、イナゴ類は４種類。その種類の名称はヘブライ語の古語で、アルベと、サルアムと、ハルゴルと、ハガブだけです。

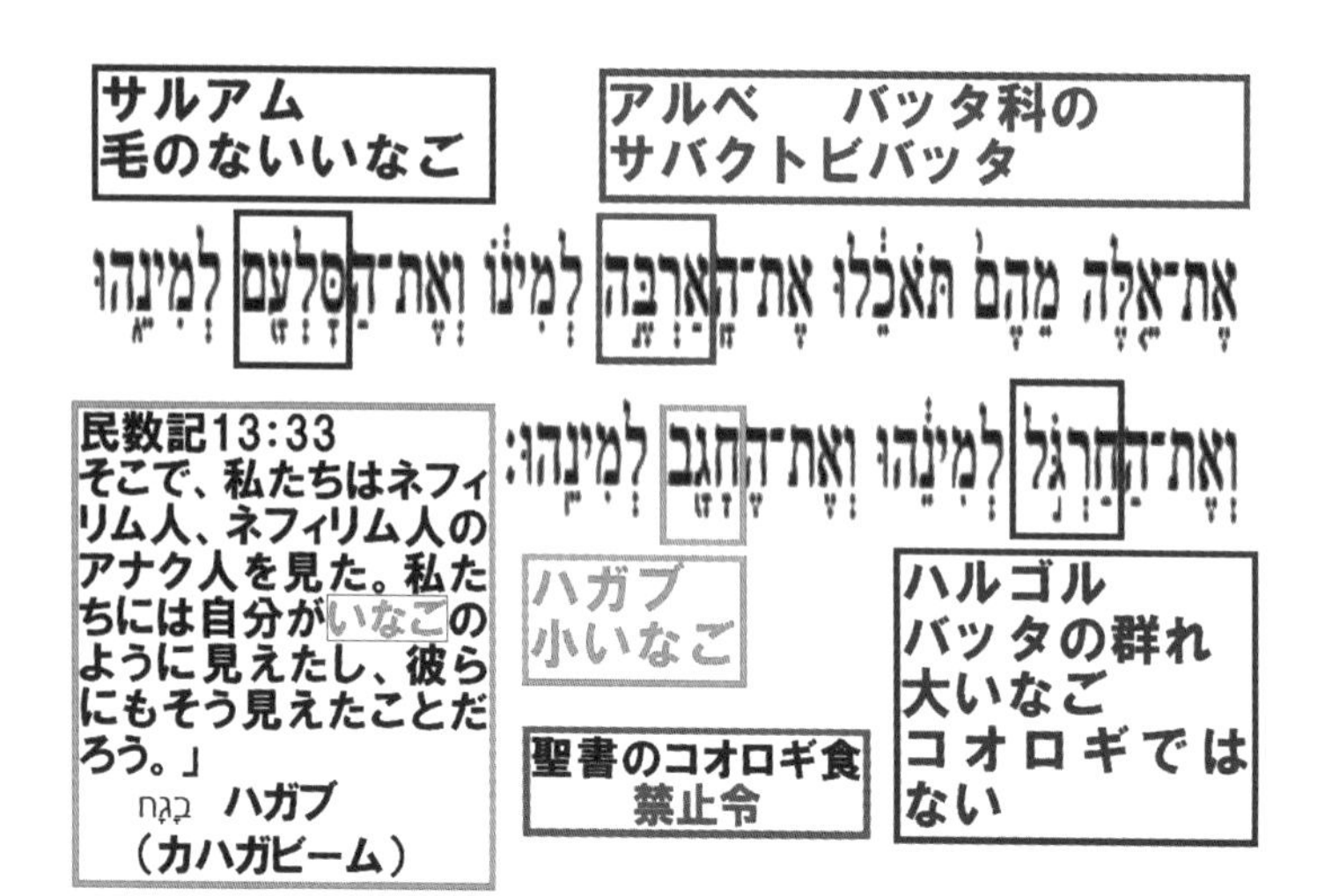

レビ11:22の正しい訳はこうなります。

「これらのうち、あなたが食べることができるのは種類ごとに、
アルベ（サバクトビバッタ）。
そしてその種類ごとに
サルアム（毛のないイナゴ）、
その種類ごとに、
ハルゴル（大イナゴ）、イナゴの大軍
そしてその種類ごとに、
ハガブ（小イナゴ）です。」

アルベ

אַרְבֶּה

一番目のアルベ（ヘブライ語：אַרְבֶּה，ラテン文字転写：arbeh）は旧約聖書全体で24回も言及されており、災厄（イナゴ害）をもたらすという記述から、いわゆる「バッタの大群」を作る昆虫で、当時、その地方においてごくありふれていたもの。バッタ科のうち、移動相を持つ種か、またはその種が移動相にある状態を指すと考えられます。七十人訳聖書では「羽のないバッタ」と理解され、羽の有無または長短を分類基準としていたふしもある。バッタ科のサバクトビバッタとする説がある。

サルアム

סָלְעָם

新共同訳が「羽ながいなご」、新改訳が「毛のないいなご」、口語訳が「遍歴いなご」です。

ハルゴル
חרגל

この言葉がよく誤訳されています。ハルゴルこれが英語でコオロギと訳されますが、大間違いです。実際はアラビア語の「ハルジャル」（バッタの群れ）との関係から、群がるバッタであるイナゴの大群の一種です。日本語では、新共同訳、口語訳が「大いなご」、新改訳が間違って「こおろぎ」です。絶対コオロギを食べてはいけません。悪魔は聖書の誤訳に付け込んで、このような昆虫食を推していますが、悪い目的があるのです。聖書改ざん者も忌まわしい大罪です。欽定訳聖書の「カブトムシ」も誤訳です。カブトムシも食べてはいけません。「×カブトムシ」「×コオロギ」「〇大イナゴ」

ヨハネの黙示録22：18－19「私は、この書の預言のことばを聞くすべての者にあかしする。もし、これにつけ加える者があれば、神はこの書に書いてある災害をその人に加えられる。また、この預言の書のことばを少しでも取り除く者があれば、神は、この書に書いてあるいのちの木と聖なる都から、その人の受ける分を取り除かれる。」

パッケージの言葉「今、全世界で注目のスーパーフード!!　コオロギは地球をすくう未来コオロギスナック　※この虫は食べられます　必須脂肪酸　オメガ3・プロテイン・食物繊維」。そして、お菓子の袋には黒いコオロギの原型が何匹か混じっています。コオロギ製品は他にも多数ありますが、騙されてゲテモノ食いにならないようご注意。アミノ酸も豊富な無添加スーパーフード最高峰のCRICKET POWDERなどと広告もありますが、クリケットパウダーの表示があったら避けてください。ゴキブリ類似のコオロギまんまの原型なら誰も食べないけれどパウダーで料理添加なら気付きません。オメガ3やプロテインが強調されているので、スポーツ栄養サプリは特に含有される可能性が高いです。

ハガブ

חָגָב

日本語では、新共同訳、口語訳が「小イナゴ」、新改訳が「ばった」です。聖書は対比でよく書くため、一つ前のハルゴルが「大イナゴ」だからハガブは正反対の「小イナゴ」です。

民数記13：33「そこで、私たちはネフィリム人、ネフィリム人のアナク人を見た。私たちには自分がいなご（ハガブ）のように見えたし、彼らにもそう見えたことだろう。」

イスラエルの10部族長たちは、カナンに戦闘に行くのを恐れた結果、口実に創世記のノアの大洪水の時代に滅亡したネフィリム巨人の生き残りを現地に見たから勝ち目なしと嘘の報告をして、民の戦意をくじき、自分たちを「いなごのように見えた」と悪くいいふらし、神様を怒らせましたが、そこで小ささを強調する原語ハガブ「小イナゴ」が使われています。

コオロギ食推進派は現代でも嘘の報告をします。「コオロギは栄養面も他の食品と比較してとても優れています。重量の65％はプロテインで、たんぱく質は牛肉の2倍以上、ビタミンB_{12}は20倍以上というデータもあり、世界から注目されているスーパーフードです」。

一方、正しいコオロギ食反対派は言います。コオロギは染色体を変えるから妊婦は厳禁です。科学的にコオロギの体液に含まれる物質が染色体異常を引き起こす恐れも指摘され、コオロギ食はワクチン毒同様です。コオロギ食で母体は、強制利尿により胎盤血流を下げ流産の危険が増し、血液濃度を上げ血栓のリスクも増します。胎児にとっても血液中のカリウム濃度を低下させ、まるで人口削減のワクチンそのものです。

コオロギ粉末の多くはタイやラオスで生産され、その養殖場は衛生管理がなされておらず、コオロギ個体もその排泄物も一緒に粉末です。調査した昆虫農場300カ所のうち244カ所の81・33％で寄生虫が検出され、この中には加熱処理しても生き残るボツリヌス菌も含まれていました。ボツリヌス菌は、120℃で4分、または100℃で6時間以上の加熱をしなければ、完全に死滅せず、寄生虫も多く、味の問題ではありません。

青酸カリの200倍の毒を持つボツリヌス菌は、日本海沿岸のヘドロに生息し、真冬、産卵のため遡上してくる鰰（はたはた）の下腹についてきます。よく洗わずにそれを飯寿司に漬け込むと惨事です。ボツリヌス菌は飯寿司のような環境で大繁殖します。戦後、秋田で鰰寿司を協業の田植え作業中のおやつとして百姓たちは食べましたが、間もなく中毒を起こし、戸板にのせて病院に運ばれた患者は殆ど帰ってこなかったという記録があります。

コオロギには毒性もあり、寄生虫ハリガネムシの卵もあり、それを糞ごと胃袋ごとすり潰したのがコオロギパウダーです。恐ろしい虫＝「蛩」。コオロギの漢字の上の部分「巩」

には「穴をあける、うつろ」の意味がある体の中が空ろな虫、うつろな抜け殻の虫です。なぜ先人はこの漢字を作ったのか？　四つ足の物はテーブル以外なんでも食べるといわれる中国人も漢方医学大事典で微毒、妊婦禁忌で食さないのに、コオロギ養殖に日本政府は補助金まで出して執拗に普及させたがるのか？　コオロギを食べてボツリヌス菌による食中毒を起こしたら、適切な治療を受けないと死亡率が30％以上の神経毒です。この毒素は、現在知られている自然界の毒素の中で最も強力です。

コオロギの外骨格にも、発がん性があり、免疫系を誘発する可能性がある証拠が示された研究があります。ココナツの殻とコオロギの脚は、グラフェン特性を示し、エタノール中で合成されたグラフェンのＵＶスペクトルの最大波長は、標準グラフェンと同等の～２４４nmもあります。ナノ化した酸化グラフェンをワクチンに入れなくても、既にナノ化しているコオロギの酸化グラフェンを食用パウダーとして食べると、摂取で金属、病原菌、カビ、寄生虫、ボツリヌス菌まで消化器系から入れることになります。まさにワクチン代用効果です。

コオロギには、すでにゲノム編集や遺伝子組み換えが行われています。徳島大は、コオロギを活用した新型コロナウイルスの経口型ワクチン開発をしています。抗体を作るために必要なウイルスのたんぱく質をコオロギの体内で生成し、錠剤などにしたワクチンを飲んで免疫を獲得する仕組みです。徳島大はコオロギに関して独自のゲノム編集技術を持つ強みを生かし、たんぱく質の生産効率の良いコオロギを使ってワクチン開発を目指すとのことです。

国連や各国政府が一斉にコオロギ食を推進する真の目的は、有事の食糧難への備えではなくワクチン同様の効果狙いです。ワクチン摂取でIob（行動のインターネット・身体がインターネットにつながる技術）基礎回路のチップは既に人々の体内に秘密裏に入れたので、それを動かし続ける電源が必要です。陰謀論と思わないでください。本当のことです。ワクチンで投入されたBluetoothを発信する人体ナノネットワークを稼働し続ける電源取りのために、ワクチン追加接種による酸化グラフェン補充か、コオロギの脚からナノ化している酸化グラフェンを追加しようとしています。酸化グラフェンは1年ぐらい追加摂取しなければ新陳代謝で排除されてなくなるからです。代替電池としてコオロギの脚が必要なのです。5G&6G連携で遠隔操作可能なトランスヒューマニズム個体、ゾンビ管理社会が目前です。

コオロギは食べてはいけません。聖書では、忌むべきものです。昆虫だから6本脚ですが、後ろの二本は飛び跳ねる専用のためにあります。6本脚でも歩きますが、きれいな音を鳴らす羽があって「群生し四つ足のあるもの」ですね。

レビ記11：23「このほかの、羽があって群生し四つ足のあるものはみな、あなたがたには忌むべきものである。」

【NKJV】Lev11:23' But all other flying insects which have four feet shall be an abomination to you.

食用としては「忌むべきもの」コオロギ、まさか原形のままでポリポリ食べませんが、粉末で料理に添加されたら分からない。

スーパーで加工品を買う時にご注意ください。裏面の添加物の小さな文字に次のどれかがあれば、コオロギです。コオロギパウダーなら誰でもすぐに意味が分かりますが、消費者がすぐ分からないような別名もあります。以下の9つはご注意。これは素人の私の調べだから他にも別名があるかもしれません。分かってるだけで、こんなに一杯の偽装名があります。

コオロギパウダー（粉末コオロギ）
クリケットパウダー（粉末コオロギ）
ドライクリケット（乾燥コオロギ）
グリラス社の国産フタホシコオロギは「グリラスパウダー」（粉末コオロギ）
国産フタホシコオロギから抽出した調味液は「グリラスエキス」（液体コオロギ）
サーキュラーフード（粉末コオロギ）
シートリア（粉末コオロギ）
ＢＣＰ－70　ベトナム産（粉末コオロギ）

大変な時代です。万一、外国語で表示されていたらお手上げ、ＴＰＰ自由化によって輸入もあり得ます。

言語別コオロギの呼び方

①英語　Cricket　クリケット
②中国語　蟋蟀　シィシュアィ
③韓国語　귀뚜라미　クィトラミィ
④スペイン語　Grillo　グリィョ
⑤フランス語　Grillon　グリヨン
⑥アラビア語　كريكيت　ジャダージドゥ
⑦ロシア語　сверчок　スベルチォーク
⑧ポルトガル語　Grilo　グリロ
⑨ドイツ語　Grille　グリレ
⑩イタリア語　Grillo　グリッロ
⑪ラテン語　Gryllus　グリッルス

徳島大は、コオロギを活用した新型コロナウイルスの経口型ワクチンの開発を始めました。抗体をつくるために必要なウイルスのたんぱく質をコオロギの体内で生成し、錠剤などにしたワクチンを飲んで免疫を獲得する仕組み。徳島大はコオロギに関して独自のゲノム編集技術を持つ強みを生かし、たんぱく質の生産効率の良いコオロギを使ってワクチン開発を目指すとのこと。国内で新型コロナの経口ワクチン開発は基礎研究段階にとどまり、先行して実用化されれば国内初となります。

ゲノム編集コオロギ粉末を食べると、接種と同じ効果があるということです。

Part

人体チップ内蔵計画!! ワクチンの酸化グラフェン磁性ナノ粒子で5GとAIにつながれているのは、日本人のみ!?

第7章

オープンカントリー（城壁のない国）イスラエルの第三次世界大戦は預言されている!?

全軍勢が一つの国へ侵入する!?

エゼキエル書38：2－8　「人の子よ。メシェクとトバルの大首長であるマゴグの地のゴグに顔を向け、彼に預言して、言え。神である主はこう仰せられる。メシェクとトバルの大首長であるゴグよ。今、わたしは、あなたに立ち向かう。わたしはあなたを引き回し、あなたのあごに鉤をかけ、あなたと、あなたの全軍勢を出陣させる。それはみな武装した馬や騎兵、大盾と盾を持ち、みな剣を取る大集団だ。ペルシヤとクシュとプテも彼らとともにおり、みな盾とかぶとを着けている。ゴメルと、そのすべての軍隊、北の果てのベテ・トガルマと、そのすべての軍隊、それに多くの国々の民があなたとともにいる。備えをせよ。あなたも、あなたのところに集められた全集団も備えをせよ。あなたは彼らを監督せよ。多くの日が過ぎて、あなたは命令を受け、終わりの年に、一つの国に侵入する。その国は剣の災害から立ち直り、その民は多くの国々の民の中から集められ、久しく廃墟であったイスラエルの山々に住んでいる。その民は国々の民の中から連れ出され、彼らはみな安心して住んでいる。」

偽ユダヤ人ハザール／DSのルーツのことも記されている！

創世記5：32「ノアが五百歳になったとき、ノアはセム、ハム、ヤペテを生んだ。」

ヤコブから12人の子供、それがイスラエル12部族長。ユダヤ人でスファラディー系の褐色系アジア人、セム族の血統的ユダヤ人。

イエス様をはじめ、十字架に掛けたユダヤ人たちもスファラディー系でした。

しかし、AD740年、カスピ海の北からコーカサス、黒海沿いに栄えた遊牧民族ハザール人はイスラム勢力の侵攻によって、国民全員がユダヤ教徒になることを余儀なくされ、集団改宗して自称ユダヤ人になりました。彼ら偽ユダヤ人のハザール人を白人系ヤペテ族のアシュケナジー系と呼び、中央アジアから東ヨーロッパにかけて混血を繰り返し、東欧諸国やドイツ、ロシア、ウクライナに集落を形成して本来のユダヤ人とは血縁関係のない白人系ユダヤ人となりました。ＤＳ連中の起源です。

ヨハネの黙示録２：９「わたしは、あなたの苦しみと貧しさとを知っている。――しかしあなたは実際は富んでいる――またユダヤ人だと自称しているが、実はそうでなく、かえってサタンの会衆である人たちから、ののしられていることも知っている。」

ヨハネの黙示録３：９「見よ。サタンの会衆に属する者、すなわち、ユダヤ人だと自称しながら実はそうでなくて、うそを言っている者たちに、わたしはこうする。見よ。彼らをあなたの足もとに来てひれ伏させ、わたしがあなたを愛していることを知らせる。」

ハザール人はロシア国内で栄え、ロシア人から嫌われました。イスラエル国は１９６７年6月の第三次中東戦争以来、ヨルダン川西岸地区およびガザ地区を占領しています。イスラエルの指導者たちは、数十年後にはユダヤ人よりパレスチナ人（アラブ人）のほうが多くなると懸念してソ連のハザール系ユダヤ人をイスラエルに移住させる計画を立て、ソ連政府は１９７１年から１９８８年までに15万人。１９８９年から２０１０年までの間に１２０万人のハザール系ユダヤ人を送り出し、ヨルダン川西岸地区へ移住させました。こうしてソ連のハザール系ユダヤ人のアメリカへの移住も急増し、世界支配のＤＳユダヤ財閥が誕生しました。

ハザール系ユダヤ人の七大財閥

経済支配は、「ロスチャイルド」「ロックフェラー」「サッスーン」「クーン・ローブ」「モルガン」「ベクテル」「ザハロフ」が世界経済を牛耳っています。

ハザール系ユダヤ人のマスメディア支配は、アメリカ主要マスメディアのニューヨークタイムズ、ワシントンポスト、ＡＰ、ロイター、ＣＮＮ、ＡＢＣ、ＮＢＣ、ＣＢＳです。その支配下に戦後置かれた日本メディアもＮＨＫ、テレビ朝日、ＴＢＳ、フジテレビ、日本テレビ、朝日新聞、毎日新聞、読売新聞、産経新聞、日本経済新聞であり、ＤＳの意向に反する放送は一切許されません。

ハザール系ユダヤ人の政治支配は、軍隊を動かす大統領や政治家、官僚をお金の力で操作します。鳩山由紀夫：「総理大臣になるまでは、法案は国会で決まると思っていた。ところが総理大臣になってみれば、重要法案の大半が日米合同委員会で決まるのでびっくりした。」

鳩山由紀夫元首相が2022年4月、自身のツイッターで「ロシアのウクライナ侵攻で「利益」を得るのは米国だ」と伝え「この戦いはウクライナが舞台のロシアVS米国の戦争である」と明言。「両国はNATO問題などで停戦可能」とした上で、「米国は戦争が長引くほど軍産複合体が利益を得て株価が上がり、プーチンの首を取れる確率も増す。」

英エセックス大学の経営学教授調査では、この戦争で軍需企業の株価が急上昇して、軍需産業がおよそ5000億ドルの武器を両陣営に供給し、およそ60兆円の利益を得たのです。

この仕組まれた米ロの代理戦争は最後には、ロシアがイスラエルに軍事侵攻する世界の終わり第三次世界大戦です。

その戦争についての預言がこれです。

「ウォッシュ（ヘブライ語）＝ロシ（文語訳）」ロシアの起源は、9世紀後半に今のウクライナの首都キエフを中心に東スラブ人によって「キエフ大公国」が成立。彼らはロシア

(メシェクと)　(大首長 大統領 ロシアは大統領制 国家元首)
メシェク ウェ　ネッスィー

בֶּן־אָדָם שִׂים פָּנֶיךָ אֶל־גּוֹג אֶרֶץ הַמָּגוֹג נְשִׂיא רֹאשׁ מֶשֶׁךְ וְתֻבָל וְהִנָּבֵא עָלָיו׃

ウオッシュ
テベル　(rōš 頭 ロシア) ロシア北西とウクライナとベラルーシの古名はルーシRus'
(トバルの)

【文語訳】エゼ38:2-3「人の子よ。ロシ、メセクおよびトバルの君たるマゴグの地の王ゴグに汝の面かほをむけ之これにむかひて預言し言いふべし。主ヱホバかく言いひたまふ。ロシ、メセク、トバルの君ゴグよ。
視よ、我なんぢを罰せん。」

【新改訳】エゼ38:2-3「人の子よ。メシェクとトバルの大首長であるマゴグの地のゴグに顔を向け、彼に預言して、言え。神である主はこう仰せられる。メシェクとトバルの大首長であるゴグよ。
今、わたしは、あなたに立ち向かう。」

エゼ38:2-6「人の子よ。ロシ（ロシア）、メセク（モスクワ）およびトバル（トルコ）の君たるマゴグ（ゴグの地ロシアの地）の王ゴグ（ロシア）に汝の面をむけ之にむかひて預言し言べし。主ヱホバかく言たまふ。ロシ（ロシア）、メセク（モスクワ）、トバル（トルコ）の君ゴグ（ロシア）よ。視よ、我なんぢを罰せん。我汝をひきもどし汝の腮に鉤をほどこして汝および汝の諸の軍勢と馬とその騎者を曳いだすべし。是みな其服粧に美を極め大楯小楯をもち凡て劍を執る者にして大軍なり。ペルシヤ（イランとイラク）、エテオピア（エチオピアとスーダン）およびフテ（リビア）これとともにあり。」

ヘブラル語をギリシヤ語に翻訳した七十人訳は「ロシ」を「ロシュ」と翻訳。「ロシュ」は、黒海とカスピ海の北の辺りの「ロシア」と古代文献。「メセク」は「モスクワ」語源。

北西とウクライナとベラルーシの地域をルーシ、自分たちをルーシ人と呼び、「ロシア」の名はこれに由来しています。今のウクライナ領は元々、1991年の独立以前はロシア領土です。ロシア政権は侵攻といわず、奪われたものを取り返す奪還といいます。

預言では、「ネッスィー・ウォッシュ・メシェク・ウェ・テベル」

直訳「大統領・ロシア・メシェクと・トバルの」。文語訳では、「ロシ、メセク、トバルの君ゴグよ。」と書いてますが、メシェク(メセク)はギリシャ語でモーシ、モーシはロシア語でモスクワの語源です。ロシアが第三次世界大戦を起こします。しかし、最近の聖書では、このゴグであるロシアの国名を人間的な忖度から勝手に削除してしまいました。

ヨハネの黙示録22：18－19「私は、この書の預言のことばを聞くすべての者にあかしする。もし、これにつけ加える者があれば、神はこの書に書いてある災害をその人に加えられる。また、この預言の書のことばを少しでも取り除く者があれば、神は、この書に書いてあるいのちの木と聖なる都から、その人の受ける分を取り除かれる。」

エゼキエル書38：14－16「それゆえ、人の子よ、預言してゴグに言え。神である主はこう仰せられる。わたしの民イスラエルが安心して住んでいるとき、実に、その日、あなたは奮い立つのだ。あなたは、北の果てのあなたの国から、多くの国々の民を率いて来る。彼らはみな馬に乗る者で、大集団、大軍勢だ。あなたは、わたしの民イスラエルを攻めに上り、終わりの日に、あなたは地をおおう雲のようになる。ゴグよ。わたしはあなたに、わたしの地を攻めさせる。それは、わたしがあなたを使って諸国の民の目の前にわたしの聖なることを示し、彼らがわたしを知るためだ。」

ロシアのイスラエル軍事侵攻は、北の果てから来る特徴と馬に乗る者、連合軍であるこ

「あなたは、北の果てのあなたの国から、多くの国々の民を率いて来る。」エゼキエル書38：15

地理的も南下ロシア軍。モスクワの北の果ては、北極海と北極点。ウクライナ東部ルート陥落預言。

とが預言されました。恐らく馬は戦車を指すと思われますが、一説では、文字通りの馬は戦車のように運搬困難な重油不要で道中の馬草を与えながら進撃し、巡行ミサイル同様、馬は最も低い所を進むからレーダーにもかかりづらく、最悪の場合は軍人の食糧にもなるアナログながら万能兵器です。

エゼキエル書39：1－2「人の子よ。ゴグに向かって預言して言え。神である主はこう仰せられる。メシェクとトバルの大首長であるゴグよ。わたしはあなたに立ち向かう。わたしはあなたを引き回し、あなたを押しやり、北の果てから上らせ、イスラエルの山々に連れて来る。」

エゼキエル書38：8「多くの日が過ぎて、あなた（ロシア）は命令を受け、終わりの年（第三次世界大戦）に、一つの国（イスラエル）に侵入する。その国は剣の災害（AD70ローマ軍事侵攻）から立ち直り、その民は多くの国々の民の中から集められ、久しく廃墟（AD70から1948）であったイスラエルの山々に住んでいる。その民は国々の民の中から連れ出され（シオニズム）、彼らはみな安心して住んでいる。」

この預言は、エゼキエル戦争あるいは第三次世界大戦と呼ばれる終わりの年です。イスラエルは、AD70年に剣の災害であるローマ軍事侵攻によって陥落しましたが、1948年にシオニズム運動で預言通り多くの国々の民の中から集められ国家再建しました。シオニズム運動は、1890年代からイスラエルの地に故郷再建、復興運動を興そうとするユダヤ人の近代的運動で、以下の聖書が発想の原点です。

ゼカリヤ書8：1－8「次のような万軍の主のことばがあった。万軍の主はこう仰せられる。『わたしは、シオンをねたむほど激しく愛し、ひどい憤りでこれをねたむ。』主はこう仰せられる。『わたしはシオンに帰り、エルサレムのただ中に住もう。エルサレムは真実の町と呼ばれ、万軍の主の山は聖なる山と呼ばれよう。』万軍の主はこう仰せられる。

『再び、エルサレムの広場には、老いた男、老いた女がすわり、年寄りになって、みな手に杖を持とう。町の広場は、広場で遊ぶ男の子や女の子でいっぱいになろう。』万軍の主はこう仰せられる。『もし、これが、その日、この民の残りの者の目に不思議に見えても、わたしの目に、これが不思議に見えるだろうか。――万軍の主の御告げ――』万軍の主はこう仰せられる。『見よ。わたしは、わたしの民を日の出る地と日の入る地から救い、彼らを連れ帰り、エルサレムの中に住ませる。このとき、彼らはわたしの民となり、わたしは真実と正義をもって彼らの神となる。』』

預言通り、イスラエルは1948年5月14日、国家再建されました！　しかし、集まった彼らは今「みな安心して住んでいる」の預言ですが、パレスチナとの戦争が終結しない限り、まだその時ではないようです。

イスラエル最新兵器「アイアンビーム」はミサイルやドローンを1回約500円で撃墜する!!

エゼキエル書38：9－11「あなたは、あらしのように攻め上り、あなたと、あなたの全部隊、それに、あなたにつく多くの国々の民は、地をおおう雲のようになる。神である主はこう仰せられる。その日には、あなたの心にさまざまな思いが浮かぶ。あなたは悪巧みを設け、こう言おう。『私は城壁のない町々の国に攻め上り、安心して住んでいる平和な国に侵入しよう。彼らはみな、城壁もかんぬきも門もない所に住んでいる。』」

今後、あらしのように攻め上ると預言された上空からのロシア奇襲の空爆状況について、地をおおう雲のようになるとは、空軍機の大規模編隊数の多さを強調します。ロシアは戦闘機1200機、攻撃ヘリ399機を保有して、アメリカ（2700機）に次ぐ世界第二位の空軍能力があり、最新鋭ＳＵ30戦闘機を始め総合的軍事技術は極めて高いです。ちなみに日本の戦闘機は320機です。

預言を直訳すると、「言う。城壁のないオープンカントリーに攻め上り攻撃しよう。全員が静かで安全に住んでいる。彼らは城壁、城門、扉も何もない。」

新改訳2017で「無防備な国」と訳されている原語は פְּרָזוֹת「トラザー」で、新改訳で「城壁のない町々の国」、新共同訳では「囲いのない国」です。しかし、「無防備な国」は

エゼ38:11「こう言おう。『私は城壁のない町々の国に攻め上り、安心して住んでいる平和な国に侵入しよう。彼らはみな、城壁もかんぬきも門もない所に住んでいる。』」

וְאָמַרְתָּ אֶעֱלֶה עַל־אֶרֶץ פְּרָזוֹת אָבוֹא הַשֹּׁקְטִים יֹשְׁבֵי לָבֶטַח כֻּלָּם
יֹשְׁבִים בְּאֵין חוֹמָה וּבְרִיחַ וּדְלָתַיִם אֵין לָהֶם׃

訳を分解すると、日本語だから反対から読んで

לָהֶם׃ (彼ら) אֵין (何もない) וּדְלָתַיִם (扉　要塞) וּבְרִיחַ (城門) חוֹמָה (城壁) בְּאֵין (何もない) יֹשְׁבִים (住んでいる) כֻּלָּם (全員が) לָבֶטַח (安全　セキュリティ) יֹשְׁבֵי (住んでいる) הַשֹּׁקְטִים (静かに) אָבוֹא (攻撃する) פְּרָזוֹת (壁のない村　オープンカントリー) עַל־אֶרֶץ (住民を攻める) אֶעֱלֶה (上る) וְאָמַרְתָּ (言う)

エゼ38:11「言う。城壁のないオープンカントリーに攻め上り攻撃しよう。全員が静かで安全に住んでいる。彼らは城壁、城門、扉も何もない。」

訳がおかしいです。

イスラエルでは、ロケット弾が着弾する前に迎撃し、被害を未然に防ぐ防空システム、鉄壁バリアの迎撃率が90%です。もはや町を守る城壁、城門、扉は不要な過去の遺物です。「無防備な国」ではなく、城壁の囲いは安全保障上もはや不要な時代です。「城壁のないオープンカントリー」「城壁もかんぬきも門もない所」の理由は、イスラエルは決して「無防備」ではなく、２６００年前の預言通り、巡航ミサイルやロケット弾、カミカゼドローンの迎撃にも迎撃ミサイル対応できる防備システム・アイアンドームを完全配備済だからです。

それに加えてイスラエル国防省は、迎撃ミ

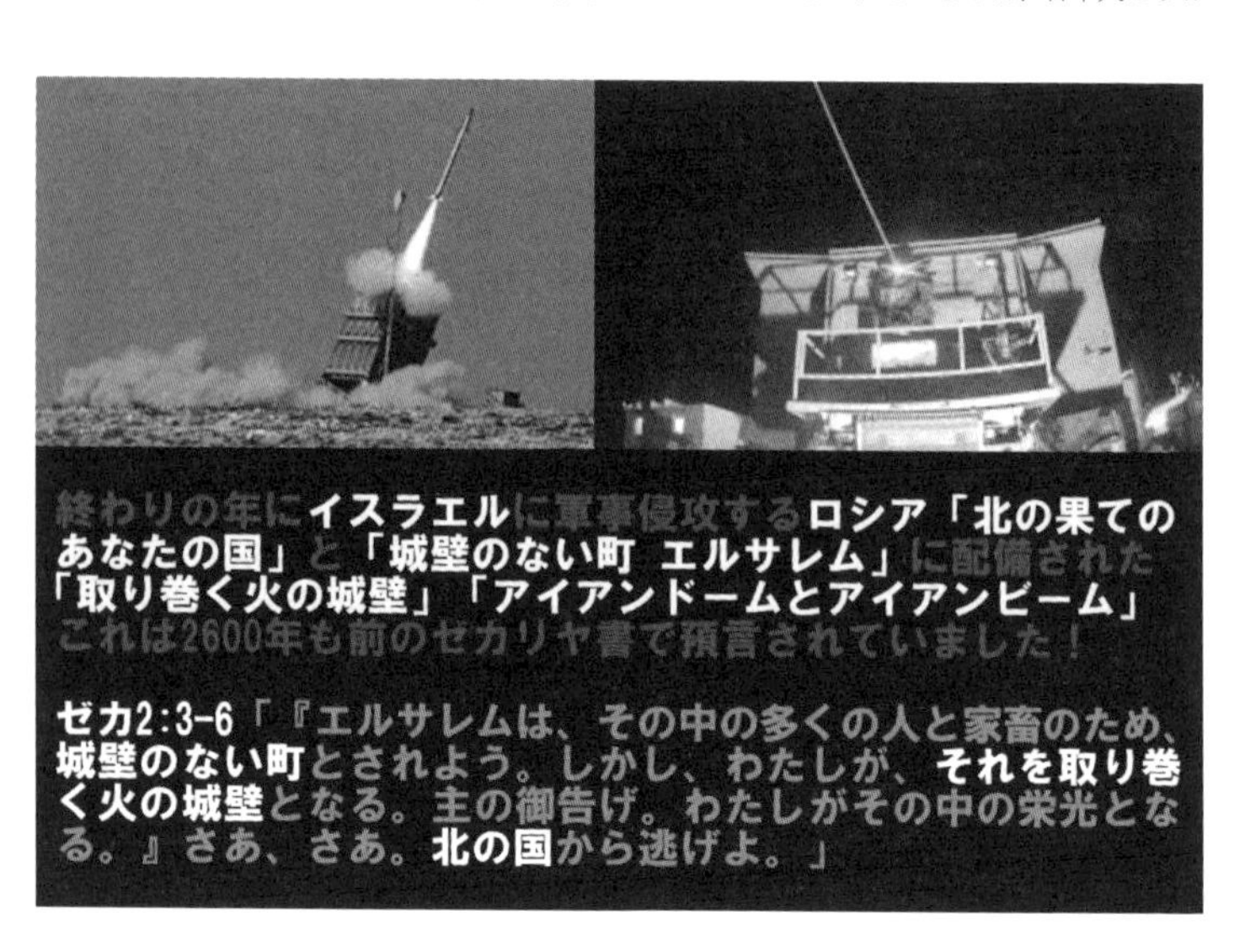

終わりの年にイスラエルに軍事侵攻するロシア「北の果てのあなたの国」と「城壁のない町 エルサレム」に配備された「取り巻く火の城壁」「アイアンドームとアイアンビーム」これは2600年も前のゼカリヤ書で預言されていました！
ゼカ2:3-6「『エルサレムは、その中の多くの人と家畜のため、城壁のない町とされよう。しかし、わたしが、それを取り巻く火の城壁となる。主の御告げ。わたしがその中の栄光となる。』さあ、さあ。北の国から逃げよ。」

サイルより精度の高い迎撃レーザーを使用して防衛する世界最新鋭の防空システム「アイアンビーム」の試験にも成功しました。

イスラエルのベネット首相（当時）は宣言しました。「イスラエルはついに新たな『アイアンビーム』のテストに成功しました。これは世界初のエネルギーを元にした兵器システムで上空のミサイルや攻撃ドローンを1回の発射につき3・5ドル（約500円）で撃墜できます。SFのように聞こえますが、リアルです」

終わりの年に「北の果てのあなたの国」（エゼ38：15）からイスラエルに軍事侵攻する「ロシア」と、完成されたエルサレムの「火の城壁」「アイアンドームとアイアンビーム」導入について、2600年前のゼカリヤ書でも預言されていました！　聖書は凄い！

【新共同訳】ゼカリヤ書2：7　「わたしに語りかけた御使いが出て行くと、別の御使いが出て来て迎え、2：8　彼に言った。『あの若者のもとに走り寄って告げよ。エルサレムは人と家畜に溢れ／城壁のない開かれた所となる。2：9　わたし自身が町を囲む火の城壁となると　主は言われる。わたしはその中にあって栄光となる。2：10　急いで、北の国から逃れよと　主は言われる。天の四方の風のように　かつて、わたしはお前たちを吹き散らしたと　主は言われる。』」

神様ご自身が町を囲む火の城壁となった最新鋭の防衛システムだといいます。

アメリカDSは莫大な軍事資金提供でイスラエルに最新兵器を作らせて、実戦配備で見本市のガザのパレスチナ国と戦わせて成果を見せたデモンストレーションで最新武器を販売しています。結果、イスラエル防衛は聖書の預言通り「火の城壁」として一層強固で世界一の防衛システムになりました。

イスラエル製の防空システムはまさに預言通り「火の城壁」のように米国を凌ぐ先進性

ゼカリヤ2:8-9「エルサレムは人と家畜に溢れ／城壁のない開かれた所となる。私自身が町を囲む火の城壁となる。」

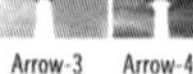

弾道ミサイル迎撃アロー

弾道ミサイル・ロケット弾迎撃ダビデ・スリング（ダビデの投石器）

ロケット弾迎撃
アイアンドーム

地対空ミサイルシステム
スパイダー

弾道ミサイル迎撃バラク−8

ロケット弾・カミカゼドローン迎撃
アイアンビーム

を備え、弾道ミサイル迎撃に対応したアロー、航空機や巡航ミサイルに加え、弾道ミサイルやロケット弾の迎撃にも対応したダビデ・スリング、ロケット弾の迎撃に特化したアイアンドーム、低空を飛行する無人機に効果的なスパイダー、弾道ミサイル迎撃に対応したバラク−8などラインナップが豊富で有効性も実戦で証明されています。

ペテロの手紙二1：19「私たちは、さらに確かな預言のみことばを持っています。夜明けとなって、明けの明星があなたがたの心の中に上るまでは、暗い所を照らすともしびとして、それに目を留めているとよいのです。」

THE PALESTINE POST

CARL MARX

STATE OF ISRAEL IS BORN

JEWS TAKE OVER SECURITY ZONES

Egyptian Air Force Spitfires Bomb Tel Aviv; One Shot Down

U.S. RECOGNIZES JEWISH STATE

Proclamation by Head Of Government

当時のイスラエル国誕生の新聞記事

これらのことから何が言えるでしょうか？　神様が「国家再建」！「火の城壁」！　と言われたら、この通り奇蹟的に実現しました。一度失われたユダヤ人国家（ＡＤ70）が同じイスラエルの地に再建できたことは（ＡＤ１９４８）世界に類を見ない奇蹟です。イスラエルは再建直後から１９７３年まで４度の中東戦争が起きましたが、奇蹟的に「火の城壁」のごとく守りは固く、戦勝を繰り返して占領地域の領土拡大を成し遂げました。

ガラテヤ人への手紙6：16「どうか、この基準に従って進む人々、すなわち神のイスラエルの上に、平安とあわれみがありますように。」

聖書で「神のイスラエル」と呼ばれる御自身の選民にも、神様ご自身が町を「火の城壁」となって守る約束があります！　それはあなたです。日本人は3・11人工地震でＤＳに攻撃されても復興努力で「再建」して、神様の「火の城壁」で今も悪魔の攻撃から守られています（参考文献『天皇家はユダ族直系！』ヒカルランド）。

日本人にもユダヤ人の血？
淡路で遺跡を発見
内藤博士らが調査

きょうから48時間
巡査殴

イザヤ書41：10－13「恐れるな。わたしはあなたとともにいる。たじろぐな。わたしはあなたの神だから。わたしはあなたを強め、あなたを助け、わたしの義の右の手で、あなたを守る。見よ。あなたに向かっていきりたつ者はみな、恥を見、はずかしめを受け、あなたと争う者たちは、無いもののようになって滅びる。あなたと言い争いをする者を捜しても、あなたは見つけることはできず、あなたと戦う者たちは、全くなくなってしまう。あなたの神、主であるわたしが、あなたの右の手を堅く握り、『恐れるな。わたしがあなたを助ける』と言っているのだから。」

神戸新聞の記事「日本人にもユダヤ人の血？　淡路で遺跡を発見　内藤博士らが調査」「世界の流民といわれるユダヤ人の祖先が大古の日本に渡来した」という学説は、裏づける考古学上の確証はなかったのです。ところが淡路島にその遺跡があると発表以来、学界で注目です。古事記・日本書紀で日本発祥の地として伝わる兵庫県・淡路島。ここにユダヤ人の遺跡とは、この国がユダヤ人によって建国された契約の民である動かぬ証拠であり、ゆえに神様ご自身の「火の城壁」による特別保護があるのです。

詩篇91：3－16「主は狩人のわなから、恐ろしい疫病から、あなたを救い出されるからである。主は、ご自分の羽で、あなたをおおわれる。あなたは、その翼の下に身を避ける。主の真実は、大盾であり、とりでである。あなたは夜の恐怖も恐れず、昼に飛び来る矢も恐れない。また、暗やみに歩き回る疫病も、真昼に荒らす滅びをも。千人が、あなたのかたわらに、万人が、あなたの右手に倒れても、それはあなたには、近づかない。あなたはただ、それを目にし、悪者への報いを見るだけである。それはあなたが私の避け所である主を、いと高き方を、あなたの住まいとしたからである。わざわいは、あなたにふりかからず、疫病も、あなたの天幕に近づかない。まことに主は、あなたのために、御使いたちに命じて、すべての道で、あなたを守るようにされる。彼らは、その手で、あなたをささえ、あなたの足が石に打ち当たることのないようにする。あなたは、獅子とコブラとを踏みつけ、若獅子と蛇とを踏みにじろう。彼がわたしを愛しているから、わたしは彼を助け出そう。彼がわたしの名を知っているから、わたしは彼を高く上げよう。彼が、わたしを呼び求めれば、わたしは、彼に答えよう。わたしは苦しみのときに彼とともにいて、彼を救い彼に誉れを与えよう。わたしは、彼を長いいのちで満ち足らせ、わたしの救いを彼に見せよう。」

中性子爆弾使用によるロシア軍壊滅預言

第三次世界大戦で敗戦するロシア軍の惨事を聖書は預言していますが、その時、イスラエル軍は自国防衛のために建物の破壊は最小限に抑え、軍事侵攻してきた敵軍だけを効率的に消滅させる限定核兵器の中性子爆弾を使用すると思われます。この記述がそれを描写しています。

ゼカリヤ書14：12－13「主は、エルサレムを攻めに来るすべての国々の民にこの災害を加えられる。彼らの肉をまだ足で立っているうちに腐らせる。彼らの目はまぶたの中で腐り、彼らの舌は口の中で腐る。その日、主は、彼らの間に大恐慌を起こさせる。彼らは互いに手でつかみ合い、互いになぐりかかる。」

中性子爆弾は、「核爆発の際のエネルギー放出において中性子線の割合を高め、生物の殺傷能力を高めたもので、通常の核爆発の効果と比較して、爆風や熱線などへのエネルギー放出割合が低く、中性子線の放射割合が高い。熱核爆発はビルが数棟破壊される程度の破壊力である一方、中性子線は透過力が強く、薄い鉛などの金属板も透過する。厚いコンクリートや水など遮蔽物に覆われた地下核シェルター等への攻撃能力は小さいものの、地下鉄程度であれば透過するため、都市圏であればほとんど助かる可能性はない。建造物などの被害は相対的に減少させることができるが、人間を始めとする生物を放射線障害により死傷させることができ、爆風などの被害半径よりも中性子線による被害半径のほうが大きくなっている」とのことで、侵略者のロシア連合軍人たちだけを滅ぼし建物を壊さない好都合の未来型の兵器です。使用されると、この聖書の預言通り恐ろしい結果になるようです。

「彼らの肉をまだ足で立っているうちに腐らせる。彼らの目はまぶたの中で腐り、彼らの舌は口の中で腐る。」

２６００年前の預言者ゼカリヤは、終末の未来世界に必ず出現する限定核兵器の中性子爆弾という兵器の使用とその結果の惨事を幻で見ていたのです。聖書は凄い！ 同じ聖書はイエス様を信じるあなたにも未来世界に必ず出現する永遠の命と最高の天国を与えると約束しています！

マイナンバーカード普及とビッグデータ管理社会／繰り返される歴史

歴代誌第一21：1－2 「サタンがイスラエルに対して立ち、イスラエルの人口を数えるようダビデを誘った。ダビデはヨアブと民の将軍たちに命じた。『出かけて行って、ベエル・シェバからダンに及ぶイスラエル人の数を数え、その結果をわたしに報告せよ。その数を知りたい』」

歴代誌第一21：7－8 「神はこのことを悪と見なされ、イスラエルを打たれた。ダビデは神に言った。『わたしはこのようなことを行って重い罪を犯しました。どうか僕（しもべ）の悪をお見逃しください。大変愚かなことをしました』」

悪魔にそそのかされたダビデによって行われたイスラエルの民を登録する国勢調査の目

的は、国税の徴収増加でした。現代のマイナンバーカード普及目的も同様です。ダビデの異常行動は神様の守りより軍隊の数と規模を把握して安心する心のよりどころをこの世に求めた神様への不信でもありました。それは、神様が悪とみなされる大変愚かな行為です。神様はこのダビデの大罪への罰として、イスラエル全体に7万人も滅びる疫病を起こされました！

サムエル記第二24：15「すると、主は、その朝から、定められた時まで、イスラエルに疫病を下されたので、ダンからベエル・シェバに至るまで、民のうち七万人が死んだ。」

今の新型コロナ騒動も、直接には悪魔とその従者たちの悪い陰謀の仕業ですが、その疫病を神様があえて許されたのは、このようなマイナンバーカード普及に伴うビッグデータ管理社会到来への無関心さかもしれません。

新約時代にも同様の流れがあります。

ルカによる福音書2：1－5「皇帝アウグストゥスから全領土の住民に、登録せよとの勅令が出た。これは、キリニウスがシリア州の総督であった時に行われた最初の住民登録である。人々は皆、登録するためにおのおの自分の町へ旅立った。ヨセフもダビデの家に属し、その血筋であったので、ガラリヤの町ナザレから、ユダヤのベツレヘムというダビデの町へ上って行った。身ごもっていた、いいなずけのマリアと一緒に登録するためである」

住民登録で国民経済を把握する国民総背番号制です。歴史は繰り返します。スマートフォンに位置情報機能、端末情報、基地局の衛星経由でひとつのデータ管理。お財布ケータイ、ネットバンキング利用記録など、個人の経済状態まで明確な究極の個人情報暴露システム稼働中です。スマホとマイナンバー制度を組み合わせれば、膨大な個人情報の集合体、ビッグデータを楽に管理できますが、管理者は誰？　悪魔の独裁者、反キリストです。既に同システムが実用化されたアメリカ、ヨーロッパ、韓国でマイナンバーカード裏面の12桁ＩＤ番号漏えいで乗っ取られ、勝手にクレジット機能付き銀行口座開設で不正利用された被害額は毎年、巨額です。人口3億2千万のアメリカで２００6年から2年間のＳＳＮ犯罪数は１１７０万件、年間被害総額５０００億円。単純計算で1億3千万人の日本では年間2千万件の犯罪と被害総額2億4千万円が予測されます。ＲＴマイナンバーカード取得の実質義務化によって、デジタル庁主導による個人情報の一元化が進む中、テレビで叩かれて不況の振込詐欺連中が待望して次に狙っている新規参入ターゲットです。

経済支配だけでない！　マイクロナノチップ挿入で全人格的な支配へ！
ワクチン接種者に内蔵されたチップ信号受信アプリチップチェッカーで検証

新型コロナワクチンに注射針より極小の無線ＬＡＮチップが混入していて接種者はロット番号で管理され、個人情報の電波を日々、体内から発しているという噂があります。本当だろうか？　事実なら大変な人権侵害の国際犯罪です。

チップチェッカーなるアプリは周囲のブルートゥースの発信電波を検索して自動キャッチで表示します。実際に使ってみました。

まず、ＡＬＬという設定にすると、すべての近隣電波を拾うようです。私が室内でスキャンすると黒色で5件しかヒットしません。そこで窓を開けてそこから再スキャンすると、沢山ヒットしました（次ページの画像）。

上から3件目に四角に囲った

1:05
Chip Checker ALL
SCAN
CLEAR
no name: ??? SIGid=e0e1 UUID=cbbfe0e1-f7f3-4206-84e0-84cbb3d09dfc
73:88:E1:B6:5E:56
Last Seen: 26 seconds ago
no name: Microsoft Manu ID=6
54:E4:04:97:D1:7D
Last Seen: just now
no name: Sony Corporation Manu ID=301
68:9B:48:4C:5B:49
Last Seen: just now
no name: Apple Inc. Manu ID=76
E3:CB:31:0A:B7:48
Last Seen: 1 minute ago
no name: Apple Inc. Manu ID=76
4F:0B:25:67:E1:F4
Last Seen: 1 minute ago
no name: Apple Inc. Manu ID=76
6B:81:1A:86:81:C6
Last Seen: 9 seconds ago
no name: Apple Inc. Manu ID=76
63:F8:0F:66:8A:6C
Last Seen: just now
no name: Microsoft Manu ID=6
22:1D:12:A7:5B:E6
Last Seen: 9 seconds ago
no name: Microsoft Manu ID=6
27:97:6A:8F:26:F2
Last Seen: 10 seconds ago
no name: Apple Inc. Manu ID=76
48:3B:A7:93:C3:6E
Last Seen: 10 seconds ago
no name: Apple Inc. Manu ID=76
77:17:8D:DE:49:AB
Last Seen: 10 seconds ago
no name: Microsoft Manu ID=6
01:86:2F:48:F8:D8
Last Seen: 10 seconds ago
no name: Microsoft Manu ID=6
2F:88:C6:B0:75:58
Last Seen: 10 seconds ago
no name: Apple Inc. SIGid=fd6f 10.6m RSSI=-98
UUID=0000fd6f-0000-1000-8000-00805f9b34fb
36:0E:AE:E8:90:0F
Last Seen: just now
no name: Apple Inc. Manu ID=76
Scanning.... 4

No NAME SONY CORPORATION MANU ID=301

これが私の場合、室内検索でいつもヒットします。確かにSONYのテレビが室内にあります。電源ONでテレビを観てなくてもコンセントがつながっているだけでこれは必ず出ます。やはりテレビは怖い。消していても電磁波は24時間流れています。電磁波に敏感な方は、夜間、スマホとWi－Fiとパソコン、テレビ電源すべてのコンセントを抜いたら熟睡できると聞いています。怖いのは、「OKグーグル」と言えば即答するスマホ機能、常時、スマホはその言葉が出るまで出番を待って重要な会話すべてをAIが盗聴しているのです。AIの背後に変態がいたらどうしますか。

SONYヒットを考えると、やはりこのアプリはでたらめでないことは確かです。

他のヒットはAPPLEとMICROSOFTばかりが出てきますが、下から二番目に赤いのが出ています。これがワクチン接種者から発信されているチップ信号です。ここでは、10・6mと表示されていますので、おそらく建物の外の誰かを窓辺から捉えたのだと思われます。窓の下をのぞいて見るとちょうど隣のレストランから食事が終わった女性が出てきて、駐車場内をゆっくり歩いているのが見えます。発信源は、この人かな？

そして次に、ＣＨＩＰモード。時間的にはＡＬＬモードスキャンの7分前、同じ窓辺からスキャンしたのですが、赤色で12件、ヒットです。チップ保有者が近くに12人いるということです。距離表示が９・５ｍ、10・６ｍ……と表示され、遠いもので15・０ｍ、最短で４・８ｍまでヒットしています。

すべてＡＰＰＬＥとなっていますが、怪しいＬＡＮチップ製造元はここなのだろうか。表示された数字と記号の並びをＭＡＣアドレスといいますが、コンピュータ内部にあるネットワークカードや無線ＬＡＮチップなどの接続装置に製造段階で割り当てられた、世界中でただ一つ固有の48ビットで構成された識別番号です。

スマホでヒットしたすべてのベンダーコードの頭が、00-00-fd6f-:ですが、これはＡＰＬＥ社の意味でしょう。他社の場合、このように分別されます（次ページの画像）。

知り合いに「ワクチン2回受けたので、チップあるかないか調べてください」と言われ、ＣＨＩＰ　ＮＥＡＲモードでスキャンしましたが、ヒットしません。どうもこのへんが、このアプリの分からないところです。これについて、謎解きに酸化グラフェン研究者パブ

0:57
Chip Checker Chip
SCAN
CLEAR
no name: Apple Inc. SIGid=fd6f 9.5m RSSI=-97
UUID=0000fd6f-0000-1000-8000-00805f9b34fb
27:52:05:D2:79:11 Last Seen: just now
no name: Apple Inc. SIGid=fd6f 10.6m RSSI=-98
UUID=0000fd6f-0000-1000-8000-00805f9b34fb
2B:8B:B1:4E:EB:B4 Last Seen: 5 minutes ago
no name: Apple Inc. SIGid=fd6f 9.5m RSSI=-97
UUID=0000fd6f-0000-1000-8000-00805f9b34fb
3F:AA:87:56:A3:DB Last Seen: 5 minutes ago
no name: Apple Inc. SIGid=fd6f 9.5m RSSI=-97
UUID=0000fd6f-0000-1000-8000-00805f9b34fb
08:55:43:99:BF:7A Last Seen: 35 seconds ago
no name: Apple Inc. SIGid=fd6f 9.5m RSSI=-97
UUID=0000fd6f-0000-1000-8000-00805f9b34fb
01:09:63:BF:05:C9 Last Seen: 13 seconds ago
no name: Apple Inc. SIGid=fd6f 15.0m RSSI=-101
UUID=0000fd6f-0000-1000-8000-00805f9b34fb
17:01:01:28:95:EF Last Seen: 40 seconds ago
no name: Apple Inc. SIGid=fd6f 13.4m RSSI=-100
UUID=0000fd6f-0000-1000-8000-00805f9b34fb
29:B8:6B:D1:F0:16 Last Seen: 22 seconds ago
no name: Apple Inc. SIGid=fd6f 9.5m RSSI=-97
UUID=0000fd6f-0000-1000-8000-00805f9b34fb
1D:81:2F:B1:88:52 Last Seen: 28 seconds ago
no name: Apple Inc. SIGid=fd6f 10.6m RSSI=-98
UUID=0000fd6f-0000-1000-8000-00805f9b34fb
01:17:D1:C8:5C:5A Last Seen: 11 seconds ago
no name: Apple Inc. SIGid=fd6f 4.8m RSSI=-91
UUID=0000fd6f-0000-1000-8000-00805f9b34fb
3A:47:A5:67:FE:C3 Last Seen: 24 seconds ago
no name: Apple Inc. SIGid=fd6f 8.5m RSSI=-96
UUID=0000fd6f-0000-1000-8000-00805f9b34fb
0C:05:D0:F9:73:93 Last Seen: 7 seconds ago
2 devices added / total 12 chip(12)
2022/12/09 12:57:15

OUI（ベンダーコード）	製造者（ベンダー）
00-00-0E	富士通（FUJITSU LIMITED）
00-00-39	東芝（TOSHIBA CORPORATION）
00-00-4C	NEC（NEC CORPORATION）
00-06-5B	DELL（Dell Computer Corp.）
00-0F-12	パナソニック（Panasonic Europe Ltd.）
78-84-3C	ソニー（Sony Corporation）
00-00-87	日立（HITACHI, LTD.）

ロ・カンプラ博士の説明です。
「接種済の多数の人が発するＭＡＣアドレス　６つの文字と数字の組み合わせを簡単に入手できます」

カンプラ教授はワクチンのサンプルを独自に分析し、ResearchGateに酸化グラフェンに関する明確な発見を掲載しました。

マイクロラマン分光法と呼ばれる手法を使用して、ワクチンのランダムサンプルに酸化グラフェン構造が存在することを示す十分な証拠を発見したといいます。カンプラ博士は、ワクチンで観察された酸化グラフェンの微細構造が、無線ナノセンサーネットワークの構成要素である可能性を推測しました。

調査では、「これらのシステムが完全に組み立てられることを見ることはできなかったが、このシステムは、体内に注入された後、自動的に組み立てられる。

酸化グラフェンは時間の経過とともに劣化する可能性があるために、このシステムは人によってダウンロードされている場合とそうでない場合がある。そのためにワクチンを複数回接種させる必要があるのだろう。そのための新しい変異種だ」

　ということで、画像では四角いチップに見える極小ナノルーターとナノセンサーなる異物がワクチン接種で注入されて以降、人によって「ダウンロードされていない場合」、「ダウンロードされている場合」のいずれかになっていますが、ブルートゥース・デバイスになっていない幸いな人も大勢いるようです。パソコンでもよく起きる現象ですが、「ダウンロード失敗」同様の人は、ワクチンを接種してもダウンロード失敗で信号を発信していない、

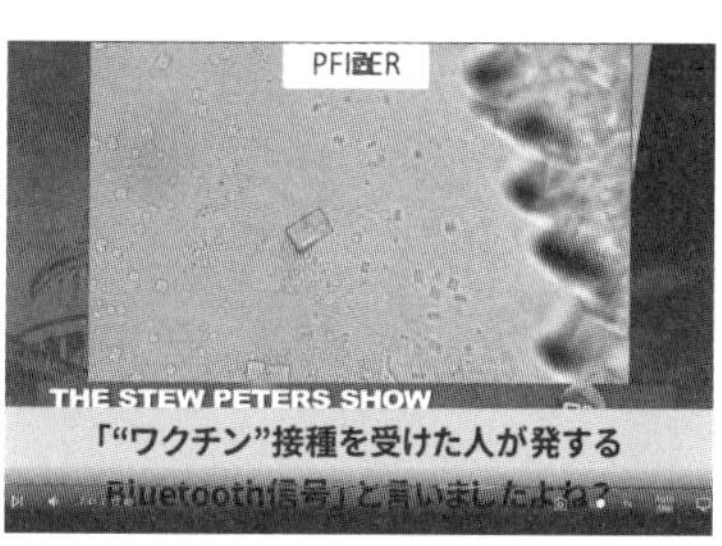

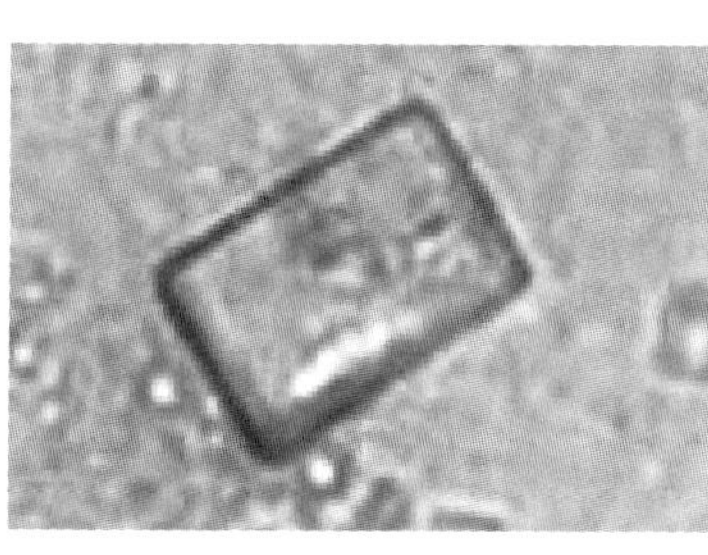

運良く監視外のようです。

次に、有名な大型ホームセンターでスキャンしました。凄い数のヒットです。特にCHIP NEARモードでは、身近な店員さんや、エスカレーター背後でこっそりスキャンした見知らぬお客さんたち、結果、全員がヒットし、その距離も正確に0・4mや0・8mなどの単位で表示されました。スキャンするには結果表示まで15秒かかります。15秒間は背後接近の完全ストーカーです。気付いたら、ミイラ取りがミイラになるように、自分が「OKグーグル」の背後でAI盗聴する変態みたいに感じます。

ホームセンターでの結果、ショックが大きいです。このアプリが本物なら、日本人の8割がコロナワクチン接種済みという発表は本当です。ワクチンを受けたのに、チップ体内自動製造に失敗したダウンロード失敗者（無反応者）は確かにいますが、多くはないようです。

結局、神様はすべての人の行動を知られ、御使いを通じて24時間監視されていますが、それは罪と悪魔と災いから人類を守る愛の監視です。神様になりたくて、なれなかった反抗者のサタンは神様に真似て、同じように人をすべて24時間監視したい、奴隷ゾンビ化したい。その狂った野望が666刻印による行動監視システムなのだと思います。

このナノルーターとナノセンサーとブルートゥース信号による機能の一番怖いことは、ワクチンで注入後、体内で完成したチップの遠隔爆破操作です。

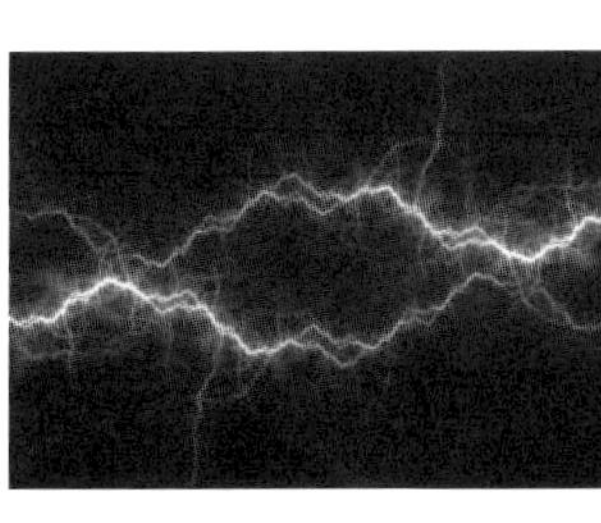

電子レンジにアルミホイルで包んだおにぎりやイモを入れて稼働すると、バチバチとアルミホイルが火花を散らすことをご存知でしょう。アルミニウム塩は、ワクチンの有効性を増強させるアジュバントと呼ばれる添加物として、古くから使用されていることは周知の事実です。ワクチン含有の酸化グラフェンは血液脳関門を突破して、ワクチン成分や寄生虫までも脳内に到達できるように行き渡らせます。グラフェン内の完成チップやアルミニウム塩が脳内の血管に留まった脳梗塞状態で、悪意ある連中が5Gを強力照射でその人物にピンポイント

発信すると、電子レンジ内のアルミ爆破同様、脳内でバチッと爆破します。

医学は「脳梗塞でした」と死因特定するでしょうが、実はこのような仕組みによる他殺の突然死がどれほど多く起きているでしょうか。最悪、軍人は、ほぼワクチン接種強制です。戦時中、敵軍を倒すに武器は要らない、5Gあるいは6Gの強力照射で軍隊さえもコントロール、あるいはその場によじれて回転させながら倒せます。監視社会はすぐそこ。

ショッキングな現実！　ワクチンチップ保有者は日本人だけ！　韓国人は無反応！
チップチェッカーで確認！　人体実験、経過観測中の日本国民

ヘンリー・メイコウ氏によると、酸化グラフェンは血液脳関門を突破して、脳に入り込んだ磁性ナノ粒子・酸化グラフェンを媒介に、5Gでコントロールされ、思考や行動を操作されるといいます。

生物統計学者リカルド・デルガドとホセ・ルイス・セビジャノ博士によると、酸化グラフェン磁性ナノ粒子を接種した被験者は、5G範囲内のある周波数にチューニングすることによって精神的に操作することができ、感情、思考、実際には存在しないものを感じ、考え、見ることができます。彼らは偽の思い出を記憶させたり、既存の思い出さえ削除できるそうです。

ロシアのハッカー集団Hal Turnerが驚愕の発表をしました。ダークウェブでワクチン接種済み者の個人情報をハッキングで大量キャッチしたといいます。彼らが発見した公開情報は、個人のバイタルサインや正確なＧＰＳ座標、そのチップ保有者が今寝ているのか起きているのかなどの動きがリアルタイムでアップロードされているデータベースです。個々人の情報が数値化されて整然と無数に並んで絶えず更新されながらモニター上で動いています。

ワクチン接種済み者で運悪くダウンロード化されチップが稼働した人は、このA_Tific_al Int_lligence 5Gシステムによってリアルタイムで追跡されています。彼らは送信機となり、自分自身に関するすべての情報を母艦、つまりＡＩ受信機に

送信しているのです。また、人の内部にあるファームウェア、CPU情報、プロセッサの正確な情報も表示されています。

先日、韓国に行きましたが、機内や現地で衝撃的な事実を大発見しました。

こっそり写真撮影。ほぼ最後の席まで満席でしたが、行きも帰りも乗客は9割以上が韓国人。帰国時、成田国際空港の入国審査で外国人と日本人が並ぶ場所が違うので一見して分かりますが、日本人旅行者はわずかで、外国人レーンは韓国人の大行列でした。

チップチェッカーを開いて機内でスキャンしました。機内搭乗者は9割以上が韓国人、検索結果のチップ保有者はほとんどいません!

日本国内で見たことのなかったレア現象です。韓国到着後も、人の集まる市役所、病院、公的機関、銀行、市場、満員バス車内、その他どこで検索しても赤く表示されるはずのチップ保有者は全くヒットしません。当初は飛行機だから電波が強制遮断されてそうなるかと思いましたが、韓国到着後、空港を離れるとヒットしません。4回もワクチンを受けたという韓国人たちに直にスキャンしても誰もヒットしません！　まれに検索にかかる人がいたら、それは日本人！　まるで、チップチェッカーは韓国内での日本人探知の日本人発見機のようです。

どうやら韓国で使われたK防疫ワクチンと日本で使われたワクチンがメーカー違いか、同じメーカーであっても内容物が違うようです。日本人だけが治験の人体実験で監視チップを入れられているのです！　韓国内ではチップを入れないワクチンが打たれていたようです！　しかし、寄生虫は韓国のワクチンにも入っていると確信しました。というのは、あの不死なる寄生虫ヒドラを表すクモのオブジェが韓国の飛行場にも堂々と安置されているのを見たからです。画像は六本木ヒルズのオブジェですが、世界中で寄生虫混入ワクチン配布の地域では必ずこの気味悪クモのオブジェが置いています。韓国の飛行場内にも小さいのが通路脇に置いてました。

クリスチャン人口が3割以上とか、大教会も多いから国民への、とりなし祈りが多くあって特別に守られているのか、反対に日本は祈りと教会が乏しいから標的に実験台として選ばれて、やられたのか、などと考えながら悲しくなりました。

もう一点韓国で気付いたことは前大統領の赤化政策の結果、反日のあげく日本車は現在ほぼ韓国市場から完全消滅しました。10年前なら見た目、3割くらいは日本車でしたが、今ではレクサスの高級車を数台、見かけた以外は、どこに行ってもすべて韓国製の見慣れないセダン車ばかりです。ベンツやアウディ、ボルボなども多数ありますが、日本車はないです。軽自動車がアメリカや韓国にないのは昔と変わりませんが、日本車が完全排除されたのは反日運動の結果です。アメリカだって日本車をよく見かけます。そう考えると、反日デモの背後には、このような理由から韓国自動車メーカーも積極的に加担していたと思います。事実、日本製にとって代わって空白を満たして儲けているのが韓国製ですから。同じ原理で、車だけでなくあらゆる分野で日本製品締め出し運動が国家主導で行われたのは、内需拡大の思惑があったのでしょう。実に子供たちの使う鉛筆に至るまで。

ご存知ですか？　あの忌まわしい日本国民を狂わせて滅ぼすパチンコ業界について。在日組織によって仕掛けられたパチンコギャンブルの収益は、かつては日本の国家予算に匹敵するほど巨額で、政治家をワイロで動かしながら北朝鮮と韓国に流れているといわれます。中でも最大派閥●ル●ン、その意味は●ルは日本の国旗の日の丸を指し、●ンは韓国の意味ハングクを掛けていると言いますが、本当の意味は、反対、反日の●ンでしょう。パチンコ業界とは、●ル●ンなどといいながら、日の丸反対の反日抗争を今でも意思表明して事実、日本国民を内部から愚弄と貧困化で崩壊させる悪魔の仕組んだ罠ではないでしょうか。

最近では、そのパチンコ業界も閉店が多く壊滅に追いやられようとしていますが、その圧力はアメリカが、韓国同様日本国内にもギャンブルカジノを導入したい、その意図から売国政治家を動かして法案を変えながら弾圧でギャンブル性をなくし、儲からないただの娯楽としての性質を強めて徐々に日本から排除しています。しかし、取って代わるのは同様に国民を狂わせて滅ぼすカジノの導入です。日本のタンス預金、個人が保有する金融資産がＤＳに狙われています。韓国ではカジノ導入以降、その街はホームレス急増で悲惨です。ギャンブル依存症患者の精神治療費のほうがギャンブル導入で増える税収以上に大きく、破産者と犯罪者も急増です。

さて、韓国内ではどこに行ってもヒットしないチップチェッカー、飛行機が2時間後、成田に到着しました。ジェット気流後押しで帰りは早い。飛行機を降りて、税関通過後、ゲート外、成田国際空港到着口から脱出、スキャン。

この時は、ＣＨＩＰ　ＮＥＡＲ設定で近い人でチップがある人だけヒットします。

結果はいきなり！　赤、赤、赤！

座ってスキャンしましたが、私の周りの椅子には数十人の日本人たちが座っていて23件がヒット。多分、そのまま23人くらいいます。うち23件全員がチップ保有者です！　日本では１００％、皆がヒットしました！　本当です。

信じられない方は一度、韓国旅行の際にテストしてください。

読者の皆様以外は誰も知らない真実、あまりのショックに心が痛くなります。

私の知り合いワクチン接種者３人が、献血セン

ターで献血できる最大量の４００ccを採血しました。というのは、私が彼らの要請でチップチェッカーで確認したところ、チップが確実にあると判明したため、それを出そうと献血しました。医療関係者の話では、採血した血液は必ず機械にかけてふるい、精製されるので、その強い遠心機の使用時にマイクロチップも破壊されるのでは、とのことです。つまり出した自分の血からは他人にチップが引っ越ししない可能性があります。もし、読者の皆様でワクチン接種者がおられましたら、自分が生きるために血液浄化目的の献血もお勧めです。赤十字血液センターによると、コロナ禍で献血者が激減して輸血用血液の在庫が需要の３割ほどしか集まらない非常事態だそうです。

汚染血液中にうごめく寄生虫なら入手困難になりつつあるイベルメクチン飲用で全面駆除できます。長尾和宏医師によると、イベルメクチンの先発薬を製造販売していた米メルク社が、インドのイベルメクチンジェネリック製造会社サンファーマ社を買収して、本物のイベルメクチンを購入できなくしているといいます。であれば、善は急げです。有害物質の酸化グラフェンなら１年くらい追加ワクチンを受けなければ自然代謝の尿や発汗で毒素は分解排除されます。しかし、チップだけは女性の生理以外、男性なら怪我の流血以外、排除法は見当たらないです。だからといって民間療法的に自分を刃物で傷付け、我慢して血を流しながら座っていてはいけません。ちゃんと助け合い運動、愛の献血があるではありませんか！

テフィリンを真似た塩つぶサイズのチップで刻印 騙すファルマケイア！　ギリシャ語で魔術は、魔法、呪文、薬物、薬の意味

２０２２年からペットの犬猫へのマイクロチップ装着が義務化されました。チップは１㎝ほどで専用リーダーを背中付近にかざすとチップ番号15桁が表示され、飼い主の名前や連絡先、ペット情報を調べることができます。

迷子や盗難、災害でペットが行方不明になっても、チップ情報確認で飼い主の元へ返せるのは便利です。環境省によると、２０２０年度に全国の動物愛護センターで引き取られた犬猫は7万２０００頭、このうち殺処分は2万３７００頭。マイクロチップ装着で捨てられるペットが減ることも期待されていますが、もしも、このペットへのチップ装着の動きが、人間に向けられたら終了。

「塩つぶサイズのチップを注射で埋め込み。超音波で電力供給と無線通信実現」

米コロンビア大学とオランダ・デルフト工科大学の研究チームが開発しました。超音波で電力供給と無線通信を行う超小型の温度センサー搭載シングルチップ。総体積0・1立方㎜以下という、塩つぶやダニに匹敵するサイズで、注射針で体内に移植し、生体信号のモニタリングを目指します。マウスの脳と後肢にチップを埋め込んだ温度測定の実験が行われた。将来的には、皮下注射針で人の体内に注入したチップが超音波を使用して体外と通信し、局所的に測定した生体情報を取得できるようにするという計画です。この画像にある針の先端に置かれている極小のチップがそれです。

ニュースのコメントには、「ワクチンにマイクロチップ（笑）とかバカにしてる人いたけど、実際に入ってる入ってないは別として、こういう技術は既に完成されているということがわかったよね」などが寄せられた。

出13:9 これをあなたの手の上のしるしとし、
またあなたの額の上の記念としなさい。

この針の穴の中に見える極小チップをよく見ると上下に四角い箱を重ねた額のテフィリンそっくりの形です。開発された塩つぶサイズのチップデザインは絶対テフィリンを真似て採用したはずです。これが額と手の中に入れられるのが６６６刻印でしょうか。

ヨハネの黙示録13：16「また、小さい者にも、大きい者にも、富んでいる者にも、貧しい者にも、自由人にも、奴隷にも、すべての人々にその右の手かその額かに、刻印を受けさせた。」

本来の聖書の教えは、右手と額に６６６の獣の刻印ではなく、律法では、聖書の言葉を小さな箱に入れて、革ひもで左手と額に結びつける場所であり、いつも聖書の言葉を額の念頭に愛の祈りの手を合わせる象徴的な場所です。悪魔はいつも聖書と正反対のことを真似して左手と額でなく右手と額に刻印です。神様に反抗する天敵です。

アスクレピオスの杖
ギリシア神話の名医アスクレピオスの持つクスシヘビの巻きついた杖

WHOのロゴマークは国際連合のロゴがベース
1945年12月10日、米国議会は国連常設本部の米国国内への設置を招請。総会は敷地購入のためジョン・D・ロックフェラー2世から850万ドルの寄付を受け入れた。寄付に呼応して、ニューヨーク市は敷地面積18エーカーを寄贈した。

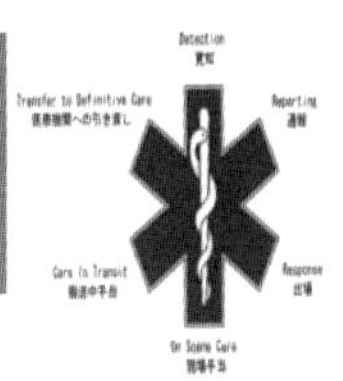

Bluetooth

出エジプト記13：9「これ（聖書の言葉）をあなたの手の上のしるしとし、またあなたの額の上の記念としなさい。それは主のおしえがあなたの口にあるためであり、主が力強い御手で、あなたをエジプトから連れ出されたからである。」

WHOのロゴに米印に近いものが含まれています。これにBLUETOOTHの頭文字Bが合わさると、BLUETOOTHのロゴマークです。つまり国連とWHOとBLUETOOTHはすべてつながっているのです。

大半のワクチン接種者の体内に形作られたチップはこのブルートゥース信号を通じて個人情報が支配者側に24時間、発信され監視されています。近年、ストーカーという言葉が身近になりましたが、この言葉自体、このような悪魔連中の人体チップ内蔵計画によるストーカー行為を事前予告していたかのようです。

元祖ストーカーの悪魔は、イエス様の時代にも18年間も一人の女性の腰を曲げて、悩ませていました。悪魔は18年間もチップのように離れないで腰痛担当、馬鹿らしくないのでしょうか？　私なら絶対嫌です。

ルカによる福音書13：11－16「すると、そこに十八年も病の霊につかれ、腰が曲がって、全然伸ばすことのできない女がいた。イエスは、その女を見て、呼び寄せ、「あなたの病気はいやされました」と言って、手を置かれると、女はたちどころに腰が伸びて、神をあがめた。すると、それを見た会堂管理者は、イエスが安息日にいやされたのを憤って、群衆に言った。「働いてよい日は六日です。その間に来て直してもらうがよい。安息日には、いけないのです。」しかし、主は彼に答えて言われた。「偽善者たち。あなたがたは、安息日に、牛やろばを小屋からほどき、水を飲ませに連れて行くではありませんか。この女はアブラハムの娘なのです。それを十八年もの間サタンが縛っていたのです。安息日だからといってこの束縛を解いてやってはいけないのですか。」

現代医学のシンボルＷＨＯのロゴは、棒に巻きついた蛇です。蛇は現代医学の象徴であり、毒蛇が良いものであるはずがない悪魔の象徴です。蛇もまたギリシャ神話由来ですが、それは聖書では悪魔の象徴であり、間違った宗教であり、神話は悪魔の偽りです。

ロックフェラーが国連の土地も寄付提供で支配下に置き、ＷＨＯを使って現代の大手製薬会社の都合のいいスタイルに西洋医学を形作ったのです。その際に、自然治療のホメオパシーや免疫治療など排除して、寄付金バラマキで大学の御用学者とメディア支配をなし、石油由来の薬やマスタードガス由来の抗がん剤を普及させました。抗がん剤のゆえに低体重児と障害児が急増しています。そしてブルートゥース信号で監視しています。

騙されたのは、「すべての国々と民」と聖書にありますが、ワクチン普及率が高い日本や韓国ではワクチンゆえの病気などで戦後最大の死者数増加です。英オックスフォード大学調査によると、１００人当たりのワクチンのブースター接種回数は、日本の場合１３５・９回とG7中、圧倒的に高く、ＷＨＯの統計でも、日本の感染者数は、２０２２年11月から10週連続で世界最多です。米国の2倍以上多く、世界で最もワクチンを打っている日本が、世界で最も新型コロナに感染しています。

ここ数年来、こんな因果関係話、陰謀だとあざ笑いながら異常な病気に罹って倒れた人を何人も知っています。命に関わる異常事態にいち早く気付いて心に留め、真剣に対応するのが賢い人ではないでしょうか。

マタイによる福音書7：16－20「あなたがたは、実によって彼らを見分けることができます。ぶどうは、いばらからは取れないし、いちじくは、あざみから取れるわけがないでしょう。同様に、良い木はみな良い実を結ぶが、悪い木は悪い実を結びます。良い木が悪い実をならせることはできないし、また、悪い木が良い実をならせることもできません。良い実を結ばない木は、みな切り倒されて、火に投げ込まれます。こういうわけで、あなたがたは、実によって彼らを見分けることができるのです。」

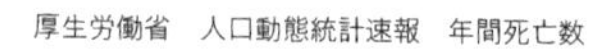

厚生労働省　人口動態統計速報　年間死亡数

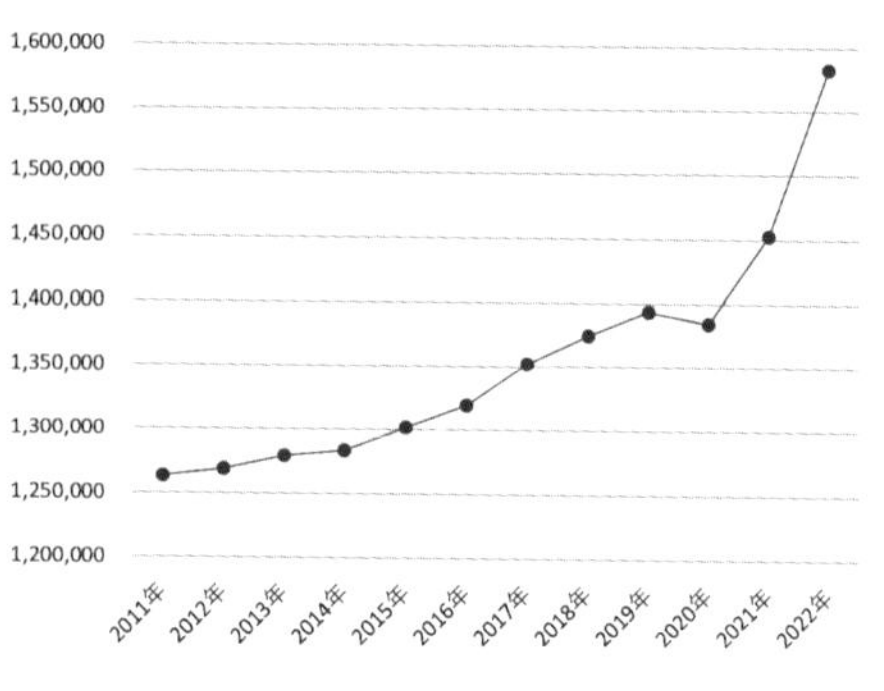

ワクチンの結果、結ばれた実が戦後最大の死者数と不妊、中絶、病気蔓延。

見分ける基準の結実を見ると、接種率最高結果は、盗み、殺し、滅ぼすばかりの悪魔です。悪魔はやがてイエス・キリストによって滅ぼし尽くされます。

ヨハネの黙示録19：20「獣は捕らえられた。また、獣の前でしるしを行い、それによって獣の刻印を受けた人々と獣の像を拝む人々とを惑わしたあのにせ預言者も、彼といっしょに捕らえられた。そして、このふたりは、硫黄の燃えている火の池に、生きたままで投げ込まれた。」

ヨハネの黙示録20：4「また私は、多くの座を見た。彼らはその上にすわった。そしてさばきを行う権威が彼らに与えられた。また私は、イエスのあかしと神のことばとのゆえに首をはねられた人たちのたましいと、獣やその像を拝まず、その額や手に獣の刻印を押されなかった人たちを見た。彼らは生き返って、キリストとともに、千年の間王となった。」

Part

大手製薬会社に殺される時代の必須サバイバル知識

第8章

人工地震の犯人たちは、天体の動きと聖書を参考に犯行を繰り返す！

反逆者たちのやり方！　本当のクリスマスの日時はBC3年9月11日、わざとこの日に9・11テロを起こした!?

ヨハネの黙示録12：1－6　「また、巨大なしるしが天に現れた。ひとりの女が太陽を着て、月を足の下に踏み、頭には十二の星の冠をかぶっていた。この女は、みごもっていたが、産みの苦しみと痛みのために、叫び声をあげた。（この時期、星の超自然的集合で宇宙の太陽系の音、賛美が大きくなったかも）また、別のしるしが天に現れた。見よ。大きな赤い竜である。七つの頭と十本の角とを持ち、その頭には七つの冠をかぶっていた。その尾は、天の星の三分の一を引き寄せると、それらを地上に投げた。また、竜は子を産もうとしている女の前に立っていた。彼女が子を産んだとき、その子を食い尽くすためで

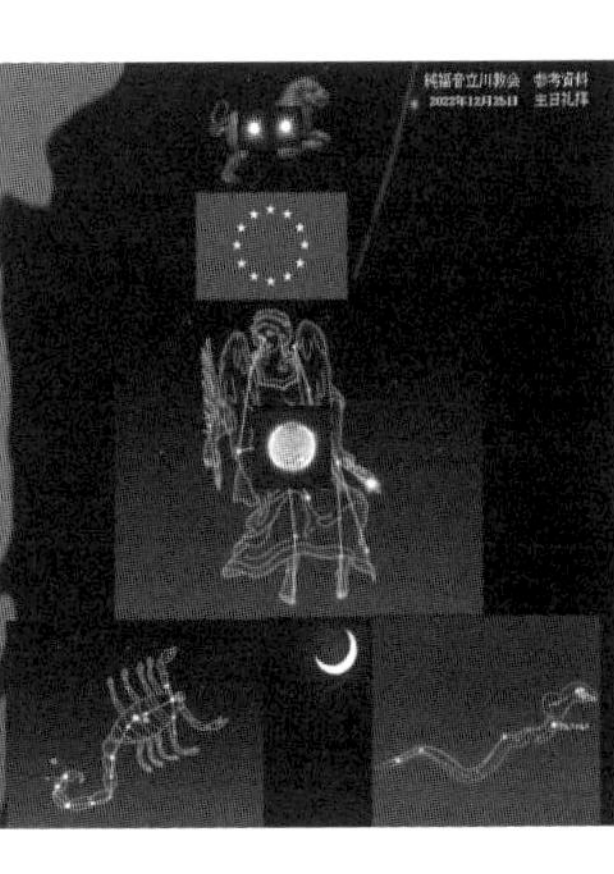

あった。女は男の子を産んだ。この子は、鉄の杖をもって、すべての国々の民を牧するはずである。その子は神のみもと、その御座に引き上げられた。女は荒野に逃げた。そこには、千二百六十日の間彼女を養うために、神によって備えられた場所があった。」

気象学者アーネスト・マーティンは、『世界を震撼させたベツレヘムの星』の著書で、イエス誕生の再計算を提案し、コンピューター・モデリングを元にこの星はヘブライ語でゼデク「義」と呼ばれる惑星の木星と指摘。

クリスマスに東方から礼拝に来た博士らは乙女座の星座を見、動く木星を見たと言います。新改訳で「博士ら」、口語訳で「占星術師」、ギリシャ語で「マゴス」と呼ばれる占星術の専門家たちは、クリスマスの訪問者ですが、実は元々、ゾロアスター教の秘儀を司る祭司を指す言葉から天文学者であり、魔術師であったと考えられます。英語の「マジック」はこの「マゴス」という言葉から派生しています。ゾロアスター教の祭司は炎に向かって礼拝するため、拝火教と呼ばれ、彼らは天体を観測して、その動きから個人だけではなく、国家の運命まで占うので国家の重要なポストにつけたバビロン政府の高官です。闇に光るものに敏感ゆえ夜空にひときわ不思議に輝く大きな星に注目したのでしょう。

歴史中ただ一度、おとめ座の腹部に太陽が重なり。真上に12星と王権の獅子座、王の惑星・木星と、王の星・レグルスも現れ、おとめ座の足元に月と赤いサソリ座とウミヘビ座が位置した時、蛇とサソリを踏み砕くイエス様が生まれました！

ヨハネが黙示録12：3で語る大きな赤い竜は、古代の竜座。

現代のさそり座と天秤座は、古代ではひとつの星座で、〝竜座〟でした。

コンピューターで星の運航履歴をさかのぼって調べた結果、全サインが一致するのは、歴史中、たった1回。BC3年9月11日、18時18分から19時39分の80分間だけです。

イスラエルとニューヨークの時差は7時間。巨大な星が集合して現れたエルサレムでの時刻19時は、ニューヨークでは昼12時です。マリアの生みの苦しみの悲鳴＝NY9・11同時多発テロが勃発した時刻は、ニューヨークで午前8時46分。それは、その後に星が並ぶ80分間の4時間前です。災害勃発後の4時間こそニューヨークでは、星が並んで黙示録の預言が実現するまでの4時間、人々が災害を嘆き悲しむ生みの苦しみだったのです。連中は本当のクリスマスが9月11日であることを知ったうえで、幸いなイエス聖誕に真逆な悪魔誕生的な災いを起こしたのです！　46分の出どころは、聖書の詩篇46編です。ここには大地震のことが書かれているから、悪魔崇拝者たちは、わざと9月11日午前8時46分にテロを起こしたのです。

詩篇46：1－2「神はわれらの避け所、また力。苦しむとき、そこにある助け。それゆえ、われらは恐れない。たとい、地は変わり山々が海のまなかに移ろうとも。」

666についても同様、怖い御言葉が多く反キリストの好むメッセージです！

創世記6：6「それで主は、地上に人を造ったことを悔やみ、心を痛められた。」

詩篇6：6「私は私の嘆きで疲れ果て、私の涙で、夜ごとに私の寝床を漂わせ、私のふしどを押し流します。」

伝道者の書6：6「彼が千年の倍も生きても、――しあわせな目に会わなければ、――両者とも同じ所に行くのではないか。」

エレミヤ書6：6「まことに万軍の主はこう仰せられる。『木を切って、エルサレムに対して塁を築け。これは罰せられる町。その中には、しいたげだけがある。』」

エゼキエル書6：6「あなたがたがどこに住もうとも、町々は廃墟となり、高き所は荒らされる。あなたがたの祭壇は廃墟となり、罪に定められる。あなたがたの偶像が砕きに砕かれ、あなたがたの香の台は切り倒され、あなたがたのしたわざは消し去られる。」

マルコによる福音書6：6「イエスは彼らの不信仰に驚かれた。それからイエスは、近くの村々を教えて回られた。」

ヨハネによる福音書6：66「こういうわけで、弟子たちのうちの多くの者が離れ去って行き、もはやイエスとともに歩かなかった。」

Ⅰ列王記10：14「一年間にソロモンのところにはいって来た金の重さは、金の目方で六百六十六タラントであった。」

人工地震の犯行グループは聖書を真似ています。それはサタン崇拝者たちだから、いつも聖書の数字にこだわって犯行を行ったのです。しかし、次の神様の約束を信じて恐れないでください。

イザヤ書41：９－14「わたしは、あなたを地の果てから連れ出し、地のはるかな所からあなたを呼び出して言った。『あなたは、わたしのしもべ。わたしはあなたを選んで、捨てなかった。』恐れるな。わたしはあなたとともにいる。たじろぐな。わたしがあなたの神だから。わたしはあなたを強め、あなたを助け、わたしの義の右の手で、あなたを守る。見よ。あなたに向かっていきりたつ者はみな、恥を見、はずかしめを受け、あなたと争う者たちは、無いもののようになって滅びる。あなたと言い争いをする者を捜しても、あなたは見つけることはできず、あなたと戦う者たちは、全くなくなってしまう。あなたの神、主であるわたしが、あなたの右の手を堅く握り、『恐れるな。わたしがあなたを助ける』と言っているのだから。恐れるな。虫けらのヤコブ、イスラエルの人々。わたしはあなたを助ける。主の御告げ。あなたを贖う者はイスラエルの聖なる者。」

ヨハネによる福音書16：33「わたしがこれらのことをあなたがたに話したのは、あなたがたがわたしにあって平安を持つためです。あなたがたは、世にあっては患難があります。しかし、勇敢でありなさい。わたしはすでに世に勝ったのです。」

666（反キリスト）、777（十字架）、888（イエス）

初代教会を迫害したローマ皇帝のネロ・カイサル　קסר נרון

קסר　נרון　名を数値変換すると、

ר（200）＋ס（60）＋ק（100）＋ן（50）＋ו（6）＋ר（200）＋נ（50）＝666です。

ギリシャ語でもネロ・カイサル Νερων Καεσαρ を数値変換すると、

Ν（50）＋ε（5）＋ρ（100）＋ω（800）＋ν（50）＋Κ（20）＋α（1）＋ε（5）＋σ（200）＋α（1）＋ρ（100）＝1332になりますが、1332＝

666+666です。

間違いなく皇帝ネロ・カイサルは初代、反キリストです。

次に、十字架　ΣΤΑϒΡΟΣ（スタウロス）をギリシア語で数値変換。ただし、最初の二文字ΣとΤを合字ΣΤで表します。というのは、古いギリシア語でΣΤはΣσ（シグマ）とΤτ（タウ）の合字（ΣΤστ）で、F_{F}（ディガンマ）という文字6を意味していました。

ΣΤ（6）+Α（1）+ϒ（400）+Ρ（100）+Ο（70）+Σ（200）=777です。

神様の名前であるイエスΙΗΣΟϒΣ（イエースース）をギリシア語で数値変換。

Ι（10）+Η（8）+Σ（200）+Ο（70）+ϒ（400）+Σ（200）=888です。

聖書で8は、新しい創造、救いを意味します。漢字で船を八つの口と書きますが、ノアと家族8人が大洪水の日に救われました。ゲマトリアでは0を数字に数えません。モーセは80歳から出エジプトリーダーとして民の救いのために新たに立ち上がりました。ダビデは8番目の末の子ですが、王となって栄え、救い主イエス様の系図に繋がる先祖となりました。イエス様は王としてロバの子に乗ってエルサレム入場された日から8日目の日曜日に復活されました。イエス888の名前が、新しい創造、救い主であることを暗示していました。

オリオン座のベテルギウス星、超新星爆発の預言

イザヤ書13：9－11「見よ。主の日が来る。残酷な日だ。憤りと燃える怒りをもって、地を荒れすたらせ、罪人たちをそこから根絶やしにする。天の星、天のオリオン座は光を放たず、太陽は日の出から暗く、月も光を放たない。わたしは、その悪のために世を罰し、その罪のために悪者を罰する。不遜な者の誇りをやめさせ、横暴な者の高ぶりを低くする。」

近年、オリオン座のベテルギウス星が、寿命を迎え、いつ超新星爆発が起こってもおかしくない状態だと科学者たちがいっています。もし、超新星爆発が起きたら、ベテルギウ

スは数カ月間、真昼でも肉眼で見られるほど光り輝き、その後、次第に光を失い、完全に見えなくなり消滅します。日の出から暗い太陽、ベテルギウスの消滅。聖書は２７００年前からそれが起きると預言しています。

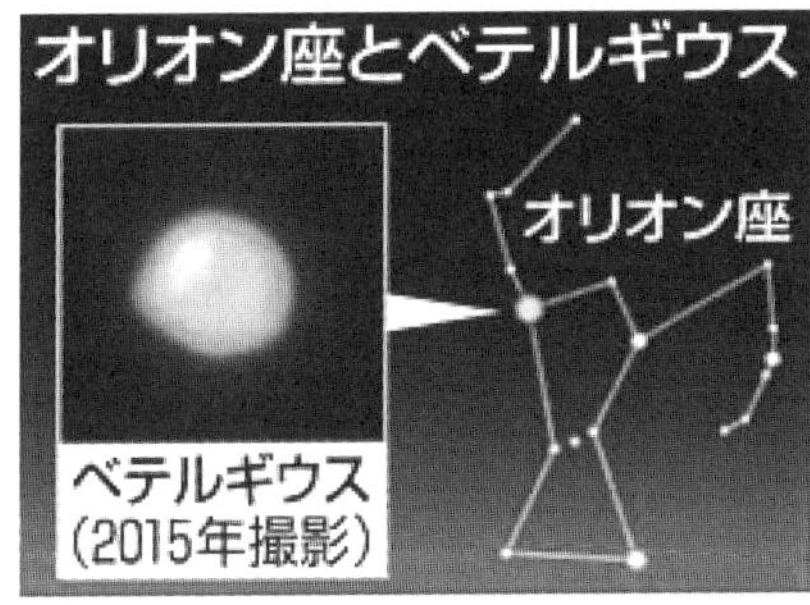

※写真はアルマ望遠鏡チームなど提供

２０２４年は関東大震災から１０１年目、首都直下地震、富士山の不意打ち噴火が起きないよう祈ります！

富士山の「不意打ち噴火」に「リスクあり」。富士山の噴火を想定した避難訓練などの対策が、周辺自治体で進んでいます。２００４年に政府が出した試算によると、富士山が大規模に噴火した場合、経済的被害額は2・5兆円。一方、他の専門家からは１００兆円、２００兆円になるという指摘も。毎年のように噴火リスクが指摘されていますが、考えたいのは人工的な災害です。ＤＳ連中は数字にこだわる宗教であり、特定の数字に関わって犯行に及びます。

例えば9・11と3・11を比較すると……両災害は10年後の現地時間で、ピッタリ6カ月差、6時間差。第二次大戦終戦から66年目……。

例えば１９１２年4月14日深夜、ニューヨークに向かっていた豪華客船タイタニック号が氷山に衝突。それから１００年後、２０１２年にイタリア中部沖のジリオ島付近で深夜に大型豪華客船コスタ・コンコルディアが座礁事故。負傷者60人以上。２０１２年は１９１２年のタイタニック号沈没事故から１００年目ですが、全長２９０ｍもの豪華客船コスタ・コンコルディアの座礁は、それを思い起こさせる大事故です。

こんな具合に特定の日を災害日にすることが多いです。

メキシコでＭ７超の大地震！　過去２度の震災と同じ日に！

２０２２年、メキシコ西部で９月19日、Ｍ７を超える大地震があり、震源から数百キロ離れた首都メキシコ市でも建物が揺れました。同国では１９８５年と、２０１７年の同じ日にも大地震が起きていて、１９８５年９月19日、メキシコ市近郊で起きたＭ８・１の大地震で約１万人が死亡。２０１７年の同日にはＭ７・１の大地震で、３７０人が死亡しました。いずれも９月19日で９１９といわれています。

他にも多数ありますが、こう考えると、１９２３年から１０１年目が２０２４年。

１９２３年って過去に何があったの？

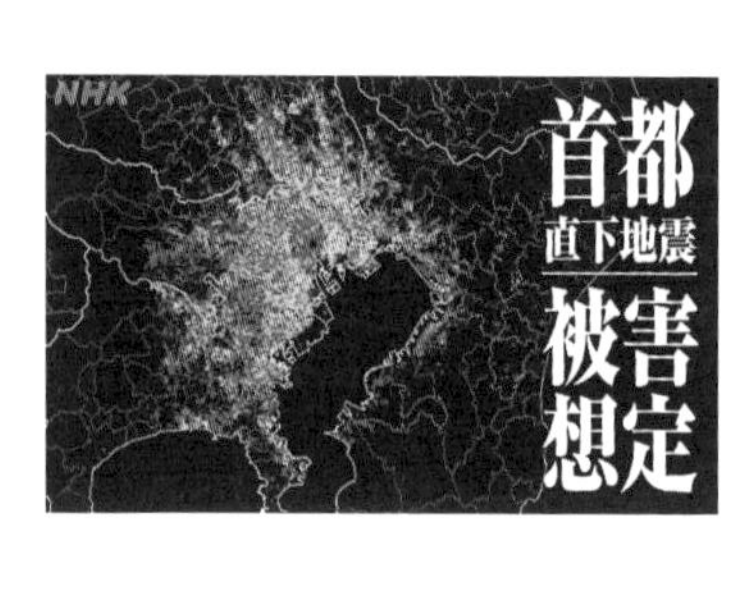

関東大震災は、1923年9月1日で91です。関東大地震によって南関東および隣接地で大被害をもたらし死者・行方不明者は推定10万5000人、明治以降、最大規模の被害でした。

首都直下地震の被害想定は死者約2万3000人。経済被害は95兆円に達すると想定。世界平均で年間4万人弱が地震の犠牲に、M8超の巨大地震は毎年発生しています。何事も起きないようイエス様に祈ります。

環太平洋火山帯（Ring of Fire）類似のエデンの園の東に置かれたケルビムと輪を描いて回る炎の剣

地球上の大地震の約80％は、火山活動が盛んなマグマの真上に位置することから「リング・オブ・ファイア（火の輪）」と呼ばれ、太平洋を取り囲む環太平洋火山帯の真上で頻繁に起きています。そこは日本列島も含んだ断層帯で岩盤が壊れてずれた断層が集まっている不安定な場所です。

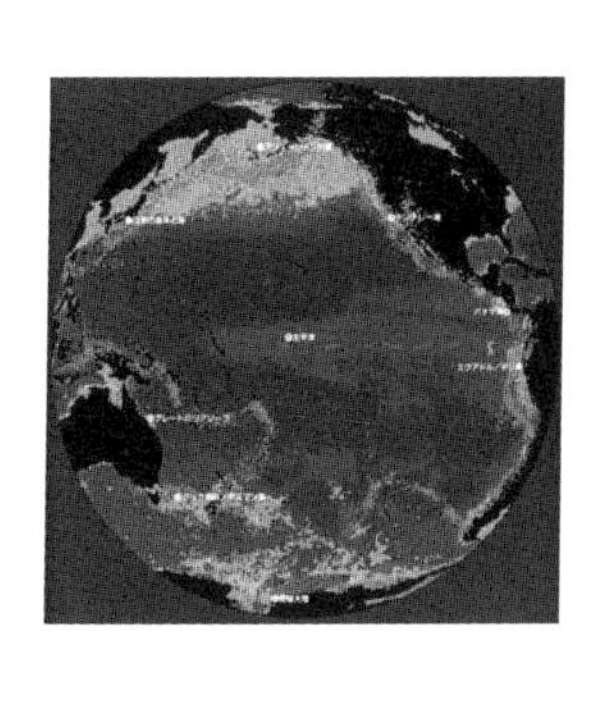

マグマの流れは全世界を包括していて、もはやどこで噴火が起きても不思議ではありません。地震多発の現実は、理由が天然であれ、人工であれ、世界の終わりの時期が来ている前兆です。

マタイによる福音書24：7－8「民族は民族に、国は国に敵対して立ち上がり、方々にききんと地震が起こります。しかし、そのようなことはみな、産みの苦しみの初めなのです。」

私たちの足下、地中深くには、炎のマグマ流がゆっくり太平洋を回る大きな輪となって、環太平洋火山帯（Ring of Fire）と環太平洋生命帯（Ring of Life）が重なり、ほぼ一致しています。

環太平洋火山帯とは、活発に活動する火山帯。環太平洋生命帯とは、生き物の生息密度の高い地域を表します。

不思議なことに紀元前5世紀から紀元前3世紀ごろにパレスチナで成立した文献「ヨブ記」のヨブは、地中700㎞真下の巨大な火のようなマントルの流れ、沸き返るマグマの存在を知っていたのです！　どうして？

ヨブ記28：5－8「地そのものは、そこから食物を出すが、その下は火のように沸き返っている。その石はサファイヤの出るもと、そのちりには金がある。その通り道は猛禽も知らず、はやぶさの目もこれをねらったことがない。誇り高い獣もこれを踏まず、たける獅子もここを通ったことがない。」

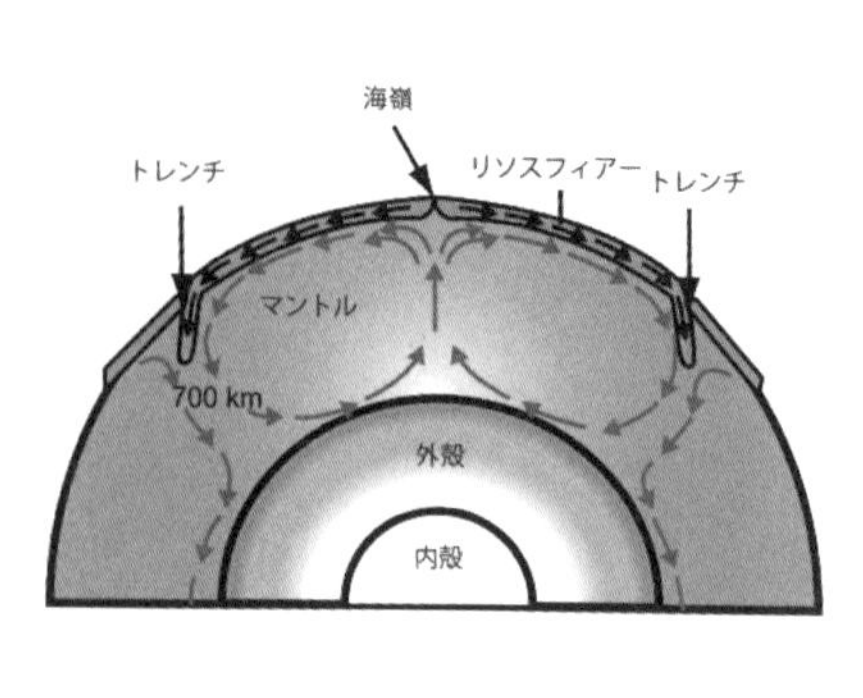

創世記にも、エデンを守るためにケルビムと輪を描いて回る炎の剣が置かれたといいますが、超巨大な円形マグマの流れ、環太平洋火山帯（Ring of Fire）これが、よく似ています。太平洋を中心に地中深く炎のマグマはつながっていて円形になっています！　もし、このマグマの輪に触れようものなら誰でも

即死する巨大な「輪を描いて回る炎の剣」です。

創世記3：22－24「神である主は仰せられた。『見よ。人はわれわれのひとりのようになり、善悪を知るようになった。今、彼が、手を伸ばし、いのちの木からも取って食べ、永遠に生きないように。』そこで神である主は、人をエデンの園から追い出されたので、人は自分がそこから取り出された土を耕すようになった。こうして、神は人を追放して、いのちの木への道を守るために、エデンの園の東に、ケルビムと輪を描いて回る炎の剣を置かれた。」

イエス様の再臨から始まる天国エデンの祝福に入るには、どうしても一度は炎のまわる剣の輪を通過します。回転する炎の剣を通過したら、これに触れるだけで人は燃え上って焼かれ、切られ、即死します。人にとってもっとも厳しい回る炎の剣の通過とは、死の体験です。それは誰でも生涯で一度は体験する大病や事故など、人それぞれに定められた厳しい心焼かれる死の試練体験です。その後、イエス様を信じていれば、体は滅びても霊魂は死後に天国エデンに入れます。人にとって死はつらい体験ですが、一度はみんな体験し

なければなりません。覚悟して火の輪に入らなければなりません。

世界の最後に地上の楽園エデンの園同様の千年王国に入場するために、全地も一度はこのような厳しい炎の輪を通過しないとならないのでしょうか。

それは大地震連動のマグマ炎が盛んに激しく回っては、噴き出て燃え上がる大噴火の地質学的な厳しい試練です。地球内部には巨大マグマだまりが眠っています。噴出口となる900もの活火山が存在し、地球地殻の表層下で炎の海があふれかえっています。それは、如何なる文明都市をも瞬時に破壊し、島全体を水面下に沈める焼き尽くす火です。

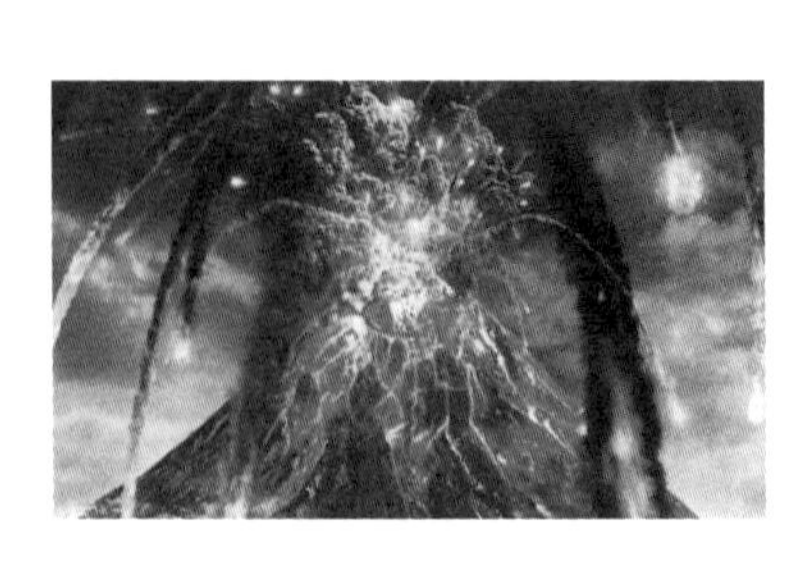

聖書は地上最後の大地震をこう預言します。

ヘブライの手紙12：26－29「あのときは、その声が地を揺り動かしましたが、このたびは約束をもって、こう言われます。『わたしは、もう一度、地だけではなく、天も揺り動かす。』この『もう一度』ということばは、決して揺り動かされることのないものが残るために、すべての造られた、揺り動かされるものが取り除かれる

創1:9「天の下の水が一所に集まれ」
パンゲア大陸大移動 ノアの大洪水の後
詩104:8「山は上がり、谷は沈みました。」
環太平洋火山帯の噴火で地殻大変動！
すると再び全地が一つの大陸に戻ります。
ゼカ14:10「エルサレムは高められ、
もとの所にあって」2500年前の聖書預言

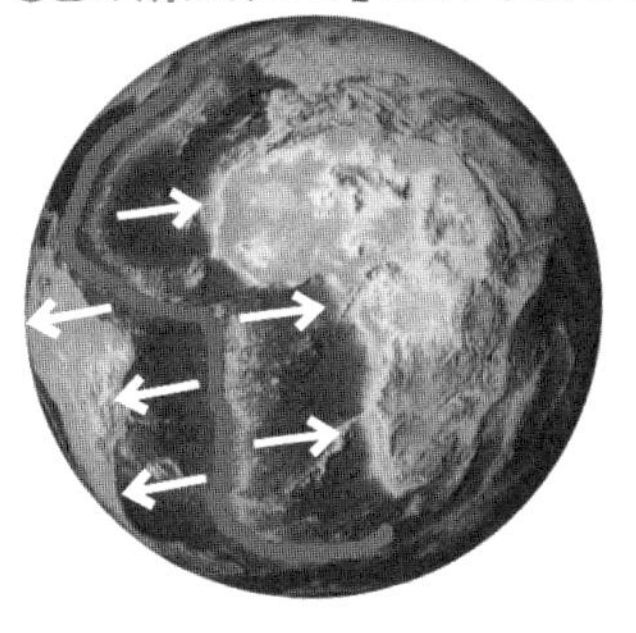

ことを示しています。こういうわけで、わたしたちは揺り動かされない御国を受けているのですから、感謝しようではありませんか。こうして私たちは、慎みと恐れとをもって、神に喜ばれるように奉仕をすることができるのです。私たちの神は焼き尽くす火です。」

大地が裂け、マントルのマグマが地表に大噴火で噴出する地殻大変動の大地震が必ず地球最後に起きます。

創世記１：９－10「神は仰せられた。『天の下の水が一所に集まれ。かわいた所が現れよ。』そのようになった。神はかわいた所を地と名づけ、水の集まった所を海と名づけられた。神はそれを見て良しとされた。」

最初の地球は海は一所に集まり、当然、丸い地球で乾いた陸地も一所のパンゲア大陸でした。南アメリカとアフリカがジグソーパズルのように一致することや、両大陸沿岸に同じ生態の動物や植物の化石が多数あることなどを証拠に１９１２年、気象学者アルフレート・ヴェーゲナーがこれを発表しました。大西洋中央に大陸の形に沿って縦長に移動前の痕跡、浅瀬部分が人工衛星画像で現在も見えます。そのラインを中心に左右分割されて両サイドに大陸移動したのです。それはノアの大洪水が終わり、全地から水が引くために起こされた地殻大変動の時です。

詩篇１０４：６－９「あなたは、深い水を衣のようにして、地をおおわれました。水は、山々の上にとどまっていました。水は、あなたに叱られて逃げ、あなたの雷の声で急ぎ去りました。山は上がり、谷は沈みました。あなたが定めたその場所へと。あなたは境を定め、水がそれを越えないようにされました。水が再び地をおおうことのないようにされました。」

日本海溝、海淵が亀裂の深みを増して水は下り、山々は標高を増して、全地を覆った大洪水の濁流から新たな陸地が現れたのです。こうして七つの海と五つの大陸といわれる現在の地球になったのですが、世界の終焉には、もう一度、正反対の動きが起き、大陸は創世当初のエデンの園のように一つに戻ります。

ゼカリヤ書14：６−11「その日には、光も、寒さも、霜もなくなる。これはただ一つの日であって、これは主に知られている。昼も夜もない。夕暮れ時に、光がある。その日には、エルサレムから湧き水が流れ出て、その半分は東の海に、他の半分は西の海に流れ、夏にも冬にも、それは流れる。主は地のすべての王となられる。その日には、主はただひとり、御名もただ一つとなる。全土はゲバからエルサレムの南リモンまで、アラバのように変わる。エルサレムは高められ、もとの所にあって、ベニヤミンの門から第一の門まで、隅の門まで、またハナヌエルのやぐらから王の酒ぶねのところまで、そのまま残る。そこには人々が住み、もはや絶滅されることはなく、エルサレムは安らかに住む。」

「エルサレムは高められ、もとの所」つまり創世当初の世界の中心位置に戻ります。ですから、この巨大な大陸大移動の地殻変動の際に、全地を動かす強大なパワーが必要なのです。そこで！　あの環太平洋火山帯（Ring of Fire）が「ケルビムと輪を描いて回る炎の剣」となって大噴火で大暴れするのではないでしょうか！

ペテロの第二の手紙3：9－13「主は、ある人たちがおそいと思っているように、その約束のことを遅らせておられるのではありません。かえって、あなたがたに対して忍耐深くあられるのであって、ひとりでも滅びることを望まず、すべての人が悔い改めに進むことを望んでおられるのです。しかし、主の日は、盗人のようにやって来ます。その日には、天は大きな響きをたてて消えうせ、天の万象は焼けてくずれ去り、地と地のいろいろなわざは焼き尽くされます。このように、これらのものはみな、くずれ落ちるものだとすれば、あなたがたは、どれほど聖い生き方をする敬虔な人でなければならないことでしょう。そのようにして、神の日の来るのを待ち望み、その日の来るのを早めなければなりません。その日が来れば、そのために、天は燃えてくずれ、天の万象は焼け溶けてしまいます。しかし、私たちは、神の約束に従って、正義の住む新しい天と新しい地を待ち望んでいます。」

こうして完成される新大陸、これがイエス・キリストと空中7年携挙（けいきょ）された聖徒たちの降りてくる地上再臨の土台となり、その後のエデンの楽園復活の新しい千年王国になるのです。

ゼカリヤ書14：3－5「主が出て来られる。決戦の日に戦うように、それらの国々と戦われる。その日、主の足は、エルサレムの東に面するオリーブ山の上に立つ。オリーブ山は、その真ん中で二つに裂け、東西に延びる非常に大きな谷ができる。山の半分は北へ移り、他の半分は南へ移る。山々の谷がアツァルにまで達するので、あなたがたは、わたしの山々の谷に逃げよう。ユダの王ウジヤの時、地震を避けて逃げたように、あなたがたは逃げよう。私の神、主が来られる。すべての聖徒たちも主とともに来る。」

オリーブ山には、その真ん中で二つに裂ける活断層があることが現代の地質調査団によって知られています。今年のトルコ・シリア大地震M7・8で活断層によって地表が史上最大9・1m水平方向に横ずれして深さ40－50m、長さ300mの谷が出現しました。しかも預言的にトルコの現場は将来のエルサレムのオリーブ山同様、オリーブ園が真っ二つでした。その日にはそれ以上の

南北移動が起きることでしょう。

イザヤ書64：1－3「ああ、あなたが天を裂いて降りて来られると、山々は御前で揺れ動くでしょう。火が柴に燃えつき、火が水を沸き立たせるように、あなたの御名はあなたの敵に知られ、国々は御前で震えるでしょう。私たちが予想もしなかった恐ろしい事をあなたが行われるとき、あなたが降りて来られると、山々は御前で揺れ動くでしょう。」

ところで2500年前のゼカリヤは、断層トレンチ調査や物理探査に必要な地中レーダー探査装置も高分解能マルチチャンネル音波探査装置もない時代に、何でオリーブ山分割の活断層の存在を知っていたの？　誰か教えて。

第9章

日本で脳細胞が未発達の乳幼児激増の理由は、抗ガン剤（マスタードガス）である！

抗がん剤の起源は毒ガス！
抗がん剤の作用で脳細胞発達阻害、低体重児急増中！

２００６年に発達障害児７千人が、２０１９年には10倍の７万人を超えた理由とは?!

瀬戸内海には７００以上の島々が浮かんでおり、「大久野島（おおくのしま）」はその中のひとつ。広島県の太平洋側の街、竹原市の南に位置する周囲４・３㎞の小さな島です。

かつては「地図から消された島」という過去を持ちますが、現在は国立公園に指定されています。島内に生息する約９００羽ものうさぎを見て癒やしを得るために、国内外から多くの観光客が押し寄せる人気のスポットです。

「ウサギの島」でウサギ激減
ウサギの島「大久野島」
4年前には900匹以上のウサギが生息
➡現在は半分以下の400匹に

RABBIT ISLAND JAPAN
大久野島

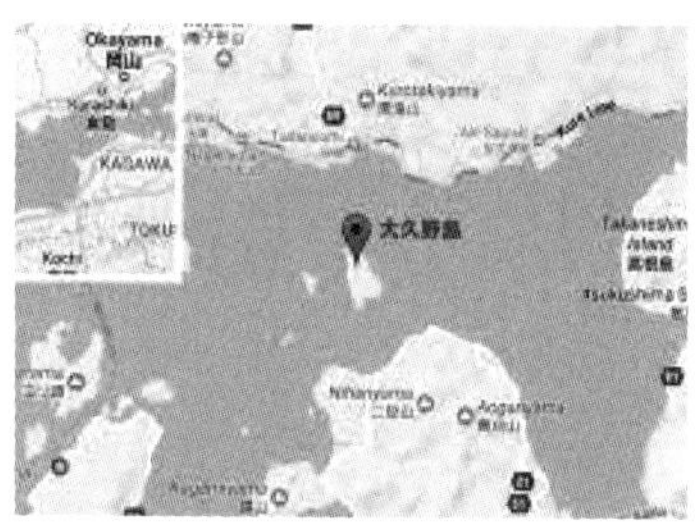
Okayama
岡山
KAGAWA
大久野島

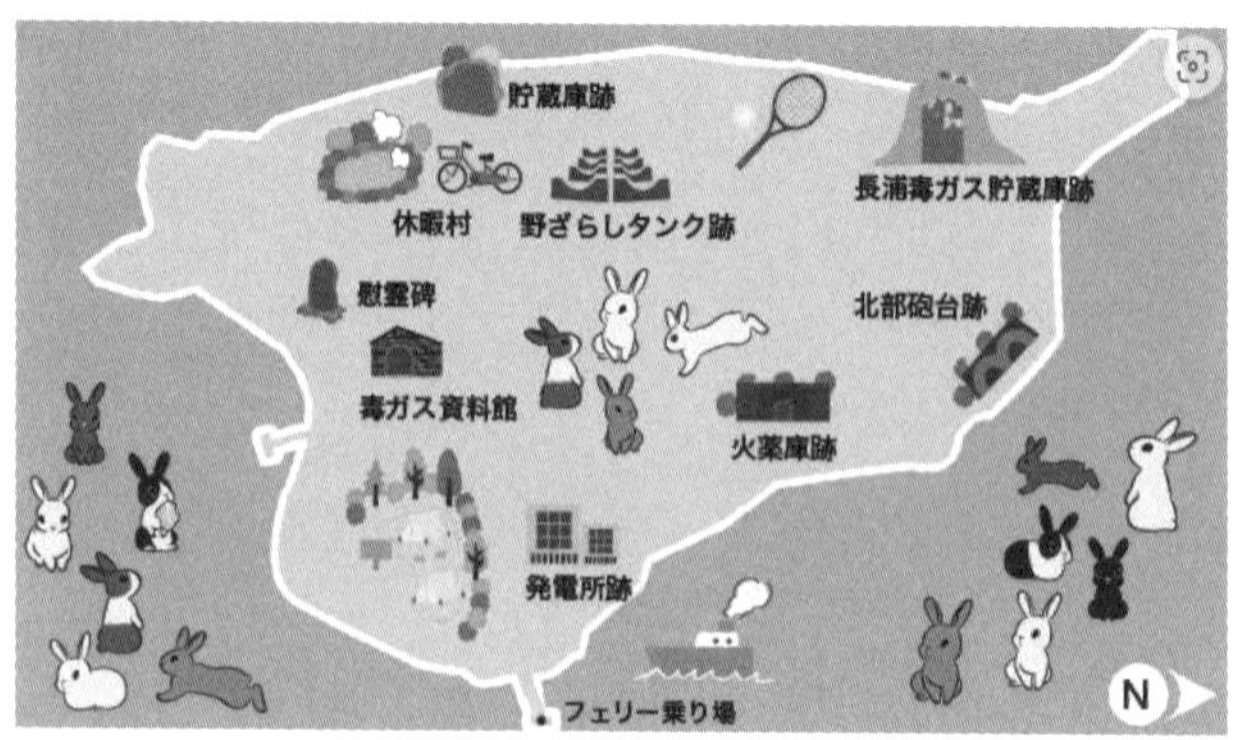
貯蔵庫跡
休暇村
野ざらしタンク跡
長浦毒ガス貯蔵庫跡
慰霊碑
北部砲台跡
毒ガス資料館
火薬庫跡
発電所跡
フェリー乗り場
N

ところが近年、観光目玉のうさぎが半減。その理由がまたしても新型コロナウイルス。観光客が持ち込む大量のエサにより爆発的に増えていったうさぎは、コロナ禍の外出自粛で観光客がいなくなり、エサがなくなったことで数が減っているのです。

（大久野島毒ガス工場跡地）

「実は『毒ガス島』と呼ばれていた暗黒の歴史があります。第二次世界大戦の時代、旧日本陸軍の毒ガス製造所が大久野島に作られ、１９２９年から１９４５年にかけて毒ガスの大量生産が行われ、この毒ガス製造事実を国民に隠すために、当時島に暮らしていた地元住民を強制移住させ、地図から大久野島の存在を消しました。軍は毒ガスを製造しているとは製造所の工員にも一切知らさず、終戦の後にようやく明らかにしています。１９４５年の終戦後、この毒ガス工場は閉鎖されますが、その後も毒ガスの影響は残り続けます。当時工場で働いていた者は障害に悩まされ、残存した兵器が見つかることも。１９６０年代以降になるとようやく住民が暮らせる島となり、現在ではうさぎたちも元気に繁殖できるほどの安全な美しい島となっているそうです。

それにしてもなぜ、うさぎが多いのか？

それは、秘密裏に毒ガス工場でうさぎを使った動物実験が行われていたからでしょう。

1935年（昭和10年）大久野島島では、皮膚に付着しただけで痛みや水疱を引き起こす猛毒のイペリットやルイサイト、酸素吸入機能がまひするくしゃみガス、肺機能をおかす塩化アセトフェノン、青酸ガスなどが約6700人の労働者によって製造され、15年間で6616トンの毒ガスが製造、これは何千万人もの致死量にあたり、戦後に島内に残っていた約3000トンが処理されました。

技術者の証言。

「どのくらい効力があるのかを動物を使って、実験するんです」

「屋外の大きな実験は、茨城の鹿島や、広島県呉の沖合にある亀ケ首で行いました。」

「亀ケ首には廃艦がたくさんありますから、それを１㎞ほどの沖合に置き、そこに動物を置いて、主砲で毒ガスの弾をぶっ放すわけです。それで動物がどの程度に死ぬかを確かめたり、解剖したりするのです」

実験に使った動物は「マウスとか、ジュウシマツ……あとは、ウサギですね」

毒ガス貯蔵庫跡

ここは毒ガス貯蔵庫跡です。写真は埋める前の様子で、現在は半分埋められています。写真に見られる毒ガス缶１つで毒液１０トンを貯蔵することができ、この貯蔵庫全体では８０トンの毒液を貯蔵することができました。ここに貯蔵されていた毒液はイペリット、ルイサイトなど猛毒で、敗戦後連合軍の指示のもと処理されました。

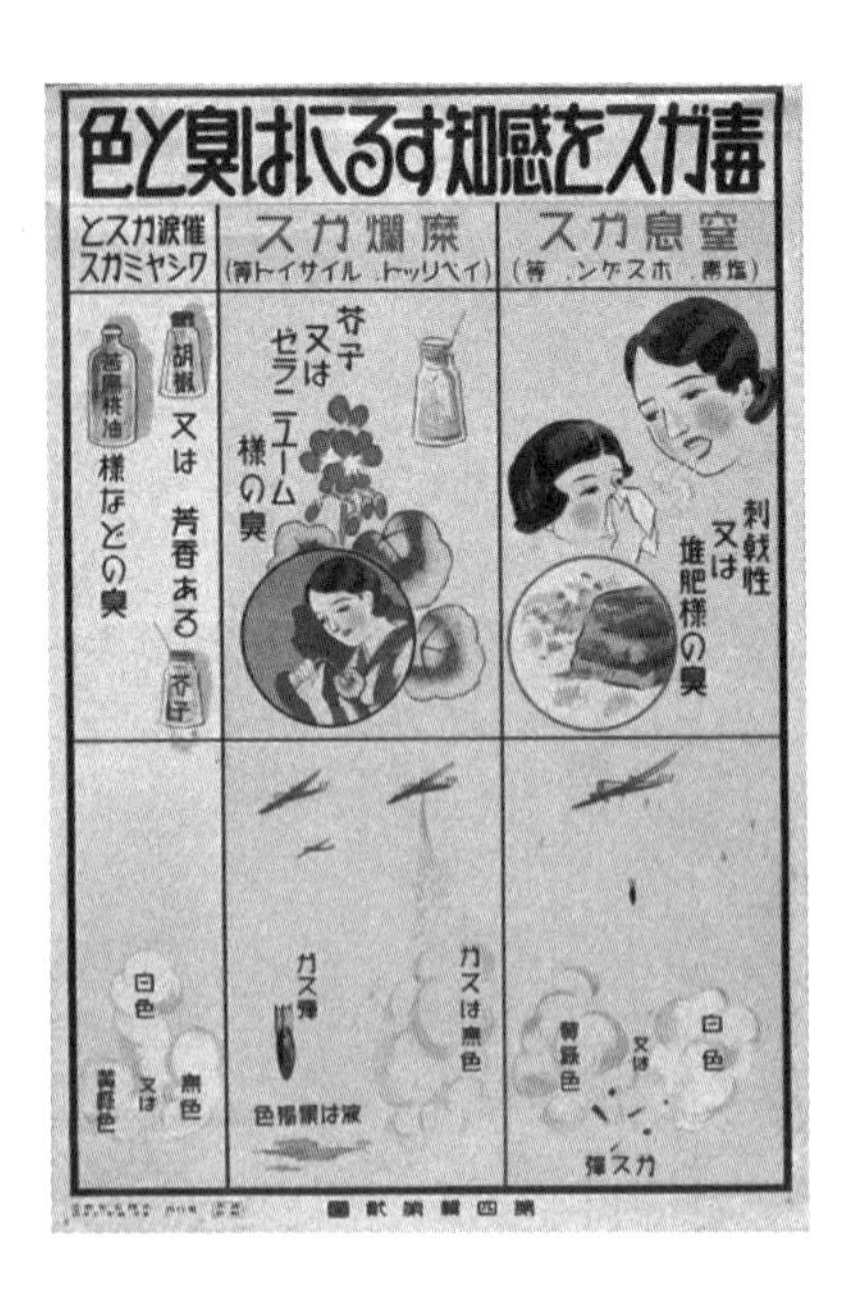

昔は横文字で右から左に読みます。ヘブライ語もそうですが、日本語は元来、ヘブライ語から作られた名残です。「毒ガスを感知するには臭と色」と書かれています。ヘブライ語が右から左に横文字で読むのは、モーセの十戒のように右手にハンマー、左手にノミを持って石板に文字を叩いて刻んだからです。

スポーツ報知
まだある!?「毒ガス地帯」
軍事施設以外の場所にも
住民からはまだまだ不安の声
ど～なる？首都
夏なのに 東

家族全員の体調がなぜか急に悪化、原因は地中深くのコンクリ詰めの中に……旧日本軍による毒ガス兵器が、21世紀の若者に重い障害を負わせた（47ＮＥＷＳ）

２００1年10月、青塚慎一さんは家族４人で茨城県神栖市木崎の一戸建て借家に引っ越してきました。住宅街はサッカーＪ１の鹿島アントラーズの本拠地から車で約30分、周囲には畑も残る場所。しかし、転居直後から全員の体に原因不明の変調が現れ始めました。手の震えやめまい、ふらつきなどの神経症状が止まらない。特にひどかったのはまだ乳児だった長男の琉時さん。母の美幸さんによると、頻繁にけいれんに襲われ、医師から「一

軍事用化学兵器が海へ投棄された場所がGoogleマップで分かる「CWMDS」-GIGAZINE

生歩けないかもしれない」と通告されました。21歳になった今も、精神の発達の遅れなど重い障害が残ります。国は最終的に、旧日本軍の毒ガス兵器の原料が原因と判断。半世紀以上も前につくられたものが、21世紀になって若者の未来への自立を奪ったのです。しかも毒ガス兵器の爪痕はこの地域だけにとどまらなかった…。

抗がん剤の起源は毒ガス！　抗がん剤の作用と、化学兵器であるマスタードガスの作用のメカニズムは基本的には同じです。

抗がん剤の研究開発は、世界の軍事情勢や政治情勢と複雑に絡んでいます。

そもそも抗ガン剤は1915年、第一次世界大戦中にドイツ軍が実際に使用したマスタードガスの研究から始まっています。このガスは1886年、ドイツ人研究者ヴィクトル・マイヤーが農薬開発の過程でガスの合成に成功、しかし、その毒性があまりにも強いため中毒に陥り実験を中断。以後、ドイツ軍の手に渡ったと言われています。（奥山隆三

著『ガンはなぜ自然退縮するのか』より）

マスタードガスは、化学兵器のひとつ。びらん剤（皮膚をただれさせる薬品）に分類されます。マスタードガスは、皮膚以外にも、消化管や造血器に障害を起こすことが知られていました。この造血器に対する作用を応用し、マスタードガスの誘導体であるナイトロジェンマスタードは抗がん剤として使用。ナイトロジェンマスタードの抗がん剤としての研究は第二次世界大戦中に米国で行われていました。

人体への作用

「マスタードガスは人体を構成する蛋白質やＤＮＡに対して強く作用することが知られ、蛋白質やＤＮＡの窒素と反応し、その構造を変性させたり、遺伝子を傷つけたりすることで毒性を発揮します。このため、皮膚や粘膜などを冒すほか、細胞分裂の阻害を引き起こし、さらに発がんに関連する遺伝子を傷つければがんを発症する恐れがあり、発がん性を持ちます。また、抗がん剤と同様の作用機序であるため、造血器や腸粘膜にも影響が出やすいのです」

マスタードガスが、細胞分裂の阻害を引き起こす

この理由！　がん細胞分裂の阻害を引き起こしてがん弱体化。

がん細胞分裂の阻止という発想で抗がん剤に導入されたのです。

抗がん剤は「細胞分裂を食い止める」ために開発されたもの。抗がん剤の治療中には必ず定期的に白血球の数値などを調べます。これが低すぎる場合は、普通は抗がん剤治療は一時的に中止されるはずです。白血球の数値が異常に低くなっているということは、「抗がん剤が健康な細胞を殺しすぎている（細胞生成が阻害されすぎている）」ということを示すためです。それ以上続けて行うと、正常な細胞への影響のほうが大きくなり危険です。

抗がん剤治療は、「がん細胞の死滅と、健康な細胞の死滅の競争」です。


日本人の2人に1人ががんに罹って抗がん剤を使用しています。使用者は体外に過剰投与の異物をトイレの下水を通じて排出します。この大量の自然界への流出が問題です。

「もともと戦争での殺傷兵器として開発された化学物質が、医薬品と転じた後に、数百万人、数千万人の人の排泄を通して、地球の水の循環システムに入り込んで、おそらく、海

洋生物に影響を与えている」


これが「成長しようとする細胞を成長させない（細胞分裂させない）」。

マスタードガスの主成分の作用は、「遺伝子に作用して、生体の細胞分裂を食い止める」。

その作用が胎児にまで影響を与えています。

マスタードガス由来の細胞分裂の阻害を引き起こす作用

近年では、日本で生まれてくる赤ちゃんの約10人に１人が２５００ｇ以下の低出生体重児です。スウェーデンのカロリンスカ研究所のデータでは、発達障害の中の自閉症スペクトラムの人は、健康的な人に比べ平均的寿命が18年も短いです。自閉症スペクトラムのみの人は、健常者よりも平均寿命が12年短く、自閉症と学習障害の両障害を抱えている人の平均寿命は30年も短いです。また、自閉症と学習障害の両障害をもつ人が自殺する可能性は一般平均の９倍近いです。

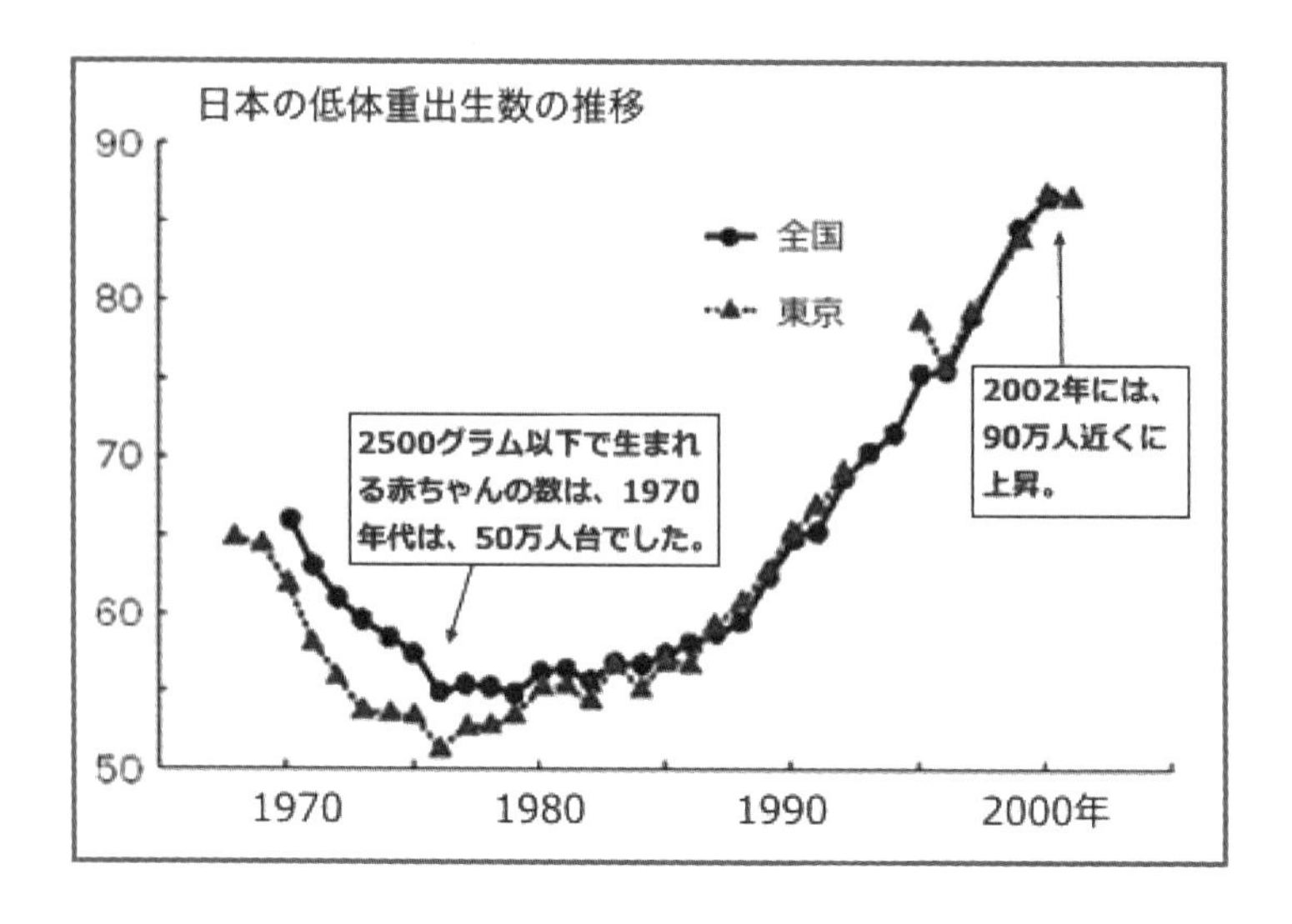
日本の低体重出生数の推移
全国
東京
2500グラム以下で生まれる赤ちゃんの数は、1970年代は、50万人台でした。
2002年には、90万人近くに上昇。
90
80
70
60
50
1970
1980
1990
2000年

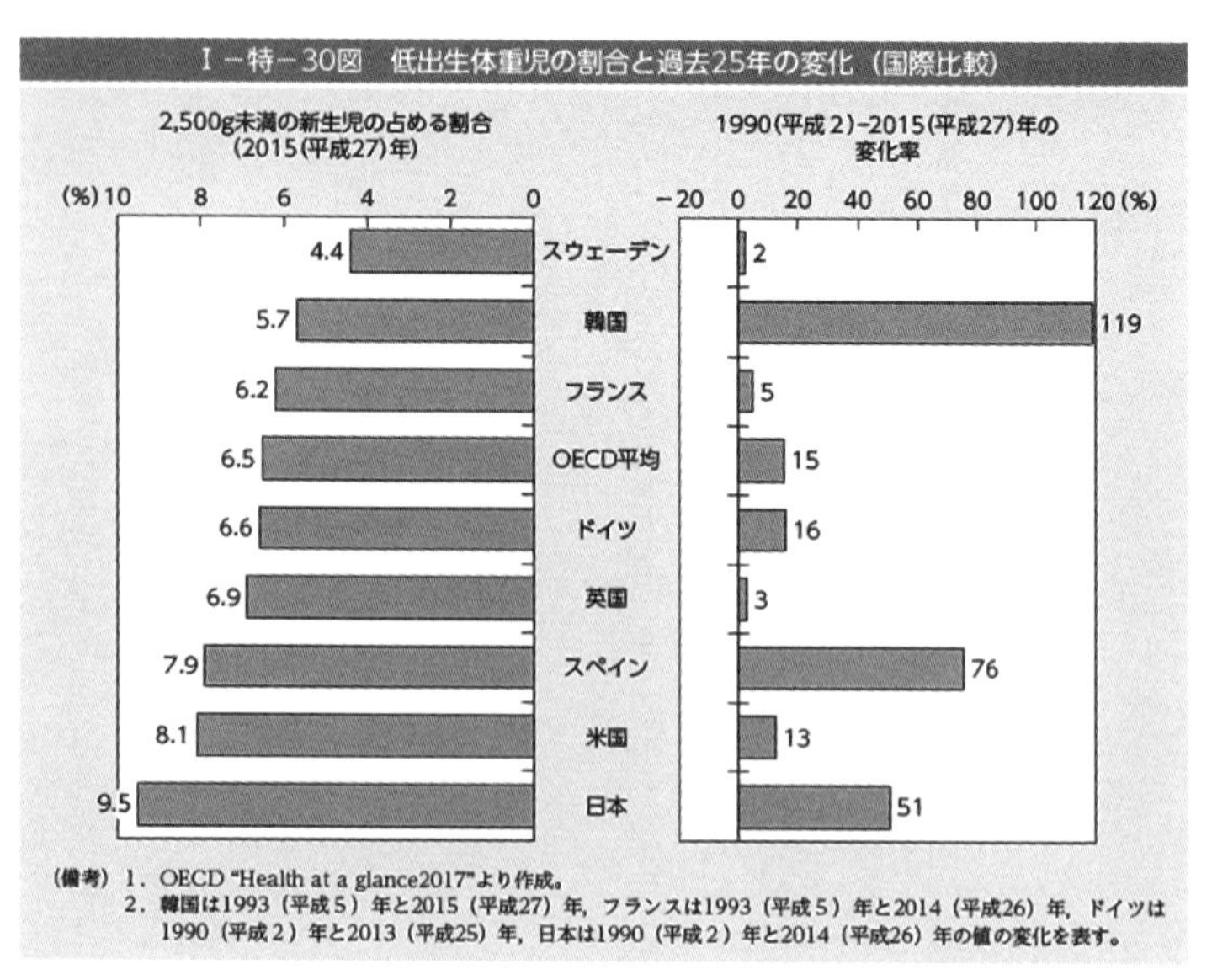
Ⅰ－特－30図　低出生体重児の割合と過去25年の変化（国際比較）
2,500g未満の新生児の占める割合（2015(平成27)年）
1990(平成2)-2015(平成27)年の変化率
スウェーデン 4.4 2
韓国 5.7 119
フランス 6.2 5
OECD平均 6.5 15
ドイツ 6.6 16
英国 6.9 3
スペイン 7.9 76
米国 8.1 13
日本 9.5 51
(備考) 1. OECD "Health at a glance2017"より作成。
2. 韓国は1993（平成5）年と2015（平成27）年，フランスは1993（平成5）年と2014（平成26）年，ドイツは1990（平成2）年と2013（平成25）年，日本は1990（平成2）年と2014（平成26）年の値の変化を表す。

精神障害者の平均寿命

東京大学医学部附属病院精神神経科の研究報告です。１９９２年から２０１５年末までに精神科病院長期入院を経て退院し、地域生活に移行した利用者２５４名のうち、死亡した45名について、損失生存年数という指標を用いて調査を行った結果、精神疾患を有する人の平均余命が一般人口に比べて22・２年以上短いということが明らかになりました。知的障害者と発達障害者たちの平均寿命が健常者に比べてかなり低いです。彼らは、さまざまな負荷を抱えて生き、心身がすり減り、命を縮めているようです。

哀歌２：19「夜の間、夜の見張りが立つころから、立って大声で叫び、あなたの心を水のように、主の前に注ぎ出せ。主に向かって手を差し上げ、あなたの幼子たちのために祈れ。彼らは、あらゆる街頭で、飢えのために弱り果てている。」

発達障害とされる児童数はなぜここまで増えているのか。

日本の脳細胞未発達の乳幼児が増えている本当の原因はこれかもしれないです。日本で子供の人口が減少する中、「発達障害」と呼ばれる脳細胞が未発達な子供は増え続けています。2006年に発達障害の児童数は7000人余りだったが、2019年には7万人を超えました。それに伴い、子供への向精神薬の処方も増加という悪循環を繰り返していますが、人間本来のがんと戦う神様がくださった自然抗体を破壊して、人工的な抗体でがんを薬物的に死滅させようという西洋医学の仕組みはワクチンにも同様の流れがあり、新型コロナウイルスを防ぐために人工的な抗体を安易に組み込む。いつも儲かるのは大手製薬会社ばかりです。

現代医学の誤用で惑わされ、大手製薬会社に殺される時代が今です。不正なコロナ騒動と誤ったワクチン対処、治療にならない薬物投与、終わりの見えない無意味なマスク着用です。この世と調子を合わせてはいけません。必ず来る正義の裁き主イエス・キリストの再臨の日に備えて生きることが大事です。永遠の天国を神様は本当に与えてくださいますから、罪悔い改めて素直にイエス様の十字架の死と復活が私の罪の身代わりに罰せられた神の愛であったことを信じて受け入れ感謝すれば救われます。感動できます。優れた広く大きな神様の愛が私たちに向けられているのです。

生きている今だけが救いのチャンスです。死んでから地獄で後悔して悔い改め、反省しても手遅れです。いつかは信じよう、いつかは従おうと考えている方、そのいつかは、なかなか来ません。霊的な天敵悪魔が一生涯、惑わし、邪魔するからです。

今日、勇気をもって、大胆に神様の御前に出て信じようではありませんか。イエス様は赦しと、永遠に変わらない愛をもって、受け入れてくださいます。クリスチャンになることは決して難しい事ではないです。勇気ある重大な決断ですが、神様を素直に信じて信頼すれば、信仰生活は神様が失わないように守られ、成長させてくださいます。命と自由をくださる神様です。生真面目なつまらない人生にはなりません。キリスト教は単純なつまらない生真面目な生き方と思わないでください。悪魔と戦い、人々を不幸にしている罪悪と戦い、彼らを滅びから救い出す、勇敢な勇気と価値ある勝者の生き方なのです。

罪を犯さなくても、幸せに生きる人生があります。むしろ罪こそ人間をむなしく不幸にしています。一生一回の人生、キリストに賭けてみてください。絶対神様は偽らず、裏切らず、見捨てません。恥をかかせませんから信じて、神様にすがってください。イエス様に勇気をもって呼びかけ、大胆に祈ってください。必ず本気で求めれば神様にお会いできます。たくさんの本物のクリスチャンたちがあなたの救いのために祈っています。これは大事な決断であり、永遠の命の獲得です。最高の祝福です。

ローマ人への手紙5：6－11「私たちがまだ弱かったとき、キリストは定められた時に、不敬虔な者のために死んでくださいました。正しい人のためにでも死ぬ人はほとんどありません。情け深い人のためには、進んで死ぬ人があるいはいるでしょう。しかし私たちがまだ罪人であったとき、キリストが私たちのために死んでくださったことにより、神は私たちに対するご自身の愛を明らかにしておられます。ですから、今すでにキリストの血によって義と認められた私たちが、彼によって神の怒りから救われるのは、なおさらのことです。もし敵であった私たちが、御子の死によって神と和解させられたのなら、和解させられた私たちが、彼のいのちによって救いにあずかるのは、なおさらのことです。それればかりでなく、私たちのために今や和解を成り立たせてくださった私たちの主イエス・キリストによって、私たちは神を大いに喜んでいるのです。」

卵高騰の真相！　それは卵でコロナが撃滅できるという論文の余波だった!!

嘘の鳥インフルエンザ、鶏大量処分と養鶏施設連続放火についてです。

かつてない卵の値上がり。その背景が鳥インフルで鶏殺処分急増です。家畜伝染病予防法では、養鶏場で鳥インフルエンザが発生した場合、その農場で飼われている鶏は「全て殺処分する」と定められています。その記された所に従って農林水産省では、鳥インフルが猛威を振るい、処分された鶏の数は、今期が過去最多の1478万羽。全国の鶏の1割以上が殺処分済みで、2020年の秋から2021年の春にかけての殺処分数987万羽を上回り、今後も増加予定です。

統計公表の１９９３年以降、最も高く、１７５円だった２０２２年２月の平均価格の２倍近く、卸売価格は過去30年で最高値です。

鶏受難！　事の真相は、論文が２０２１年１月に発表されてから、全世界で鶏粛清が始まったのです。信憑性の高い研究機関が発表したこの論文には、卵黄がスパイクタンパクの中和剤として機能、新型コロナを撃滅と結論付けています。

Chicken Egg Yolk Antibodies（IgYs）block the binding of multiple SARS-CoV-2 spike protein variants to human ACE2. Int Immunopharmacol. 2021 Jan

アメリカのミネソタ州で１日３００万個スーパーに供給している養鶏場の火災を始め、日本も中国も世界中の養鶏場や卵加工食品工場が不審火に見舞われています。たった5羽のインフル感染だけで施設内の４万羽すべてが殺処分。同様の手口で意図的に卵の市場流

Chicken Egg Yolk Antibodies (IgYs) block the binding of multiple SARS-CoV-2 spike protein variants to human ACE2

Shuangshi Wei et al. Int Immunopharmacol. 2021 Jan.
Free PMC article

Show details

Full text links　Cite　...

Abstract

The SARS-CoV-2 virus is still spreading worldwide, and there is an urgent need to effectively prevent and control this pandemic. This study evaluated the potential efficacy of Egg Yolk Antibodies (IgY) as a neutralizing agent against the SARS-CoV-2. We investigated the neutralizing effect of anti-spike-S1 IgYs on the SARS-CoV-2 pseudovirus, as well as its inhibitory effect on the binding of the coronavirus spike protein mutants to human ACE2. Our results show that the anti-Spike-S1 IgYs showed significant neutralizing potency against SARS-CoV-2 pseudovirus, various spike protein mutants, and even SARS-CoV in vitro. It might be a feasible tool for the prevention and control of ongoing COVID-19.

通数が激減されて、世界中で一般庶民には手が届かないよう価格高騰で店頭から卵が姿を消しつつあります。

メディアはロシアのウクライナ軍事侵攻の結果、鶏の飼料トウモロコシが入手困難で販売価格高騰を招いたと、ロシアのせいにしてプロパガンダ報道しています。しかし、本当は世界中に新型コロナワクチン製造工場を新築中の今、新型コロナに効く卵で感染者数が激減して新型コロナワクチンが売れなくなると困るから、市場から悪意の生産調整で卵を減らしているのです。これを陰謀と言わないで、何と言うでしょうか。

過去に、日本酒もコロナ感染防止の効果があり、同様の措置がとられていたのです。それが、意味不明な不公平制度、深夜のアルコール販売店の時短営業でした。新型コロナウイルス増殖を１００％阻害する５－ＡＬＡ（細胞の中で作り出される天然アミノ酸）が、日本酒や納豆などの発酵食品には多く含まれており、「生命の根源物質」とも呼ばれています。だから日本酒受難の時短営業だったのです。


２０２1年2月8日、長崎大学が国際誌に掲載した論文
５－ＡＬＡが新型コロナウイルスの増殖を１００％阻害することが確認され、感染者の治療に有効である可能性が示されました。研究では、試験管内で一定量以上の５－ＡＬＡを投与すると、ウイルスの増殖が抑制されることを確認。

「おそらく効くだろうとは思ってましたけど、ある一定の濃度以上だと本当に１００％増殖を阻害する。これだけきれいなデータが出るのは驚き」

「これを見つけたからには、（広めることが）我々の義務」

（長崎大学　熱帯医学・グローバルヘルス研究科　北潔教授）


当時、大手レストランは時短営業による減収で大痛手でしたが、小規模な個人経営の居酒屋では時短営業バブルで営業時間を減らしたり、休業した見返りに、政府から多額の給付金を貰って逆に大儲けしました。


私の知り合いにも、小さな小料理の居酒屋の経営者がいて静かな店内でしたが、

「このまま潰れないよう、お店のために祈ってください」と頼まれて店内で商売繁盛を祈

りました。その数カ月後にコロナ禍が始まって給付金制度も始まりました。この方も政府主導の時短営業に従い給付金を貰いました。数年が過ぎてその方は私に感謝しながら冗談めいて言いました。

「どうして優遇されたのは居酒屋だけなんでしょう？　私にとっては、コロナ様様です」

この方は一店舗だけで数千万円の給付金を貰ったのです。

世界を滅ぼす悪魔連中は、国家財政バラ撒き問題など関係ないです。自分たちの大手製薬会社の利益曝上がりだけがすべてです。新型コロナウイルスを死滅させる自然の太陽光に当たらないよう、海水浴場も公園も閉鎖して三密自粛で暗い室内に巣籠らせ、リモートＺＯＯＭ会議の仕事だけをメインにパソコン通信映像関連機材を補助金までつけて大量購入させ、連中は、ただマイクロソフト社の利益曝上がりの好景気になればそれでいいのです。ワクチン普及で天然免疫抗体を失った大勢が戦後最多レベルで病死しても一向にかまわない、いやむしろ積極的に人口削減を望む恐ろしいサタニストたちが世界中に暗躍しているのです。今回の卵価格高騰もそんな氷山の一角です。

鶏卵高騰を受けて野村哲郎農林水産大臣（当時）の発言

2022年12月　「正月明けになると落ち着く」
2023年2月　「(正月明けになれば) 落ち着いてきて価格も下がってくるのではないかと申し上げたが、完全な私の間違いというか、先を見通す力がなかった」
「6カ月しないと卵が出てこないので、あと半年は待っていただかないと」

東京農業大学元教授　日本養鶏協会エグゼクティブアドバイザーの信岡誠治氏

「農水省が期待しているように半年で元通りになるということはあり得ません。鳥インフルエンザが大発生して今までに約1割を殺処分したわけです。これを元に戻すには最低半年。だけど、現状ではすぐニワトリを入れられる状況じゃない。鳥インフルエンザの発生が続いているから。鳥インフルエンザが収束するめどが立つこと、それが大前提。今のところそのめどが立ちそうもないんです。価格はこれからさらにもうちょっと上がります。これは1年以上続くと思う」

食こそ最強のコロナ対策

免疫力低下を防止し、健康を維持するのは、食事です。食事からのたんぱく質補給が不足すると免疫細胞の働きが悪くなることや、ビタミンA、ビタミンC、ビタミンEが免疫細胞を活性化することなど、食品に含まれる特定の成分が、感染防止にかかわる免疫系と深くかかわっています。食こそ最強の感染症対策です。

ごはんには、私たちのエネルギー源となる炭水化物だけでなく、たんぱく質をはじめ、亜鉛、鉄、カルシウムといったミネラル、ビタミンB_6、食物繊維なども含まれています。

納豆には、免疫機能を正常に保つのに欠かせないビタミンB群やビタミンK、強い抗酸化力を持つビタミンE、カルシウム、亜鉛、鉄、銅など、体に良い成分が豊富に含まれています。免疫力を上げ、若さを保ち、病気になりにくい体を保つためにも、毎日食べましょう。

ワクチンを接種してドロドロ血液になっても癒やされます。納豆に含まれる納豆キナーゼは納豆菌が納豆を発酵させるときにできるもので、血栓を分解し、血液をサラサラにする成分です。体中の血流が良くなると、免疫細胞が体内のすみずみにいきわたり、免疫力がアップします。動脈硬化、脳梗塞、心臓血管系の疾患も予防します。ですから、コロナ特効薬の生卵。これを納豆に混ぜて、ごはんにかけて食べたらいいのです!!

鶏に新型コロナの抗体入り卵を産ませることに成功　鶏卵を食べてコロナ撲滅？

カリフォルニア大学デービス校の研究者が、鶏に「新型コロナウイルス（SARS－CoV－2）のスパイクタンパク質に対する抗体」を含む卵を産ませることに成功しました。卵から抽出された抗体は、新型コロナウイルス感染症（COVID－19）の治療、あるいは予防に使用される可能性があります。本当に大丈夫だろうか。

はっきり言えることは、卵から感染予防成分を取り出す研究があること自体、卵に抗体があるのは明白です！　下手に人工的な手を加えないで、純粋な卵を食べればいいのです。

研究によると、ヒトや哺乳類は免疫グロブリンG（IgG）を持っていますが、鳥類もこれとよく似た抗体の免疫グロブリンＹ（ＩｇＹ）を血清および卵黄の中に持っています。このＩｇＹはヒトに注射してもアレルギーや免疫反応を引き起こさない特性があります。鶏は１年間に約３００個の卵を産むため、鶏を使うことでＩｇＹを多く得ることができます。

研究に携わったロドリゴ・ガヤルド教授は、「鶏に新型コロナウイルスの抗体入り卵を産ませることの優れている点は、鶏が多くの抗体を産生できるという点です。鶏で新型コロナウイルスの抗体を産生することで、抗体を生み出すためのコストを低く抑えることが可能となります。また、更新された抗原を利用して鶏を過剰免疫にすることで、新型コロナウイルスの変異株に対する保護がより迅速に可能となります」と語りました。

Part

巨大レバノン杉と巨人ネフィリムの証拠写真と富士山人工製造説!?

第10章

身長1・335㎞のネフィリム巨人の画像!?

実は山でなくネフィリム巨人の化石だった!?

ローマの考古学者フラビウス・ヨセフスは、古代エジプトに巨人が存在したと信じ、紀元79年『ユダヤ戦記』の中で「巨人がいた。普通の人よりも大きくて、見た目も違う。見るのも恐ろしい!」と書いていますが、それは人間の巨人だったと思われます。珍しい人々として巨人ネフィリムではない純粋に人間の巨人がいました。身長6キュビト半の2メートル89センチです。

Iサムエル記17:4「ときに、ペリシテ人の陣営から、ひとりの代表戦士が出て来た。その名はゴリヤテ、ガテの生まれで、その背の高さは六キュビト半。」

珍しい人々に指6本もいました。

Ⅱサムエル記21：19－21「ゴブでまたペリシテ人との戦いがあったとき、ベツレヘム人ヤイルの子エルハナンは、ガテ人ゴリヤテの兄弟ラフミを打ち殺した。ラフミの槍の柄は、機織りの巻き棒のようであった。さらにガテで戦いがあったとき、そこに、手の指、足の指が六本ずつで、合計二十四本指の闘士がいた。彼もまた、ラファの子孫であった。彼はイスラエルをそしったが、ダビデの兄弟シムアの子ヨナタンが彼を打ち殺した。」

投手として最高水準の人たちもいました。

士師記20：15－16「その日、ベニヤミン族は、町々から二万六千人の剣を使う者を召集した。そのほかにギブアの住民のうちから七百人の精鋭を召集した。この民全体のうちに、左ききの精鋭が七百人いた。彼らはみな、一本の毛をねらって石を投げて、失敗することがなかった。」

人類で最も視力が良いのは、アフリカのタンザニアに暮らすハッザ族。過去にテレビ番組の企画でアフリカの部族同士が視力の良さを競ったところ、ハッザ族の代表は視力11・0を記録しました！

珍しい生き物には、人間と堕天使のハイブリット巨人ネフィリムとキメラ小人もいました。ヨハネが目撃した天国では、最後の審判の時に集まった群衆の中に見かけたネフィリム巨人と小人を「死んだ人々」と呼んだ可能性もあります。

ヨハネの黙示録20：12「また私は、死んだ人々が、大きい者も、小さい者も御座の前に立っているのを見た。そして、数々の書物が開かれた。また、別の一つの書物も開かれたが、それは、いのちの書であった。死んだ人々は、これらの書物に書きしるされているところに従って、自分の行いに応じてさばかれた。」

巨人ネフィリムの身長について、外典聖書エノク書7章にはすべて「3000エル、3000キュビト」と書いてあります。長さの単位で1キュビトは、大体、肘から中指の先までの長さです。ペルシャの1キュビトは52〜64㎝、古代ギリシャでは約47・4㎝、古代ローマでは約44・46㎝、アラブでは48〜64㎝で、イスラエル人が通常用いたキュビトは約44・5㎝でしたが、それに手の幅1つ分を加えた約51・8㎝の長キュビトも使われました。

聖書でバシャンの王オグの寝台は、規準のキュビトで九キュビト＝4ｍ5㎜あったようですが、ここでは「規準のキュビト」という言葉が使われています。やはり聖書ではイスラエル人が通常用いたキュビトは約44・5㎝を「規準のキュビト」として適用するのが良いようです。

申命記3：11「バシャンの王オグだけが、レファイムの生存者として残っていた。見よ。彼の寝台は鉄の寝台、それはアモン人のラバにあるではないか。その長さは、規準のキュビトで九キュビト、その幅は四キュビトである」

【口語訳】これは普通のキュビト尺で、
【新共同訳】基準のアンマ
【ＮＫＪＶ】standard cubit.
【ＴＥＶ】standard measurements

古代イギリスの単位では1キュビトが1・14m。もし、これを適用すれば、ネフィリムの身長は3000キュビト＝3・4㎞となります！

イスラエル人が通常用いた1キュビト約44・5㎝を採用すると、ネフィリムは1335 00㎝、1・335㎞になります。私の予想では、今からご紹介する画像判断から、1・335㎞が一番有力ではないかと思います。

そして283P以降の画像のネフィリム骸骨はまだ成長途中の若者だったのかもしれません！

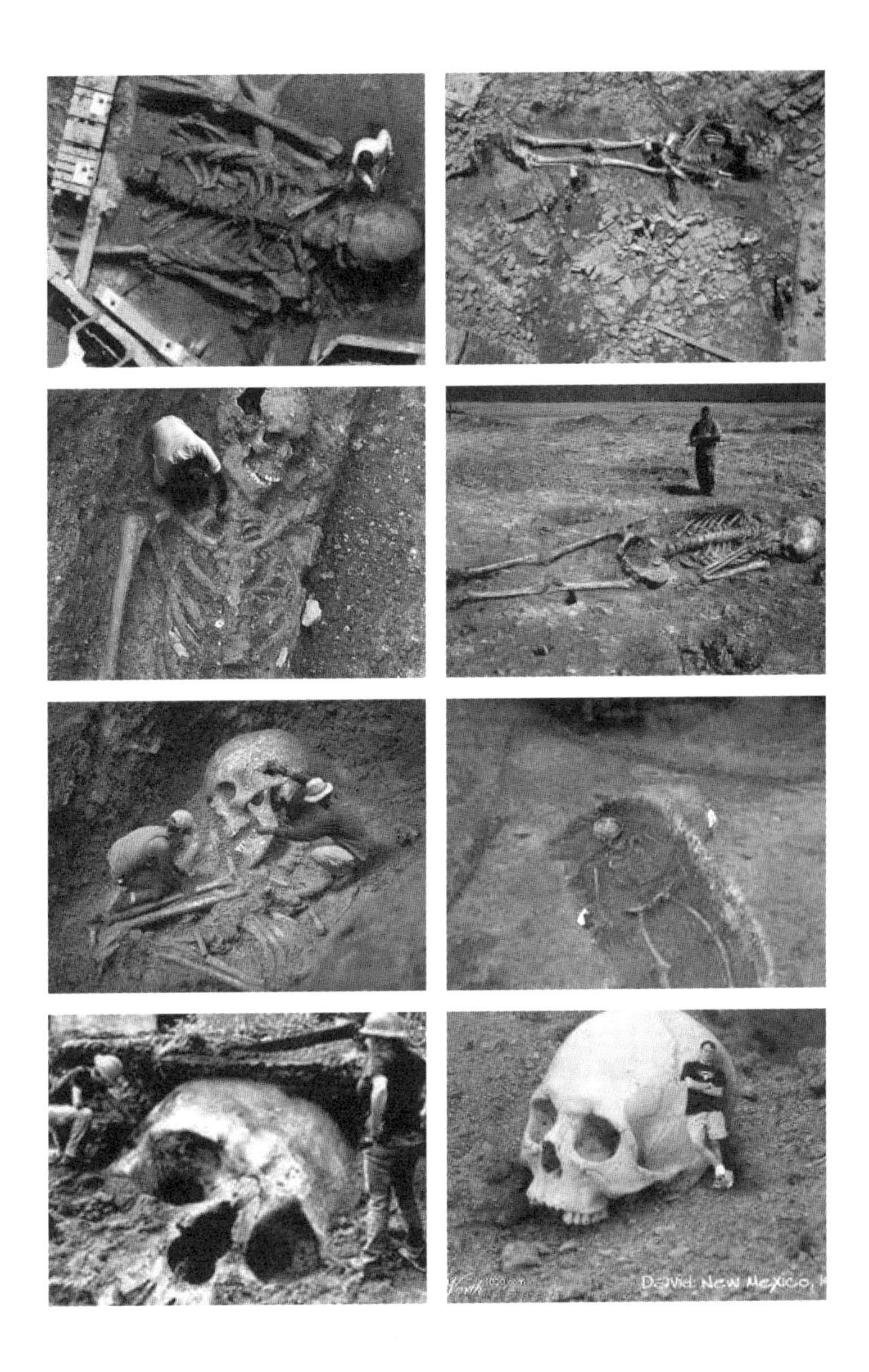
David New Mexico,

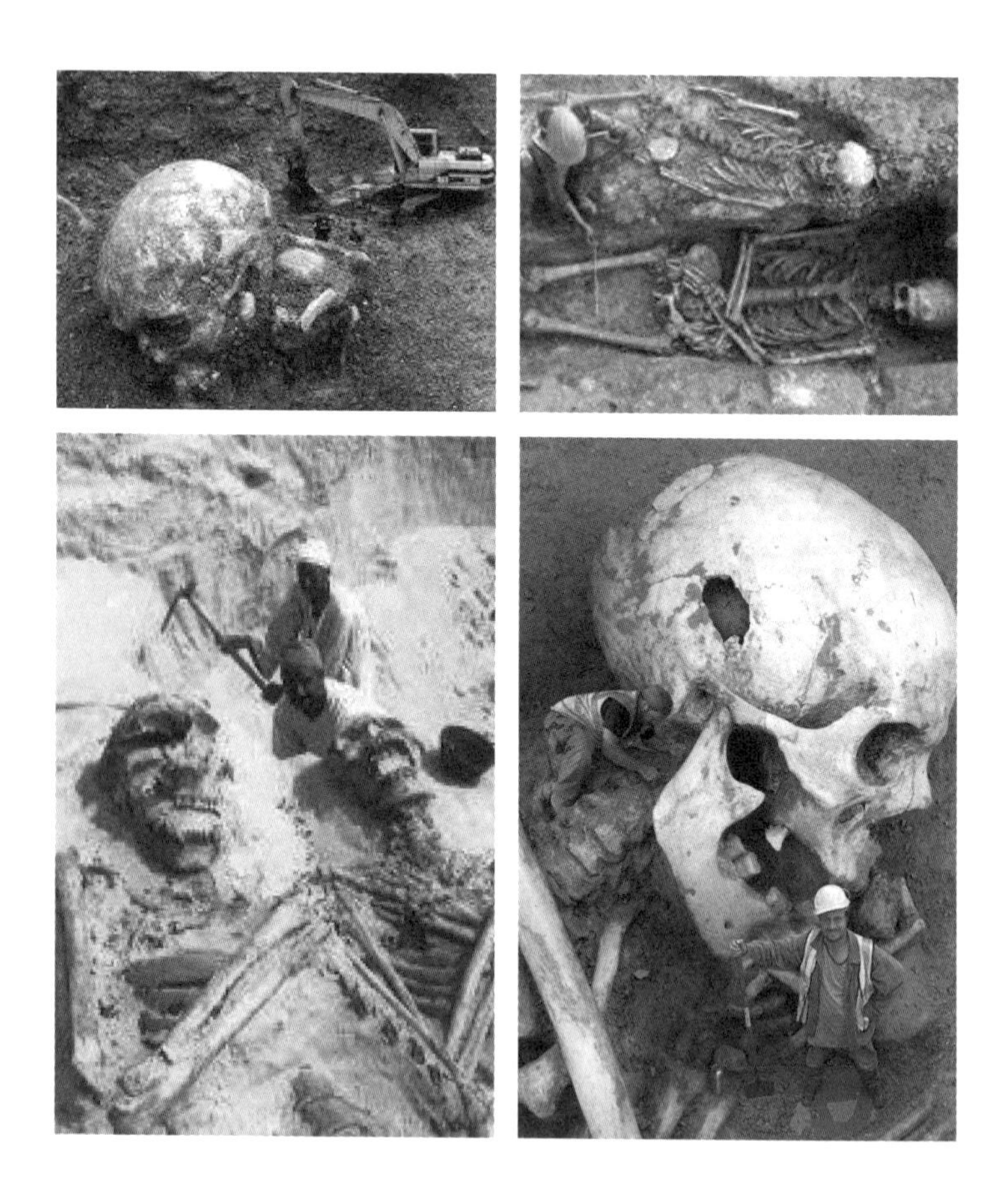

まるで山のごとく！　3000キュビトの大人ネフィリムたちの画像！

若者ネフィリムの化石画像ではなく、ここから巨人ネフィリムシリーズとなります。

私たちが山だと思っていたものが実は巨人ネフィリムの死後、横たえられた残骸だった！　あまりにも非常識でスケール大きすぎですが、1・335㎞のネフィリムの体格な

ら、後述する画像の巨木レバノン杉も斧で切り倒せます。

この二頭身の巨人の絵は漫画「進撃の巨人」のモデルになったかもしれません。ＤＳは改ざん、隠蔽された本当の歴史を知っています。

女型巨人の化石もあります

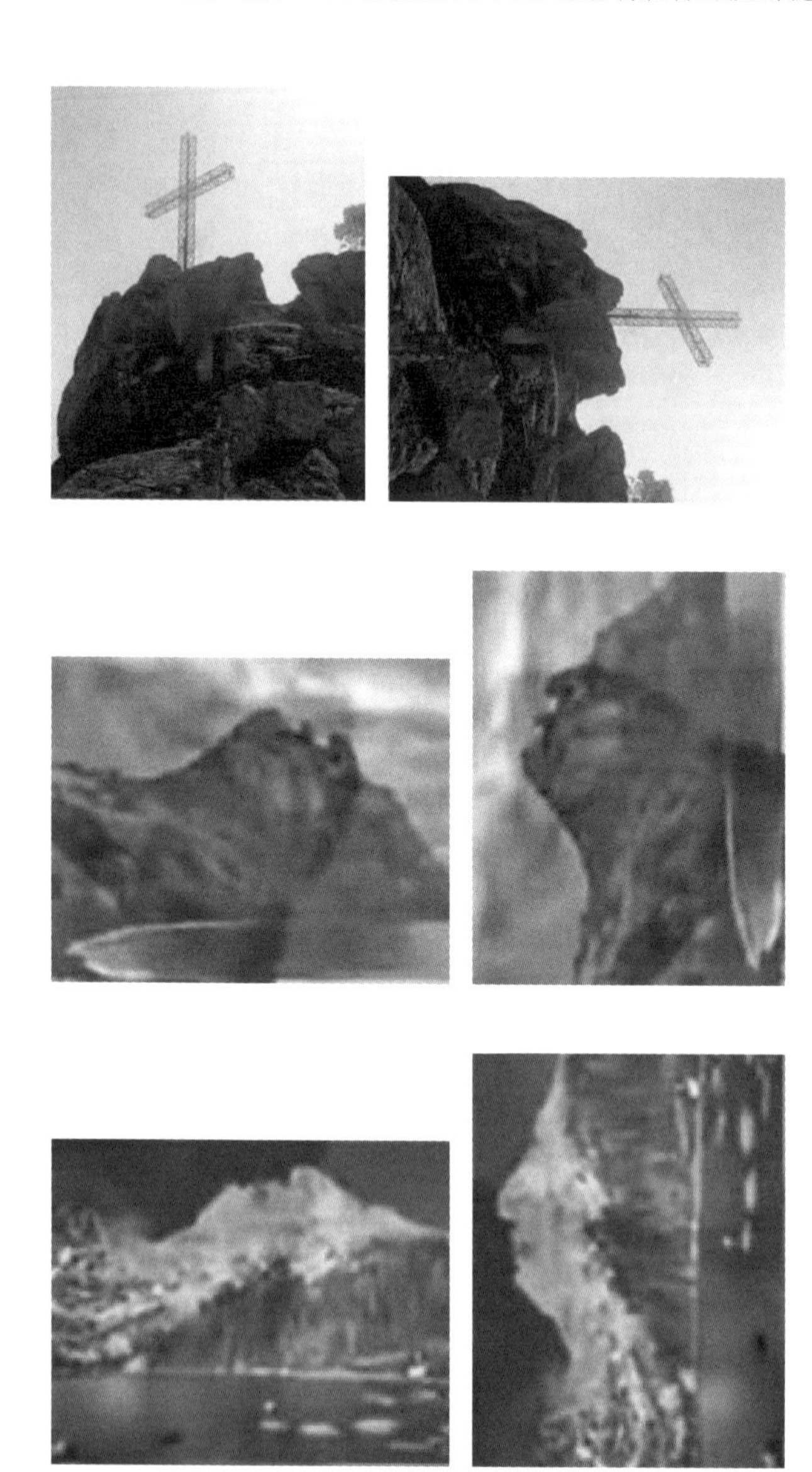

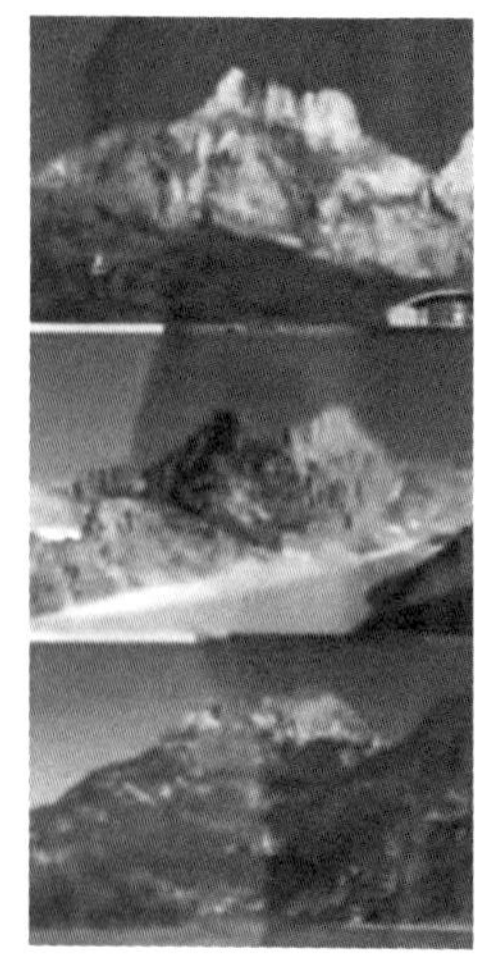

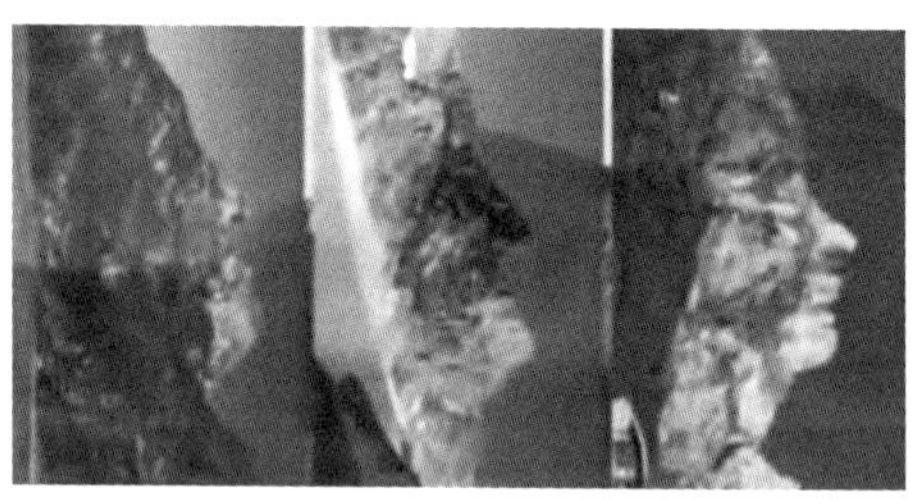

一見、穏やかな山脈も立てて見ると、顔。一度このことに気付くと、もはや山を真っすぐ見られなくなります。日本にも、ダイダラボッチのネフィリム山は気付かないだけで沢山あると思います。

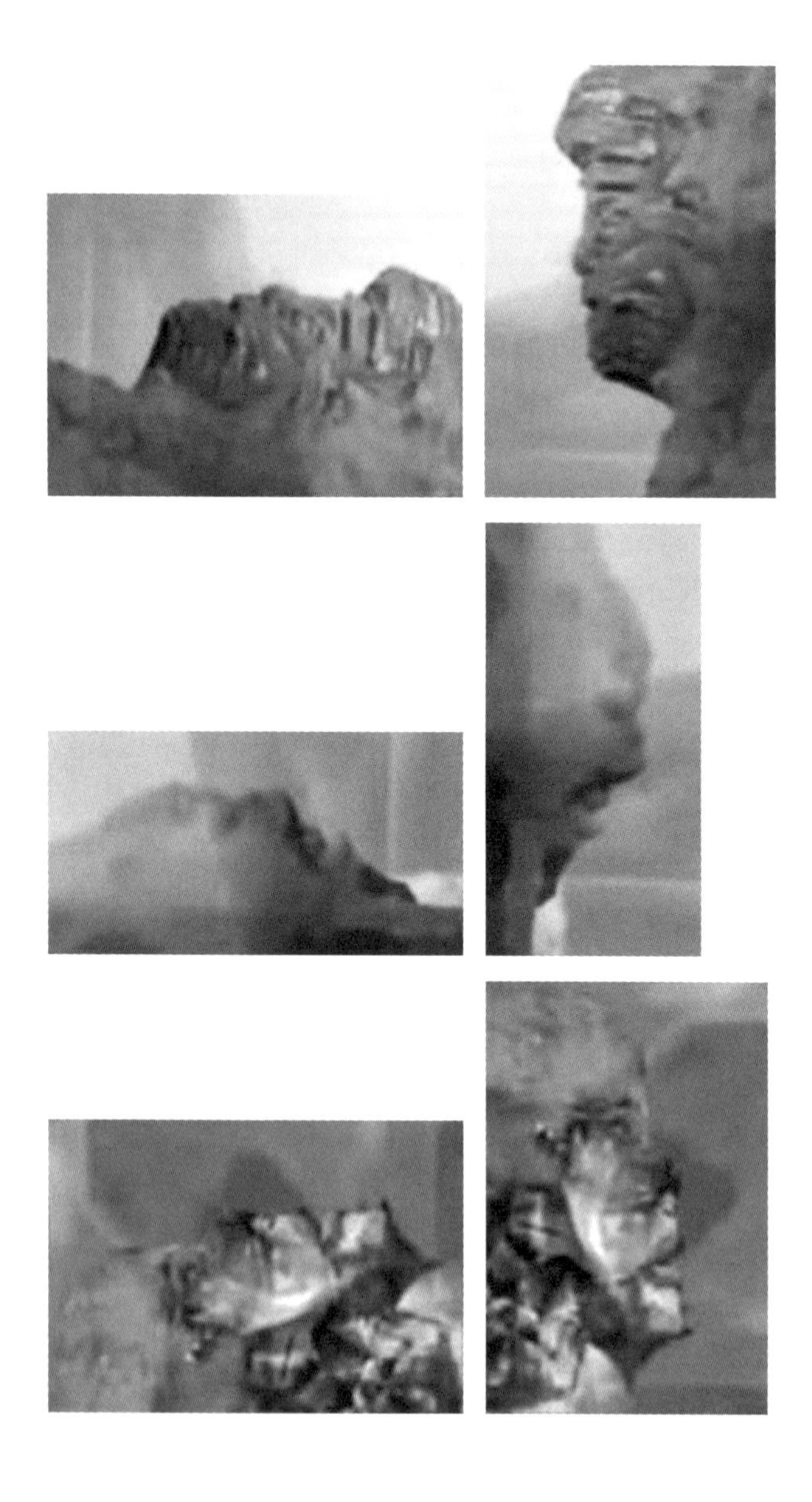

Ecuador.
Magog Rock, Colorado.
Canyon
Utah, USA

Stone Giant, Litchfield
National Park, Northern
Territory, Australia.
Man Mountain, Koh Yung
(Mosquito Island), Thailand

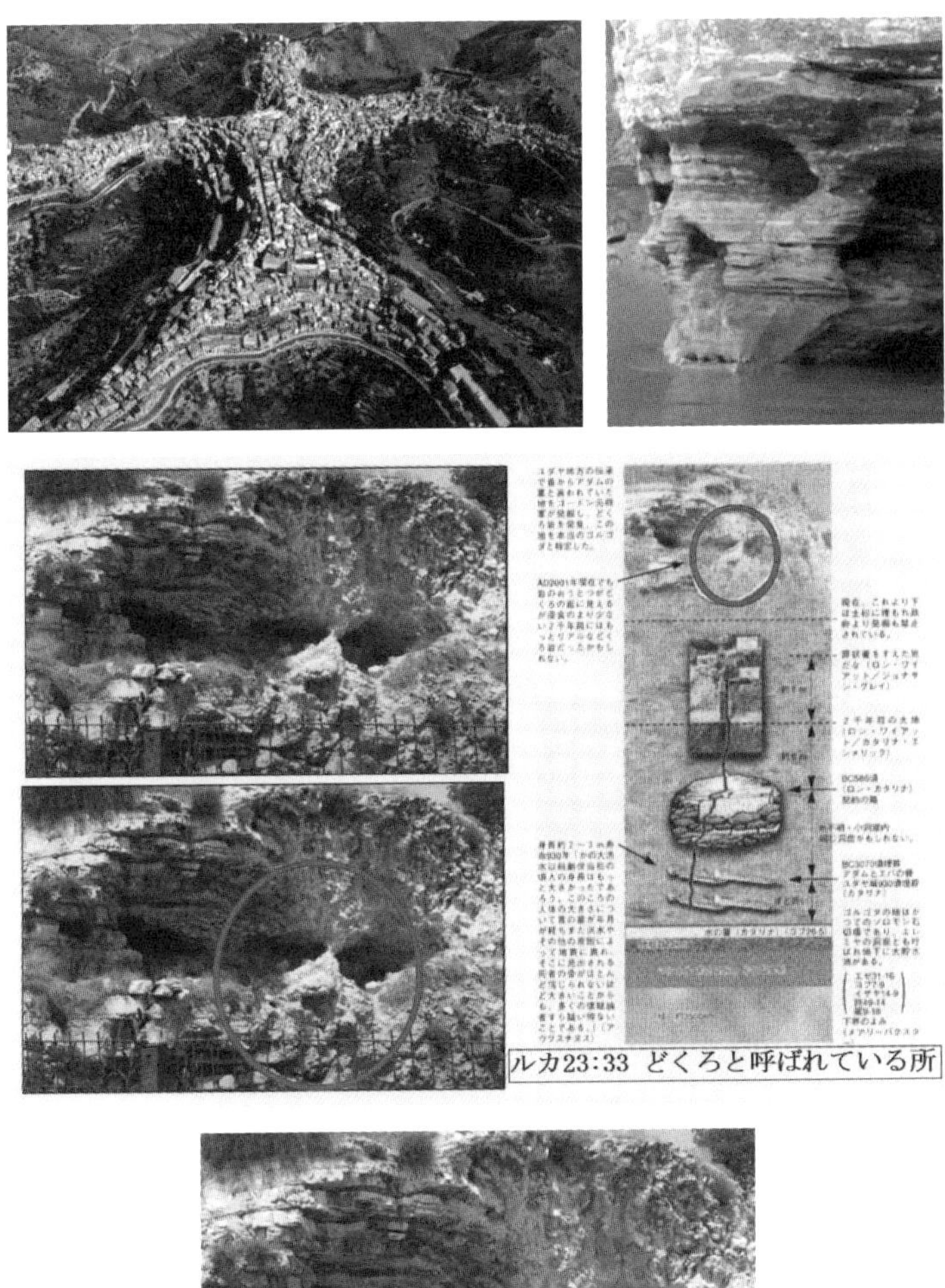
ルカ23:33 どくろと呼ばれている所

ゴルゴダに巨人？　この岩の斜面のどくろも実はネフィリム化石なのだろうか？　仮にそうでなくても地中のアダムも現代人よりは巨人でした。

大洪水以前の時代に比べると、現代は廃墟！
巨人ネフィリムが切り倒した驚愕レバノン杉！

エゼキエル書31：3－17「見よ。アッシリヤはレバノンの杉。美しい枝、茂った木陰、そのたけは高く、そのこずえは雲の中にある。水がそれを育て、地下水がこれを高くした。」

高さが「こずえは雲の中」とは、どれほど大きかったことでしょうか。

これらの古い写真は木こりたちが斧で大木を切った当時の記録です。人間の大きさに比較してこれほど大きな胴回りの幹を切れるなら、巨人ネフィリムが今まで山だと教えられてきた実は巨大なレバノン杉を切ることも可能ではないでしょうか。巨人たちは人間ではなく、プラスアルファの堕天使の強力パワーを持っているのだから。全世界の有名な山が

実は木の切り株だったとは、あきれた話です。

外典聖書では神様は巨人ネフィリムを滅ぼすために、彼らに剣を与えたと書かれています。であれば、なおのこと剣を使用できるネフィリムたちが束になって斧をふるうことも可能なはずです。事実、巨人用としか思えない巨大な武器も見つかっています。

遺跡にみられる重機なき時代に積み上げられた巨石を考えても、彼らは並はずれた怪力であったことは間違いありません。巨人ネフィリムの描いたナスカの数ある地上絵の中にも武器を右手に持って振り上げている巨人の姿が描かれています。

エゼキエル書31：12「こうして、他国人、最も横暴な異邦の民がこれを切り倒し、山々の上にこれを捨てた。」

「他国人、最も横暴な異邦の民」は、ネフィリム巨人たちです。当時の人間がこんな大きな絵を描くことは不可能です。宇宙人もいません。巨人だけが上から見ながら歪ませずにバランスよく描くことができるのです。ネフィリム巨人は、人間女性と堕天使200人のハーフだから母方の人間性として自分たちがいたことを代々覚えていてほしい、忘れないでほしい、自画像を描きたいなどの人間的な感情も働いたのでしょう。

ネフィリムについては外典聖書でも神様が鉄の剣を彼らに渡して互いに滅ぼし合ったと書かれていますので、この絵のようにレバノン杉の木を切ることも斧のような道具使用で可能だったのです。

聖書で人間とはこのような性質を持つ存在です。自分たちのことを子孫代々まで記録したい願望があるようです。

詩篇49：11－12「彼らは、心の中で、彼らの家は永遠に続き、その住まいは代々にまで及ぶと思い、自分たちの土地に、自分たちの名をつける。しかし人は、その栄華のうちにとどまれない。人は滅びうせる獣に等しい。」

現代のレバノン杉

聖書に47回登場するレバノン杉。聖書では雲の中まで届き、山々より高かったといいます。それは明らかに現在の世界遺産登録の森林地帯のそれではないです。聖書の言葉はそのままべてがありのまま真実ですから。

エゼキエル書31：3「見よ。アッシリヤはレバノンの杉。美しい枝、茂った木陰、そのたけは高く、そのこずえは雲の中にある。」

詩篇80：10「山々もその影におおわれ、神の杉の木もその大枝におおわれました。」

スラヴ語　第二エノク書5章「また生命の樹がその場所にあって、そこは主が天国にお入りになるおりに休息される場所である。その生命の樹は香りのよさで言うに言われぬ

アメリカ　ワイオミング州デビルスタワー

ほどのものである。それはどの方角から眺めても金色に輝き燃える朱色で、すべての果樹が実っていた。そして、その根っ子は地球の果ての庭園にあった。」

アラビア語でアル・ラム「神の杉の森」と呼ばれるこの地域にアル・アルツ「杉の木」があります。この山は切り倒された巨大な木の切り株です。切断された高度は1800m付近で60

階建てに匹敵し「そのたけは高く、そのこずえは雲の中」と書かれた条件を満たすほどで、現在でも雲の上にまで達します。

メサ　ここはてっぺんが平らですが、差別侵食によって形成されたテーブル状の台地と教えられていますが、自然界では頂上が平らはあり得ないです。これも切り倒されたレバノン杉の根っ子と少しの部分です。メサの語源はスペイン語で机、テーブル、食卓の意ですが、本当に巨人ネフィリムの食卓だったかもしれません。古代の切り株は世界中にあります。

アリゾナ州　モニュメントバレー・ビュート

アリゾナ州　スーパースティション山脈

コロラド州　マウント・ガーフィールド

アイルランド・ベンバルビン

チュニジア　ユゲルタ・テーブルランド
木にだけある特徴の年輪もはっきり残っています

オーストラリア・メルヴィル山地

カナリア諸島　ロス・オルガノス

オーストラリア　マウント・コナー

南アフリカ　テーブル・マウンテン

ベネズエラ　クケナン・テプイ

ベネズエラ　ロライマ

ベネズエラ　セロ・アウタナ

アメリカ　ハワイ州ホノルル　パンチボウル

群馬県　荒船山

この下からは現代の木の切り株と山との比較です

エレン・G・ホワイトの著書『族長と預言』によると第7章「大洪水」では、レバノンの杉の木がいかに優れたものであったかを記しています。

「ノアの時代には、アダムの罪とカインの殺人が招いた二重の呪いが地球を覆っていた。しかし、自然界の姿を大きく変えることはなかった。場所によっては、明らかな自然破壊が見られたものの、地球はまだ神の意志により、その美しい贈り物に満ちていた。丘には、壮大な樹々が生え、果実を実らせる神聖な枝を支えていた。広大な庭園のような平野は、草木に覆われ、何千もの花々から甘い香りが漂っていた。地球の果物は多彩に満ち、殆ど無限状態に実った。樹々の大きさ、美しさ、そしてその完璧なプロポーションは、現在とは全く比較にならないものであった。その木はきめ細かく、材質はかたく、石を彷彿させ、耐久性に優れた。金、銀、そして宝石は豊富に存在した。」

神様が世界を創造された当初、それはそれは美しく豊かで繁栄に満ちた最高の世界でした。人間も１０００歳近くまで生きられる優れた存在だったのです。

巨人ネフィリムに切り倒されたレバノンの杉の木は、その後、どうなったでしょうか？

現在、こずえが雲の中にまでそびえ立つ巨木は世界のどこにも見当たりませんので、巨人ネフィリムは一本残らず切り倒したということになりますが、聖書には、その後の行方を記した箇所があります。レバノンの杉の木は、その後、死者たちの下る「地下の国」、黄泉(よみ)に下ったといいます。黄泉は地球の中心にあり、そこに横たえられた「地下の国」は、人間の形をして仰向けに横たえられています。レバノンの杉の木は黄泉に下りました。

エゼキエル書31：3－17「見よ。アッシリヤはレバノンの杉。美しい枝、茂った木陰、そのたけは高く、そのこずえは雲の中にある。水がそれを育て、地下水がこれを高くした。川々は、その植わっている地の回りを流れ、その流れを野のすべての木に送った。それで、そのたけは、野のすべての木よりも高くそびえ、その送り出す豊かな水によって、その小枝は茂り、その大枝は伸びた。その小枝には空のあらゆる鳥が巣を作り、大枝の下では野のすべての獣が子を産み、その木陰には多くの国々がみな住んだ。それは大きくなり、枝も伸びて美しかった。その根を豊かな水におろしていたからだ。神の園の杉の木も、これとは比べ物にならない。もみの木も、この小枝とさえ比べられない。すずかけの木も、この大枝のようではなく、神の園にあるどの木も、その美しさにはかなわない。わたしが、その枝を茂らせ、美しく仕立てたので、神の園にあるエデンのすべての木々は、これをうらやんだ。それゆえ、神である主はこう仰せられる。そのたけが高くなり、そのこずえが雲の中にそびえ、その心がおごり高ぶったから、わたしは、これを諸国の民のうちの力ある者（巨人ネフィリム）の手に渡した。彼（巨人ネフィリム）はこれをひどく罰し、わたしも、その悪行に応じてこれを追い出した。こうして、他国人、最も横暴な異邦の民（巨人ネフィリム）がこれを切り倒し、山々の上にこれを捨てた。その枝はすべての谷間に落ち、その大枝はこの国のすべての谷川で砕かれた。この国のすべての民は、その木陰から出て行き、これを振り捨てた。その倒れ落ちた所に、空のあらゆる鳥が住み、その大枝のそばに、野のあらゆる獣がいるようになる。このことは、水のほとりのどんな木も、そのたけが高くならないためであり、そのこずえが雲の中にそびえないようにするためであり、すべて、水に潤う木が高ぶってそびえ立たないためである。これらはみな、死ぬべき人間と、穴に下る者たちとともに、地下の国、死に渡された。神である主はこう仰せられる。それがよみに下る日に、わたしはこれをおおって深淵を喪に服させ、川をせきとめて、豊かな水をかわかした。わたしがこれのためにレバノンを憂いに沈ませたので、野のすべての木も、これのためにしおれた。わたしがこれを穴に下る者たちとともによみに下らせたとき、わたしは諸国の民をその落ちる音で震えさせた。エデンのすべての木、レバノンのえり抜きの良い木、すべての水に潤う木は、地下の国で慰められた。それらもまた、剣で刺し殺された者や、これを助けた者、諸国の民の間にあって、その陰に住んだ者たちとともに、よみに下った。」

富士山人工製造説！　ネフィリム巨人のたったひとつの神様の御心に合致した行動の功績があった！

富士山人工製造説をご存知ですか？

もしネフィリムがレバノン杉を切らなかったら、大洪水の時、人も生き物も登って上に逃げたと思います。そうなれば、神様を信じる義人ノアの家族8人だけが生き延びて新しい世界を再建する神様の御計画も実現されなかったのです。

レバノン杉を切ったネフィリム巨人たちは今日の自然破壊する悪徳業者たち同様の災いですが、結果、御心を成就する上で益になったのです。もっとも木の上に逃げても箱舟内とは違って長期間の大量食物までは入手できない木の上では飢え死にしますが。山頂に逃げ場さえもなくなった人類は大洪水でノア達8人以外は全滅したのです。

創世記7：17－24　それから、大洪水が、四十日間、地の上にあった。水かさが増していき、箱舟を押し上げたので、それは、地から浮かび上がった。水はみなぎり、地の上に大いに増し、箱舟は水面を漂った。水は、いよいよ地の上に増し加わり、天の下にあるどの高い山々も、すべておおわれた。水は、その上さらに十五キュビト増し加わったので、山々はおおわれてしまった。こうして地の上を動いていたすべての肉なるものは、鳥も家畜も獣も地に群生するすべてのものも、またすべての人も死に絶えた。いのちの息を吹き込まれたもので、かわいた地の上にいたものはみな死んだ。こうして、主は地上のすべての生き物を、人をはじめ、動物、はうもの、空の鳥に至るまで消し去った。それらは、地から消し去られた。ただノアと、彼といっしょに箱舟にいたものたちだけが残った。水は、百五十日間、地の上にふえ続けた。

ここにはっきり「主は地上のすべての生き物を、人をはじめ、動物、はうもの、空の鳥に至るまで消し去った。」と書かれています。

一部の行き過ぎた人が言うように、「ネフィリムはサーフボードのように箱舟につかまってバタバタ波乗りしながら生き延びた」というのを聞いても信じてはいけません。「百五十日間」、５カ月で低体温症と飢えで死にます。そうでなくても聖書に人もネフィリム含む「地上のすべての生き物」も全滅と書いていますから、聖書を信じます。末の子ハムは洪水後に父の裸を兄弟たちに告げて呪いを受けましたが、元から彼もその妻も普通に罪深いただの人間です。

ネフィリムが生き延びて、その血統がイギリス王朝だとか、世界政府の本当の姿はヒト型爬虫類レプティリアン・ヒューマノイドだという陰謀論者たちの妄想話に惑わされないでください。彼らはサタン崇拝者で単純に悪霊が入った普通の罪深い人間たちです。

ただし、世界の終わりになると悪霊たちも人間の姿をとって現れることがあり得ます。怪しい変なおじさんには気を付けてください。

切られたレバノン杉の切り株は現在、世界中にあって大きな山と思われていますが、違います。年輪さえ残ったものがあります。木を磨けば光沢が出るように、この手の山と思われる切り株を磨けば、すべての元レバノン杉には同様の光沢と年輪が浮き出てくると思います。山頂の研磨掃除ですね。

ネフィリムの妻となった人間たちはセム（黄色）・ハム（黒人）・ヤペテ（白人）人種ゆえにネフィリムにもいろいろな人種のような顔かたちがあったと思われます。日本人っぽいネフィリム巨人。彼らはムー大陸で栄えましたが、大陸もろとも太平洋の大海に沈みました。

ダイダラボッチは、日本の各地で伝承される巨人。類似の名称が数多く存在するが、山や湖沼を作ったという伝承が多いです。伝説では、「富士山を作るため、甲州の土を取って土盛りした。そのため甲州は盆地になった。富士山を作るため近江の土を掘り、その掘った跡地が琵琶湖となった。上州の榛名富士を土盛りして作り、掘った後は榛名湖となった。榛名富士が富士山より低いのは、もう少し土を運ぼうとしたが夜が明け、途中でやめたためである」などがありますが、本当だろうか？

聖書の詩篇１０４編では、洪水後に水が全地から引くために地殻大変動が世界規模で起きているから、そこでムー大陸は太平洋に沈み、日本海溝、日本海淵が大きな亀裂となって深まり、日本列島が現在の形になった。その時、すでにネフィリムは全滅済みですし、これらの伝説は現状の日本地理に基づく内容だから、作り話と判明できます。ただし、当時の日本人がネフィリムの伝説を聞いていたり、その死体である残骸の山を目撃していたことはあり得ます。

多分、日本にもネフィリムの死体の山が多数あったはずです。しかも今の時代よりもっと風化が少なく現状に近い状態で！　昔の人はそのネフィリム死体の山を見ながらダイダラボッチと名付け、空想で富士山人工製造の伝説ができたのだと思われます。

終末に預言成就の巨人ネフィリム復活!?　666刻印ネフィリム遺伝子混入でスイッチON！　人間DNA上書きで交配種ハイブリッド雑種変異！　人間と堕天使のハーフである巨人ネフィリムとのクウォーター混血雑種になると天国に入れない！　イエス様の救いは人間だけの特権で堕天使の雑種は排除される！

預言者イザヤを通して、神様はバビロンの最終審判のビジョンを与えました。
イザヤ書13：3「わたしは怒りを晴らすために、わたしに聖別された者たちに命じ、またわたしの勇士、わたしの勝利を誇る者たちを呼び集めた。」

この同じ箇所をイザヤ書13：3の70人訳Greekで見ると、全然違います。これは世界の最後に巨人を呼び寄せ、滅ぼすという預言です！
「I give command, and I bring them: giants are coming to fulfil my wrath, rejoicing at the

same time and insulting.（＊他訳ではGiantsは出てこない、）」
直訳：「私は命令を出し、彼らを連れてきます。巨人は私の怒りを実現するためにやって来て、同時に喜び、侮辱します。」

同じイザヤ書13章にある世の終わりの状況を新改訳では、
イザヤ書13：21－22「そこには荒野の獣が伏し、そこの家々にはみみずくが満ち、そこにはだちょうが住み、野やぎがそこにとびはねる。山犬は、そこのとりでで、ジャッカルは、豪華な宮殿で、ほえかわす。その時の来るのは近く、その日はもう延ばされない。」

ダチョウと野やぎが出てきて平和なイメージですが、ここも70人訳Greekでは全然違う訳になります。

「But wild beasts shall rest there; and the houses shall be filled with howling; and monsters shall rest there, and devils shall dance there,」

直訳：「しかし、野獣はそこで休むでしょう。家々は遠吠えで満たされなければならない。モンスターたちはそこで休み、悪霊たちはそこで踊る。」

70人訳Greekの終末預言は、モンスターである堕落天使の遺伝子を持つ雑種の巨人ネフィリム復活や666刻印を受けた人間たちが増え、キメラ生物や恐竜も復活して、悪霊たちが喜び踊るというのです。

最大の問題は、666刻印です。巨人ネフィリムは堕天使と罪ある人間の交配種ハイブリッド雑種であるがゆえ、天国には入れないのです。イエス様の救いは純粋な人間だけの特権で堕天使の雑種となった人は救いの資格を失います。

DSは洪水前の時代からDNAを持って来て、ネフィリムのクローンを創造しているだけでなく、彼らはある特定の遺伝子を取り出しています。これは将来重要になりますが、伝染病などに対するワクチン予防接種でチップを受けた人にネフィリム化石の骨から抽出したネフィリムの遺伝子を注入する計画です。

その後、反キリストが現れる頃に、右手か額にスタンプのような刻印を押されると、ネフィリムの遺伝子にスイッチが入り人間の遺伝子が変えられて獣の刻印となり、神様がおつくりになったDNAを無効にしてしまうのです。遺伝子が無効になるので神様は私たちのことを神様の子供と認識しなくなり、神様の救済も受け取れなくなります。ＤＮＡが悪霊に取り憑かれたことになるのです。

６６６を受けたら人間だけに許されたイエス様の救いから落とされ地獄に行ってしまいます。イエス様の救い対象は純粋・純血なＤＮＡを持つ人間だけで、堕天使のＤＮＡ混入の雑種は救われません。

獣＝巨人ネフィリム　刻印＝刻んで入れる印　ネフィリムの遺伝子注入によって人間と堕天使のハーフである巨人ネフィリムとのクウォーター混血雑種になるのです。堕天使、悪霊との混血は、取り返しのつかない永遠の滅びの災難です。

ルカによる福音書13：1－3「ちょうどそのとき、ある人たちがやって来て、イエスに報告した。ピラトがガリラヤ人たちの血をガリラヤ人たちのささげるいけにえに混ぜたというのである。イエスは彼らに答えて言われた。「そのガリラヤ人たちがそのような災難を受けたから、ほかのどのガリラヤ人よりも罪深い人たちだったとでも思うのですか。そうではない。わたしはあなたがたに言います。あなたがたも悔い改めないなら、みな同じように滅びます。」

遺伝子組み換え技術とゲノム編集という試みは、純粋な捧げ物ではない人工的な人為的災難です。神様が受け入れない、いけにえに混ぜた獣の血なのです。悪魔はこのことをよく知っていて人間が救われないで、罪の結果、死後に地獄に堕ちるよう刻印でDNAを書き換えて、堕天使の血が混じったネフィリムの雑種に変異させたがっているのです。堕天使のクウォーター混血雑種になったらおしまい、完全終了です。ネフィリム巨人や恐竜などのことをもっと知りたい方は、ぜひこの本をお勧めします。現在、巨人の骨から抽出した遺伝子は培養で巨人復活に向けて闇市場で高値で売買されています。

アトムのライバルアトラスをボストン・ダイナミクス社が開発!?

日本の代表的なロボット、ソフトバンクのペッパー（Pepper）とホンダのアシモ（ASIMO）。

一方、アメリカの代表的なロボットは、ボストン・ダイナミクスのアトラスです。この

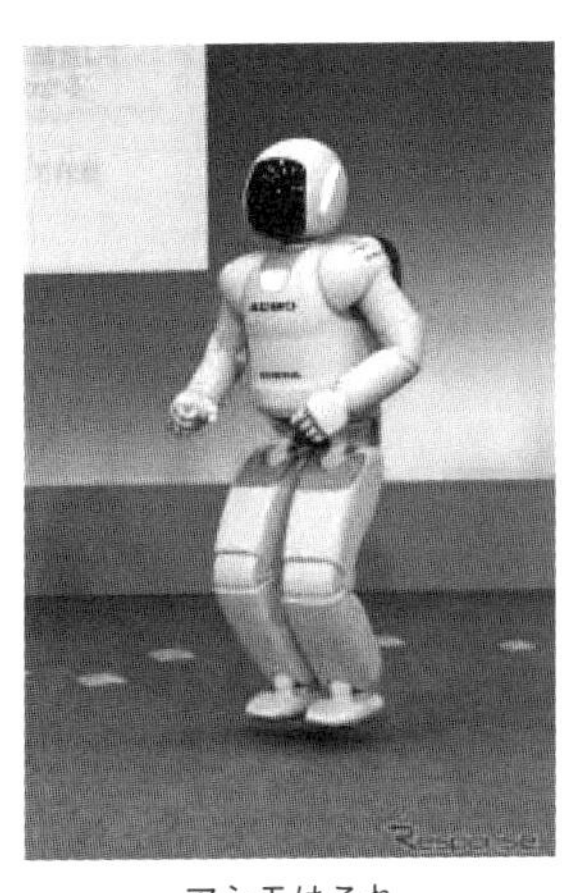

アシモはこれ

ペッパーはこれ

アトラスの名前はいつだれがつけたのでしょうか？

2台のいいところを掛け合わせみると、やはり鉄腕アトムを連想します。身長も同じくらいだし。名前もアシモとアトムは似ています。

そうなるとアトムのライバルがここにいます。アニメではアトムとほぼ同じくらいの力を持つ10万馬力のロボット「アトラス」が登場します。しかしアトラスはオメガ因子を持っているため人間に対しても反抗することが可能で時に破壊的です。アトムはライバルのアトラスと戦い勝ちます。アトムの設計図を盗み出して作り上げたアトラスの生みの親であるラム博士はアトムに恨みを抱き、アトラスは博士にいわれアルプスの溶岩を外に向けて流す悪事や、富士山噴火など悪事を企てますが、アトムがこれを阻止するというストーリーがあるようです。

驚きは、現実にアトラスと同じ名前のアメリカ製ロボットが日本製のアシモやペッパーのライバルとして存在します。まさか日本製ロボットの設計図を盗み出したのではないだろうが、それが先述のニュース記事にもあったアメリカ製のアトラスです。

飛んだり跳ねたりバク転までできるかなりの機動性に富む人型二足歩行ロボット。

白黒アニメの鉄腕アトムはどれくらい前からの古いアニメだろうか、いつからアトラスなるライバルがストーリーに出てきたのだろうか？　このカラー画像では少なくても1980年、つまり今から44年前のアニメです。44年前なら飛んだり跳ねたりバク転まで可能な人型二足歩行ロボットなんて、どこにも見られなかった時代です。

しかし、名前が同じアトラスは、ボストン・ダイナミクス社で近年、開発成功したものだと思いま

すが、その名がアトラスだなんて偶然の一致とは思えません。背後に誰かの筋書きがあって名付けられたとしか思えません。

野球の場合、おおよその筋書きがあっても選手一人一人は自分とチームのために全力で真面目に頑張っていると思います。しかし、結果からいうと夢のない話になりますが、すべての選手はゲームの駒のようで、どのチームが優勝しても主催者が巨額に儲かる仕組みになっていて、サポーターやテレビ視聴者はその決められた遊戯の中で一喜一憂しながら踊らされているのです。

正力松太郎氏は、内務官僚、警察官、実業家、政治家およびCIAの協力者

正力松太郎氏（故人）は、読売新聞社社主、日本テレビ放送網代表取締役社長、読売テレビ会長、日本武道館会長等を歴任。読売ジャイアンツ創立者であり初代オーナーを務め

米国CIAからコードネームで呼ばれる「対日心理戦協力者」です。「日本テレビ」は戦後、米国CIA、国防省、国務省などの肝いりで反共産主義プロパガンダとして日本に放送網を巡らすことを目的に設立されました。

米国は7年間のGHQによる軍事的占領後、サンフランシスコ講和条約により独立した日本に対して「軍事的パワーによってではなく、心理情報戦略によって再占領を実施、占領状態を永続的に継続すること」を狙ってました。

正力松太郎氏によるテレビ普及策「街頭テレビ」「プロレス中継」「プロ野球中継」「アメリカ製ホームドラマ」「ディズニー番組」は、日本国民に反米感情を失わせ、親米感情を持つようにする役割がありました。

川里隼生さんによると、大谷翔平が「魔球」連発。面白いように曲げて落とした3球に米仰天「加工映像に見える」米ファン「ばかげている」「チートだ」などと驚きの声が上がっている。

昭和の漫画「巨人の星」の主人公、星飛雄馬が新聞紙で兜を折ってかぶりました。どう

でもいい話ですが、最初から作られたストーリーがあるように感じます。第二の大谷目指して若者たちが勉強終了、政治も経済動向も国際事情も無関心、大リーグボール養成ギブスのようにスポーツに専念！　近い将来は日本終了。興行業スポーツショーのスター選手は極まれり。「興行業」は、スポーツや演劇などの興行を企画、演出し、不特定多数の者に観覧させる事業。スポーツショーの主催者が一番大儲けする巧妙に作られたシステムに巻き込まれませんように。

実はオリンピックもサッカーも野球も、メイソン儀式の一環で、スポーツ興業主の莫大な利益はアメリカDSの資金源になっています！

スポーツ興業で民衆が試合に夢中になればなるほど支配者にとっては有益な政治的無関心に陥らせることができ、古代ローマ帝国が円形劇場を設置して次々と民衆の関心を集める愉快なオリンピックスポーツや格闘行事を行いながら、その現状の貧しさと苦しみを忘却させ、裏では自分たち富豪の利権システムを守りつつ世界進出の戦争を繰り返していたように、世界支配を目論む狡猾なＤＳ連中はテレビの洗脳効果で民衆に何も持たせず、何も考えさせず、思いのままの方向へ扇動しています。奴隷が最も悲惨なことは、自分が奴隷であることに気付かされていないことです。

しかし、このような支配者たちの計画された巧みな邪悪から離れて、本当の自由になれる生き方があります。主イエス様を信じることです。神様に立ち返れば悪魔の奴隷にはなりません。救い主イエス様は十字架を通じて救いの手を差し伸べています。今が救いの時です。この世に騙されて、気が付いたら何も持たないで死んでいく、それはむなしいことです。あなたは天国に沢山の宝を蓄えることができるはずの幸いな人です。あと少し、信仰を働かせて主イエスに従って生きてください。イエス様はあなたのために身代わりとなって十字架で血を流して死なれ、３日目に死と黄泉と悪魔のかしらを打ち砕いて復活されました。

絶対後悔しない自由な生き方があります！

「主イエス様、私の霊の目を開いて救ってください！」と言って祈ってください。十字架のあるプロテスタント教会に通って聖書をお読みください。

絶対的な真理と救いがイエス様にはあります。新しい自由な人生が待っています。

ＷＢＣ野球で世界が政治的無関心になった空白期間に行われたこと。

バブル景気の時、ディスコに常設されたお立ち台で踊っていた女性たち。そこに群がる男たち。経営者によって作られたステージ上、誰かが決めた同じ振り付けと派手衣装で踊らされる愚かさ。その同時期、すでにＤＳの持ち上げてから突き落とす、バブル景気戦略は進行中で、やがて作られた好景気が計画通りに終焉を迎えました。
中身のない架空の偶像風船は割れ、失われた30年が来たのです。

中国の習近平主席がプーチン大統領に急接近、これに対抗して岸田首相がゼレンスキー大統領に急接近。
日ウと中ロの対比構図は、日本の世界への参戦アピールとなり、中国からロシアへの武器供与を牽制し、アメリカの目論み通り習近平主席の面子を潰す結果になったようです。

もし、日本がこのタイミングでウクライナに行かなかったら、習近平主席が世界の正義となって和平交渉のためにウクライナ入りして大活躍、全世界が認めるであろうその中国躍進の可能性を根本から潰したわけです。

武器商人は戦争が長引くほど儲かり、旧式の武器を大量に在庫処分できる機会は戦争しかなく、オーダーストップの和平は望みません。西側諸国の戦闘機、ミサイル、戦車のウクライナ提供は火に油を注ぎたいアメリカ軍産複合体の意向です。軍産複合体とは、軍事的組織と兵器産業が結合して生まれたＤＳの軍事体制です。

岸田首相の動きも自分の頭で考えてひらめいた自発的な国会主導ではなく、鳩山元首相の暴露通り日米合同委員会の決定に基づくものであり、命じられたことに聞く耳を持った従順な使い走り行動でしょう。国民の血税がまた大量追加でばら蒔かれました。岸田首相は、ウクライナに殺傷能力のない装備品を支援するため３０００万ドルを拠出するほか、エネルギー分野で新たな無償支援として4億７０００万ドルを供与する考えを伝えました。この一回の追加支援だけで5億ドル、６５３億９０００万円！

これだけの大金を日本国民のために純粋に使ったらどれだけ多くの社会的弱者を救えますか？　発展途上国で飢えている人々、洪水や災害で飢え苦しむ被災者たち、家屋を破壊された避難民たち！　馬鹿な利権がらみの戦争のために血税が搾取されています！だから、世論の非難をかわすために、この時期、野球興行に夢中になっている隙間にかいくぐって行ったのです。本来、日本とは無関係な他国間の代理戦争に無理やり協力させられています。日本の国家主権はどこにあるのでしょうか。岸田首相はアメリカの命令に聞く耳持つより、国民の声にこそ聞く耳を持つべきではないでしょうか。

超高齢化社会、日本　人間の人生最後に起きること

伝道者の書12：1－8　「あなたの若い日に、あなたの創造者を覚えよ。わざわいの日が来ないうちに、また『何の喜びもない』と言う年月が近づく前に。太陽と光、月と星が暗くなり、雨の後にまた雨雲がおおう前に。その日には、家を守る者は震え、力のある男たちは身をかがめ、粉ひき女たちは少なくなって仕事をやめ、窓からながめている女の目は暗くなる。通りのとびらは閉ざされ、臼をひく音も低くなり、人は鳥の声に起き上がり、歌を歌う娘たちはみなうなだれる。彼らはまた高い所を恐れ、道でおびえる。アーモンドの花は咲き、いなごはのろのろ歩き、ふうちょうぼくは花を開く。だが、人は永遠の家へと歩いて行き、嘆く者たちが通りを歩き回る。こうしてついに、銀のひもは切れ、金の器は打ち砕かれ、水がめは泉のかたわらで砕かれ、滑車が井戸のそばでこわされる。ちりはもとあった地に帰り、霊はこれを下さった神に帰る。空の空。伝道者は言う。すべては空。」

超高齢化社会、日本に住む私たちにとって無縁ではない高齢者問題。ソロモン王は巧み

な擬人法で人の老いと死を文学的に表現しました。その一節一節の意味を解き明かします。

「あなたの若い日に、あなたの創造者を覚えよ。わざわいの日が来ないうちに、また「何の喜びもない」と言う年月が近づく前に。」

高齢になって何の喜びもない年月が来ないよう、早く創造者を覚えることが人生の楽しみです。

その日が来ると、次第に起きる現象が、

「太陽と光、月と星が暗くなり」ます。その意味は、ヨセフの夢解釈では、太陽が父、月が母、星が兄弟たちを指します。子供たちはやがて皆、実家を離れ、両親も病気で入院や死別で不在となって家が暗くなります。

「雨の後にまた雨雲がおおう」これは、高齢者は涙もろくなる意味ですが、知り合いの訃報も次々聞こえます。そこで涙の連続日々を表現したものです。

「家を守る者は震え」やがて腕、足が震えて衰弱します。体温調整できなくなって寒がり震えます。

「力のある男たちは身をかがめ」高齢者の筋力衰え、腰が曲がる状態を指します。

「粉ひき女たちは少なくなって仕事をやめ」これは歯が抜けて減り、固い物が無理になって柔らかな流動食、おかゆを食べる姿です。インプラント入歯も必要になります。

「窓からながめている女の目は暗くなる」一日中、窓から眺めるだけの姿は仕事ができなくなる状態です。何もすることがなく色弱な視力減退です。今、白内障が急増です。

50歳代で4割から5割が発症するといわれ、
60歳代に、66～83パーセントの発症率
70歳代で84～97パーセント
80歳以上は、100パーセントの発症率
加齢黄斑変性や老眼もあり、視界が暗くなります。

「通りのとびらは閉ざされ」次第に聴力喪失で、心も閉じて交流せず、孤立して引きこも

りがちになります。

「臼をひく音も低くなり」語る声が低く、声に張りがなくなります。

「人は鳥の声に起き上がり」眠りが浅く、早起きになります。

「歌を歌う娘たちはみなうなだれる」元気を失い歌わなくなります。やる気がしない気力喪失です。

「高い所を恐れ」高所を恐れるようになります。

「道でおびえる」痴呆で徘徊。道を忘れ自由に出歩けなくなる姿です。

「アーモンドの花は咲き」真っ白い花ですが、それは白髪になることを指します。

「いなごはのろのろ歩き」転ばないよう歩きがスリ足でのろのろ遅くなります。

「ふうちょうぼくは花を開く」精力剤の花が開くとすぐ散って枯れる様が、精力終了を意味します。

「人は永遠の家へと歩いて行き」老人たちが永遠を思い、宗教に関心を持つようになります。

「嘆く者たちが通りを歩き回る」嘆き、悲しみを告げる訪問者による危篤状態の知らせ、訃報メールや電話連絡等を指します。

「銀のひもは切れ」神経が切れて意識喪失の昏睡状態となります。

「金の器は打ち砕かれ」最も強い金のような頭蓋骨に守られた脳内破損、脳梗塞、脳溢血などを発症します。

「水がめは泉のかたわらで砕かれ」水をためる器が破損します。これは内臓器疾患で破損。

ステージ4、末期となった大腸がん、胃がん、肝臓がん、すい臓がんなどです。

「滑車が井戸のそばでこわされる」つるべ井戸で水桶をロープで引き上げる際に上のほうで回る丸い歯車の道具が滑車です。これが壊れたら水おけを引き上げられなくなります。

人の命の水、血液が全身へ配給できなくなる様は心臓停止を指します。

「ちりはもとあった地に帰り」人の体は死ぬと火葬や土葬で土地に消えます。

「霊はこれを下さった神に帰る」最後は神様の御前に一人行くことになります。

「空の空。伝道者は言う。すべては空。」消えます。

しかし、これらはあくまで地上的な死であって、死後に新たな世界が始まります。

死後の世界

医学的には痴呆も死への準備だといいます。未知なる体験、死を恐れなくなる鈍さ。大抵の人は死期が近づくと体がその信号を脳に知らせて自動的に立派になり、生涯を顧みる人が多いです。

伝道者の書7：1－4「良い名声は良い香油にまさり、死の日は生まれる日にまさる。祝宴の家に行くよりは、喪中の家に行くほうがよい。そこには、すべての人の終わりがあり、生きている者がそれを心に留めるようになるからだ。悲しみは笑いにまさる。顔の曇りによって心は良くなる。知恵ある者の心は喪中の家に向き、愚かな者の心は楽しみの家に向く。」

これまでは脳の活動は心臓が止まると同時に停止すると考えられてきました。しかし、死後30秒以内に短時間の脳活動を引き起こす化学物質が脳全体に4～5分は大量に放出され、激しい幻覚が引き起こされることが最近の研究から分かりました。完全に死ぬ直前に、短い間ながら意識と記憶の高まりが起きている可能性があるのです。

唯物論者や科学は、臨死体験は脳への酸素欠乏、またはほかの神経生物学的影響による、単なる幻覚だと主張しますが、臨死体験を再現する実験をやってみた研究者たちは、彼らの体験が現実である可能性を排除できないと言います。

『死のドアを超えて』を書いたトーマス・ネルソン氏は言います。

「死後の世界は暗黒の苦しみの世界。」著者は心臓病の専門医で、救急病院で多くの患者の蘇生を手がけて、患者の生の声を生き返った直後に聞きました。蘇生した人の20％しか自らの体験を語りたがらなかったですが、語った人は、素晴しい体験をした人と恐ろしいところへ行ってきた人と半々だったと言います。

知の巨人と言われた立花隆氏。80歳で癌で亡くなりました。「臨死体験（上）（下）」（文藝春秋）の中で、日本、アメリカ、インドでの体験にかなりの隔たりがあるといいます。例えばアメリカの体験者は光を見る率が高く、しかも光を神あるいはキリストと把握するが、日本では光を体験する率が低いそうです。このことは、単純に天国行くクリスチャン人口が多いアメリカと、少ない日本の違いでは？

インドでは光の存在との出会いそのものが全くない代わりにヤムラージ（えん魔大王）に会うそうです。このヤムラージなる存在も、イエス様を知らない大抵のインド人が死後に出会う悪魔では？

また日本では三割近い人が三途の川に出会っているが、欧米では非常に少数。このことから、立花隆氏は臨死体験のかなりの部分は、頭の中で作られたイメージ体験ではないのかと指摘しています。ただし、これではどうして臨死体験の世界に共通の構造があるのかが説明できないとも指摘していました。


次は、自身が臨死体験者であり、臨死体験に関しての研究を行っているフィリス・アトウォーターと、同じく臨死体験研究を行っているケビン・ウィリアムズが集めた臨死体験者の多くが経験する共通した10要素です。人が死ぬと、

1．圧倒的な愛に包まれる感覚
臨死体験者の69％が、圧倒的な愛の存在に包まれる感じがするという。この感覚はそこで出会った存在からかもし出されていて、それは神様のような敬虔な姿だったり、光のよ

うに実態のない存在だったり、亡くなっている親戚の姿だったりするという。

2. 死後の世界の人々との意識交信

65%の臨死体験者が、死後の世界で会った人たちや存在とのコミュニケートは、テレパシーで行ったと語っています。つまり、コミュニケートは言葉ではなく、意識のレベルで起こるようです。

3. 人生を振り返る

62%の体験者が自分の人生を始めから終わりまで走馬灯で見たと報告しています。現在から過去へさかのぼって見た人もいます。まるで映画のフィルムを見ているようだといい、自分の人生の詳細を客観的に目撃しているような気がしたという。

4. 神を見る

体験者の56%が、出会った存在は神様、もしくは神聖な存在だったと報告しています。そのうち75%が自分のことを無神論者だと主張しています。

5. とてつもない恍惚感

56%の人が体験しているとてつもない恍惚感。外からの愛に対して、この体験は自分の体の中から感じるものだという。死後の世界にいると、とてつもない喜びを感じ、肉体からも地上のいざこざからも解放されて、陶酔できるという。

6. 無限の知識

46%の臨死体験者が、自分が無限の知識の存在の中にいると感じ、その知識全部かまたは一部を授けられることもあるという。まるで知恵と秘密の世界が共有できたかのような感覚らしい。残念ながら、目覚めてしまうとその知識を持ち続けることはできないようですが、そんなとてつもない知識が存在したという記憶だけは残ります。

7. 死後の世界の階層

46%の臨死体験者の報告によれば、死後の世界はひとつだけではないようです。死後の世界を進んでいくと、さまざまな違う階層があることに気付くという。非情な苦しみの世界である地獄と思われる場所を体験した者もいます。

8.　時期尚早だと言われる

臨死体験者の約半分は、死後の世界は、そこに留まるか地上の生の世界に戻るか、決定がなされる境界線のようなものだという。決定はそこに存在するものによってなされ、やるべきことがまだ残っていると、地上へ戻れと言われます。一方で、そう言われても、選択の余地を与えられると戻るのをためらう場合もあるという。

9.　未来を示す

44％の臨死体験者が未来に起こる出来事を告げられるという。それが世界の未来であったり、その人の生死に関わる特別な出来事になる可能性もあります。その情報は、地上に戻るか、戻らないかを決める助けになるかもしれないです。

10.　トンネル

光のトンネルは臨死体験のトレードマークで、42％の体験者が報告しています。ほかにも体外遊離感覚や、光のシャワーの方向に向かって突進するとか、廊下や階段をぐんぐん急速に進んでいくという。

聖書の言葉　天国について

使徒パウロは未来を預言してこう言いました。
コリント人への手紙第一15：50－51「兄弟たちよ。私はこのことを言っておきます。血肉のからだは神の国を相続できません。朽ちるものは、朽ちないものを相続できません。聞きなさい。私はあなたがたに奥義を告げましょう。私たちはみな、眠ることになるのではなく変えられるのです。」

使徒ヨハネは死後の世界を目撃してこう言いました。
ヨハネの黙示録20：11－14「また私は、大きな白い御座と、そこに着座しておられる方を見た。地も天もその御前から逃げ去って、あとかたもなくなった。また私は、死んだ人々が、大きい者も、小さい者も御座の前に立っているのを見た。そして、数々の書物が開かれた。また、別の一つの書物も開かれたが、それは、いのちの書であった。死んだ人々は、これらの書物に書きしるされているところに従って、自分の行ないに応じてさばかれた。海はその中にいる死者を出し、死もハデスも、その中にいる死者を出した。そして人々はおのおの自分の行ないに応じてさばかれた。それから、死とハデスとは、火の池に投げ込まれた。これが第二の死である。いのちの書に名のしるされていない者はみな、この火の池に投げ込まれた。」

ヨハネの黙示録21：1－4「また私は、新しい天と新しい地とを見た。以前の天と、以前の地は過ぎ去り、もはや海もない。私はまた、聖なる都、新しいエルサレムが、夫のために飾られた花嫁のように整えられて、神のみもとを出て、天から下って来るのを見た。そのとき私は、御座から出る大きな声がこう言うのを聞いた。「見よ。神の幕屋が人とともにある。神は彼らとともに住み、彼らはその民となる。また、神ご自身が彼らとともにおられて、彼らの目の涙をすっかりぬぐい取ってくださる。もはや死もなく、悲しみ、叫び、苦しみもない。なぜなら、以前のものが、もはや過ぎ去ったからである。」

イエス様は言われました。

ヨハネの黙示録5：24「まことに、まことに、あなたがたに告げます。わたしのことばを聞いて、わたしを遣わした方を信じる者は、永遠のいのちを持ち、さばきに会うことがなく、死からいのちに移っているのです。」

ヨハネの黙示録11：25―26　イエス様は言われました。
「わたしは、よみがえりです。いのちです。わたしを信じる者は、死んでも生きるのです。また、生きていてわたしを信じる者は、決して死ぬことがありません。このことを信じますか。」

イエス様は言われました。
ヨハネの黙示録14：1―3　「あなたがたは心を騒がしてはなりません。神を信じ、またわたしを信じなさい。わたしの父の家には、住まいがたくさんあります。もしなかったら、あなたがたに言っておいたでしょう。あなたがたのために、わたしは場所を備えに行くのです。わたしが行って、あなたがたに場所を備えたら、また来て、あなたがたをわたしのもとに迎えます。わたしのいる所に、あなたがたをもおらせるためです。

イエス様は言われました。
マルコによる福音書1：15　「時が満ち、神の国は近くなった。悔い改めて福音を信じなさい。」

イエス様は言われました。

ルカによる福音書18：17「まことに、あなたがたに告げます。子どものように神の国を受け入れる者でなければ、決してそこに、入ることはできません。」

イエス様は言われました。

ヨハネによる福音書3：3－6『まことに、まことに、あなたに告げます。人は、新しく生まれなければ、神の国を見ることはできません。』ニコデモは言った。『人は、老年になっていて、どのようにして生まれることができるのですか。もう一度、母の胎に入って生まれることができましょうか。』イエスは答えられた。『まことに、まことに、あなたに告げます。人は、水と御霊によって生まれなければ、神の国に入ることができません。肉によって生まれた者は肉です。御霊によって生まれた者は霊です。』

イエス様は言われました。

ヨハネによる福音書5：28－29「このことに驚いてはなりません。墓の中にいる者がみな、子の声を聞いて出て来る時が来ます。善を行った者は、よみがえっていのちを受け、悪を行った者は、よみがえってさばきを受けるのです。」

テサロニケ信徒への手紙一4：16－17「主は、号令と、御使いのかしらの声と、神のラッパの響きのうちに、ご自身天から下って来られます。それからキリストにある死者が、まず初めによみがえり、次に、生き残っている私たちが、たちまち彼らといっしょに雲の中に一挙に引き上げられ、空中で主と会うのです。このようにして、私たちは、いつまでも主とともにいることになります。」

コリント信徒への手紙一15：51－52「聞きなさい。私はあなたがたに奥義を告げましょう。私たちはみな、眠ることになるのではなく変えられるのです。終わりのラッパとともに、たちまち、一瞬のうちにです。ラッパが鳴ると、死者は朽ちないものによみがえり、私たちは変えられるのです。」

ヨハネの黙示録22：1－5「御使いはまた、私に水晶のように光るいのちの水の川を見せた。それは神と小羊との御座から出て、都の大通りの中央を流れていた。川の両岸には、いのちの木があって、十二種の実がなり、毎月、実ができた。また、その木の葉は諸国の民をいやした。もはや、のろわれるものは何もない。神と小羊との御座が都の中にあって、そのしもべたちは神に仕え、神の御顔を仰ぎ見る。また、彼らの額には神の名がついている。もはや夜がない。神である主が彼らを照らされるので、彼らには灯の光も太陽の光もいらない。彼らは永遠に王である。」

ヨハネの黙示録１：22－27「私は、この都の中に神殿を見なかった。それは、万物の支配者である、神であられる主と、小羊とが都の神殿だからである。都には、これを照らす太陽も月もいらない。というのは、神の栄光が都を照らし、小羊が都のあかりだからである。諸国の民が、都の光によって歩み、地の王たちはその栄光を携えて都に来る。都の門は一日中決して閉じることがない。そこには夜がないからである。こうして、人々は諸国の民の栄光と誉れとを、そこに携えて来る。しかし、すべて汚れた者や、憎むべきことと偽りとを行う者は、決して都に入れない。小羊のいのちの書に名が書いてある者だけが、入ることができる。」

ローマの信徒への手紙６：22－23「今は、罪から解放されて神の奴隷となり、聖潔に至る実を得たのです。その行き着く所は永遠のいのちです。罪から来る報酬は死です。しかし、神の下さる賜物は、私たちの主キリスト・イエスにある永遠のいのちです。」

神様の最後の嘆願

イエス様は言われました。

「世界中の人々に命じなさい。あなたがたはごう慢になってはいけません。不確かな富に頼ってはいけません。むしろ、生きている神に信頼しなさい。神は私たちにすべてのものを豊かに与えて楽しませてくださいます。御霊によって歩みなさい。そうすればあなたがたは肉の欲を満たすことはありません。」

「惑わされてはいけません。神が侮られることなどないのです。人は自分が蒔くものが何であれ、それをまた刈り取ることになります。肉のために蒔くなら、あなたは滅びを刈り取ることになります。御霊のために蒔きなさい。そうすればあなたは永遠の命を刈り取ることになります。肉の行いとは、姦淫、不品行、汚れ、偶像礼拝、魔術、怒り、ねたみ、酔態、浮かれ騒ぎ、そしてそのようなものです。これらのことを行っている者たちが、神の国を相続することはありません。」

「御霊の実はこれらのものです。愛、喜び、平安、寛容、親切、善、忠信、柔和、そして自制です。キリストのものである人々は、肉をその欲と一緒に十字架に付けてしまったのです。」

「神のことばが成就すると、その時、終わりが来ます。神の子が地球に再来する日時は、だれも知りません。神の子でさえも知りません。それは、父なる神にだけ知られていることだからです。神のことばはすばやく成就されつつあります。小さな子供のようになって来なさい。そして私があなたを肉の行いから清めるままにさせなさい。私にこう言いなさい。

『主イエスよ、私の心の中に入ってください。そして私の罪を赦してください。私は自分が罪人であることを知っています。私は罪を悔い改めます。あなたの血で私を洗い、私を清くしてください。私は天に対してまたあなたの前で罪を犯してきました。私は子供と呼ばれるにふさわしくありません。私はあなたを私の救い主として、信仰によって受け入れます。』」

「私はあなたがたに、私の心にかなう牧師たちを与えましょう。また私があなたがたの羊飼いとなりましょう。あなたがたは私の民となり、私はあなたがたの神となりましょう。神のことばを読みなさい。そしてあなたがたは一緒に集まることをやめてはいけません。あなたの人生をすべて私にゆだねなさい。そうすれば私はあなたを守りましょう。私は決してあなたを離れず、また見捨てません。」

皆さん、私たちは一つの御霊によって父なる神に近づくことができるのです。あなたがた全員が主のもとに来て、心を主にゆだねるようにお祈りします。

クリスチャン生活は神様を愛し、愛され、信頼できる祈りあえる仲間もたくさんいて楽しいです。どうか、お近くの十字架のあるプロテスタント教会へ行ってください。教会なしに一人では信仰生活は完全に保てません。先にクリスチャンになった方々に思い切って悩みを相談してください。解決策をこの世に求めないで聖書の真理に求めてください。人生はこんなものだとあきらめ妥協しないでください。今からでも十分間に合います。あなたが納得できる探し求めて来た本当の価値ある真理はイエス様の中にあるのです。謙遜に何度でも訪ねて、彼らクリスチャンから聖書を学んでください。平日でも教会に訪問してください。正しい本物の救われた牧師なら、親切に時間を割いて対応してくださり、永遠の神イエス様のことを教えてくださいます。

もし、あなたの通う教会の牧師がワクチン済みであっても、できれば我慢して通い続けてください。その領域では無知な牧師であっても、神様のことなら知っているはずです。もし、どうしても牧師がワクチンを推進や強要したり、ロシア非難のテレビのようであって、耐えられなかったら、他にも教会はたくさんありますから、自分自身の救いのため、永遠の天国に入るため、熱心にあきらめないで探し続けてください。いい教会が必ず見つかります。イエス様はあなたを愛して邪悪なこの時代から守ることができます。

イザヤ書1：18－20「『さあ、来たれ。論じ合おう』と主は仰せられる。『たとい、あなたがたの罪が緋のように赤くても、雪のように白くなる。たとい、紅のように赤くても、羊の毛のようになる。もし喜んで聞こうとするなら、あなたがたは、この国の良い物を食べることができる。しかし、もし拒み、そむくなら、あなたがたは剣にのまれる』と、主の御口が語られたからである。」

イザヤ書48：17－19「あなたを贖う主、イスラエルの聖なる方はこう仰せられる。『わたしは、あなたの神、主である。わたしは、あなたに益になることを教え、あなたの歩むべき道にあなたを導く。あなたがわたしの命令に耳を傾けさえすれば、あなたのしあわせは川のように、あなたの正義は海の波のようになるであろうに。あなたの子孫は砂のように、あなたの身から出る者は、真砂のようになるであろうに。その名はわたしの前から断たれることも、滅ぼされることもないであろうに。』」

泉パウロ
宗教法人 純福音立川教会 主任牧師
『本当かデマか 3・11［人工地震説の根拠］衝撃検証』ヒカルランド
『3・11人工地震でなぜ日本は狙われたかⅠ』ヒカルランド
『3・11人工地震でなぜ日本は狙われたかⅡ』ヒカルランド
『3・11人工地震でなぜ日本は狙われたかⅢ』ヒカルランド
『3・11人工地震でなぜ日本は狙われたかⅣ』ヒカルランド
『3・11人工地震でなぜ日本は狙われたかⅤ』ヒカルランド
『3・11人工地震でなぜ日本は狙われたかⅥ』ヒカルランド
『人工地震Ⅶ　環境破壊兵器 HAARP が福島原発を粉砕した』ヒカルランド
『【イルミナティ対談】ベンジャミン・フルフォード×泉パウロ』学研
『悪魔の秘密結社「イルミナティ」の黙示録』学研
『大発見！　主イエスの血潮』マルコーシュ・パブリケーション
『イエス・キリストの大預言』マルコーシュ・パブリケーション
『大地震』フルゴスペル出版
『クリスチャンになろう！』フルゴスペル出版
『イエス様 感謝します』フルゴスペル出版
『新型コロナウィルスは細菌兵器である！』ヒカルランド
『恐竜と巨人（ネフィリム）は堕天使のハイブリッド！』ヒカルランド
『天皇家はユダ族直系！ 万世一系最後の超ひみつ』ヒカルランド
『コロナは獣の刻印666【ワクチンとゾンビ】ついに来た「終わりの日」』ヒカルランド
『【脳の化学的支配と人体実験】ワクチンからの脱出パスポート』ヒカルランド
『Warning：謎すぎワクチン成分を解明せよ?!』ヒカルランド
『Resistance：やばすぎワクチン接種を禁止せよ!!』ヒカルランド
その他、日本 CGNTV、月刊誌 HOPE、月刊誌 HAZAH など連載多数。

〒207-0021　東京都東大和市立野2-16-11　TEL 042-569-8900
教会 HP　https://fgtc777.com

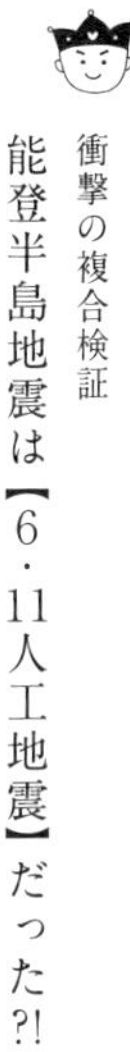

衝撃の複合検証

能登半島地震は【6・11人工地震】だった?!

第一刷 2024年5月31日

著者 泉パウロ

発行人 石井健資
発行所 株式会社ヒカルランド
〒162-0821 東京都新宿区津久戸町3-11 TH1ビル6F
電話 03-6265-0852 ファックス 03-6265-0853
http://www.hikaruland.co.jp info@hikaruland.co.jp
振替 00180-8-496587

本文・カバー・製本 中央精版印刷株式会社
DTP 株式会社キャップス
編集担当 utoi

ISBN978-4-86742-359-2

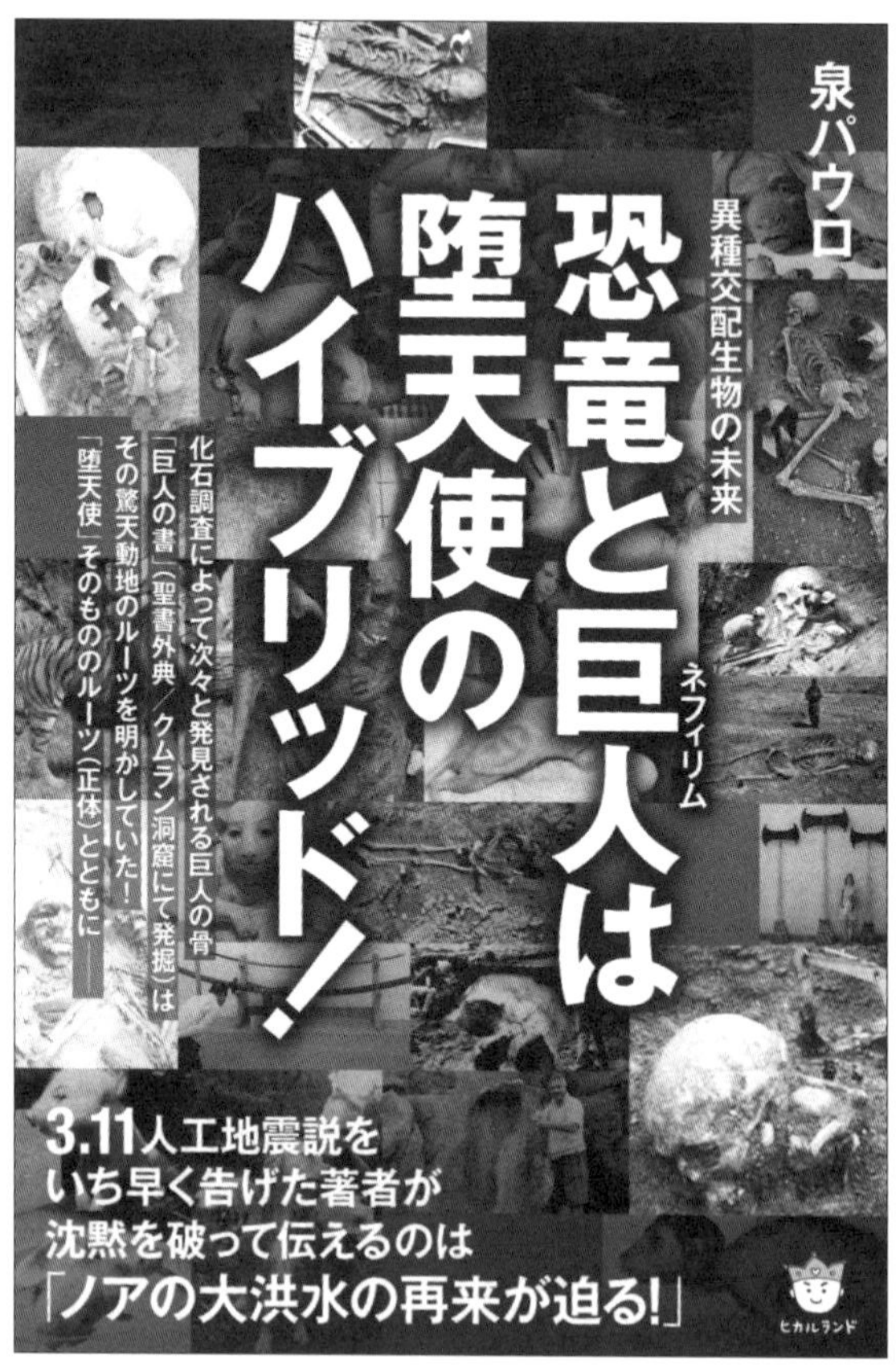

恐竜と巨人（ネフィリム）は
堕天使のハイブリッド！
著者：泉パウロ
四六ソフト　本体2,000円+税

＊ご案内の価格、その他情報は発行日時点のものとなります。

本といっしょに楽しむ イッテル♥ Goods&Life ヒカルランド

持ったら誰もが量子ヒーラー!?
ホワイト量子開発者が自ら「これまでの最高傑作」と!

7色に光るWQEエネルギーが手のひらから強力サポート

ホワイト量子手のひらメドベッドは、紫・紺・青・緑・黄・橙・赤の7色の光が点灯します。それぞれの光からはホワイト量子エネルギー（WQE）が放射されています。この光は宇宙エネルギー、鉱石エネルギー、色彩エネルギーという3つのエネルギーが混ざった状態で発光しており、全身の細胞に働きかけます。また超微弱な量子レベルの振動エネルギーを放出していますので、体のエネルギー振動に変化（増幅）をもたらし気の流れをよくします。体温アップ、痛みの緩和、集中力アップを意図して開発されており、ご自身の本質を導き出したり、肉体の違和感、倦怠感の解放に役立ちます。

Q-bit bulge pointer
キュービットバルジポインター
(ホワイト量子の手のひらメドベッド)

330,000円（税込）

内容：Q-bit bulge pointer 本体、USB ケーブル / タイプ C コネクタ（充電用）　電源：3.7V リチウムイオンバッテリー［本体スイッチ部］・フラットスイッチ仕様・ON/OFF スイッチ・LED 切り替えスイッチ［本体 LED 部］7 色 LED 点灯・LED 照明は夜間ほのかに光る程度・回転して点灯

ご注文はヒカルランドパークまで TEL03-5225-2671　https://www.hikaruland.co.jp/

＊ご案内の価格、その他情報は発行日時点のものとなります。

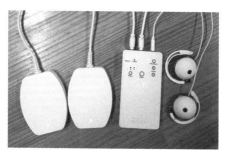

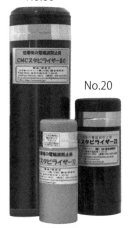

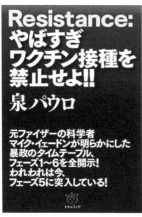

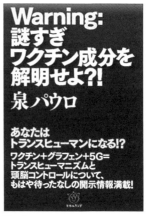